ÉTUDES SUR LE TEMPS HUMAIN

IV

MESURE DE L'INSTANT

ŒUVRES DE G. POULET
DANS PRESSES POCKET

ÉTUDES SUR LE TEMPS HUMAIN I
ÉTUDES SUR LE TEMPS HUMAIN II
LA DISTANCE INTÉRIEURE
ÉTUDES SUR LE TEMPS HUMAIN III
LE POINT DE DÉPART

GEORGES POULET

ÉTUDES SUR LE TEMPS HUMAIN

IV

MESURE DE L'INSTANT

« Qui mesure uniquement
l'être dans l'unique instant »

Pierre Jean Jouve

LIBRAIRIE PLON

© Librairie Plon, 1964

ISBN 2-266-03489-8

A MARCEL RAYMOND

AVANT-PROPOS

Il faudrait inventer une *mesure de l'instant*. Car ses dimensions varient. Tantôt il se trouve réduit à son instantanéité même : il n'est que ce qu'il est, et, en deçà, au delà, par rapport au passé, à l'avenir, il n'est rien. Et tantôt, au contraire, s'ouvrant sur tout, contenant tout, il n'a plus de limites. Les études qui suivent tâchent de faire apparaître cette variation de l'instantané. Par exemple, il serait difficile de trouver un instant plus dense que celui à l'intérieur duquel est enclos chaque poème de Maurice Scève. Une foule d'événements, une foison de sentiments, un enchevêtrement de destins se pressent en un minimum de durée. Tout est là, ramassé, non encore déroulé. Donc instant riche, pleine mesure, totalité d'un moment en qui se concentre le temps. — Mais il y a aussi des instants pauvres. Ils ne révèlent rien, sinon leur indigence. Pour exister, pour se succéder, ils ont besoin d'une intervention d'en haut. Il faut qu'un pouvoir créateur et conservateur s'oblige à les tirer du néant où d'eux-mêmes ils tombent. On reconnaît là les instants du temps janséniste. Pour Saint-Cyran, fondateur du jansénisme, l'instant se contente de montrer son exiguité et sa viduité. C'est une coque de noix. Sa mesure est pratiquement nulle.

Il en va à peu près de même chez Racine. L'instant humain y apparaît comme écrasé par une transcendance qui pèse directement sur lui. A cette verticalité première s'en ajoute une seconde. Surplombé par une présence surnaturelle, l'instant racinien surplombe à son tour une profondeur intérieure qui, comme un reflet dans l'eau, prolonge par en-dessous son image. Ainsi, contrairement à l'habitude qu'ont les instants humains de se ranger les uns à la suite des autres, horizontalement, le long d'une ligne qui est celle de la durée, les instants raciniens se rattachent surtout à ce qui les surmonte ou les sous-tend. C'est d'une double profondeur qu'ils dépendent.

Imaginons maintenant cette dépendance poussée à l'extrême. Concevons l'instant privé de toute caractéristique personnelle. Moi qui vis d'instant en instant je suis ce que Dieu met en moi tour à tour. D'instant en instant il fait sans cesse de moi un autre. Quand je comprends cela, je me comprends dans ma fluidité. Je me sens glisser le long d'une trame où s'inscrivent et s'effacent les modifications successives de mon être. C'est comme s'il n'y avait plus pour moi d'instant isolé, mais rien qu'une matière temporelle fluente prête à adopter indifféremment les formes qui y sont imprimées. Telle est la mesure de l'instant chez Fénelon, ou plutôt son incapacité à recevoir une mesure. Instant à la fois fini et indéfini, toujours en train de se refaire et de se défaire dans l'indéfinissable.

Par faiblesse interne, par manque d'être, l'instant humain tend donc à s'effondrer dans le néant, à se dissiper dans le vide. Aussi, dans les époques de grande foi, le voit-on le plus souvent accroché à une transcendance. Que celle-ci disparaisse ou ne soit plus perçue, et voilà l'instant laissé sans soutien, ramené à sa faiblesse fondamentale. Cela pourrait prendre un tour tragique, mais il arrive que la conscience s'accommode volontiers d'être réduite à l'instantané. Délivré de ses rapports avec la divinité, dépouillé de toute profondeur, l'instant humain chez un Casanova chez un Stendhal, acquiert une légèreté incomparable. En chaque instant je vis, je me sens vivre, et cette délicieuse conscience d'exister me fait sans trève bondir dans un autre instant.

Une telle hâte à profiter de l'instantané ne manque pas d'entraîner des conséquences, dont certaines peuvent devenir sérieuses. L'une d'entre elles est l'oubli. Qui vit dans l'instant oublie l'instant qui précède. Il progresse dans un temps indéfiniment vierge. L'instant au dix-huitième siècle a souvent la fraîcheur d'une naissance renouvelée. Mais ce qui se renouvelle, ce n'est pas simplement la naissance de l'instant, c'est aussi, simultanément, sa disparition. Le préromantisme est assombri par la conscience de cet évanouissement de l'instantané. Dans tous les écrits de Mme de Staël, par exemple, on en trouve le regret poignant. N'y a-t-il pas moyen pourtant de préserver, ou, à tout le moins, de renouveler les joies du moment présent ? C'est ce que se demande Stendhal. Joubert découvre qu'il n'y a pas seulement l'instant tel qu'il est vécu, mais l'instant tel qu'il est revécu dans la mémoire. Il y a une vie immédiate et une vie médiate de l'instant. La seconde est plus longue, plus riche et plus vaste que la première. Conservons donc le souvenir de l'instant. Conservons-le, non tel qu'il fut, mais tel qu'il peut devenir sous l'action d'un processus de perfection qui le transforme au centre de l'âme. Voici que l'instant se met à prendre son temps pour mûrir, à trouver peu à peu sa forme achevée, à exister en nous-mêmes d'une vie indépendante, comme une goutte de lumière suspendue à un firmament mental. Transformation lente et délicate de l'instant éphémère en un instant éternel.

Mais il ne s'agit pas seulement de faire « prendre son temps » à l'instant. Il s'agit d'insérer ou de retrouver en lui l'ensemble de la durée. Déjà Scève et les poètes de la Renaissance avaient rêvé d'un instant qui comprendrait virtuellement tous les temps (surtout les temps à venir). Les Romantiques expérimenteront réellement certains instants qui renferment tous les temps (surtout les temps du passé). Peu de poètes en effet ont un sentiment aussi net du caractère *expérimental* de l'instant. L'instant, c'est ce qui s'éprouve. Et parmi les instants « éprouvés » il en est de ternes, de manqués, d'intolérablement étriqués, mais il en est aussi de privilégiés, dont le contenu déborde, parfois immensément, l'aire des moments habituels. Instants paramnésiques, chez un Coleridge ou un Shelley, où passé et présent bizarrement cohabitent ; instants géniaux, chez un Condorcet ou un Shelley encore, qui par la multiplicité des idées successives qu'ils renferment, se transforment en de vastes unités de durée ; instants érotiques, où, comme chez Michelet, le passé atteint dans le présent à un point de culmination spasmodique ; instants d'extase naturiste, chez un Rousseau, chez un Keats, où l'esprit comblé, incapable de rien concevoir au delà de sa plénitude, atteint à une brève éternité ; et instants enfin restitués par la mémoire affective, où, comme chez De Quincey ou chez Baudelaire, ce qui surgit c'est l'entièreté d'un monde oublié, redéployant soudain, à l'instar de Combray, ses temps et ses espaces, et cela pourtant dans un volume de durée aussi exigu qu'une tasse de thé.

La mesure de l'instant va donc de la nullité à la totalité, de l'extrême condensation à l'extrême expansion. Mais comme dans le mode biologique de la scissiparité, cet instant si rempli de lui-même peut aussi, en raison de sa densité, se scinder, engendrer son semblable, être simultanément lui-même et un autre, être *encore* le présent et être *déjà* l'avenir. Et n'est-ce pas le cas de l'instant proustien, qui, le plus souvent, à l'opposé de ce que l'on croit généralement, se divise en un *maintenant* et un plus *tard*, en une invitation et un accomplissement ? Instant double, situé « entre » les temps, comme dit Proust. Et n'est-ce pas le cas aussi de l'instant de bonheur (et de malheur) chez Julien Green, toujours placé à l'extrémité d'une durée qui prend fin et au seuil d'une durée qui commence ? L'instant a toutes les mesures et toutes les démesures. Qui saura jamais concevoir une mesure de l'instant ?

I

MAURICE SCÈVE

I

Il n'y a pas de poésie plus dense que celle de Maurice Scève : densité qui consiste dans le poids des cogitations, dans l'usage parcimonieux des mots, dans la compacité de la substance, dans la ténuité du volume où pensées, mots, poésie se trouvent contenus. En comparaison de celle-ci, presque toute autre poésie paraît délayée : non pas nécessairement inférieure, mais métissée, affaiblie par des dosages, occupant trop de placé, usant de trop de mots. Ici, pas de mots inutiles ; pas d'additions diluantes, pas d'amplifications rhétoriques ou logiques. Ce qui est pensé n'a pas besoin d'être *expliqué*. Disons, pour employer ce terme en un sens rigoureusement étymologique, que la poésie scévienne s'efforce de garder sa *complication* originelle en se maintenant le plus longtemps possible en un point de rencontre où tous les ingrédients qui la composent demeurent mêlés ; point qui est à la fois simple, puisqu'il est un, et complexe, puisqu'une multiplicité initiale y a un foyer commun. Tout paraît s'y ramener, en fin de compte, à un instant de la vie spirituelle où rien n'est encore, à proprement parler, engagé dans des lignes divergentes, mais où cette vie, cependant, se révèle spontanément comme un nœud de tendances enchevêtrées.

N'allons donc pas chercher *d'abord* chez Scève le
tracé parabolique d'une aventure de l'esprit. Com-
mençons, avec lui, par nous placer à un niveau premier de la conscience, où, rien n'étant encore discri-
miné, tout se présente comme un faisceau d'activités
qui se heurtent, se bloquent mutuellement, se nouent,
s'entre-déchirent ; entortillées les unes dans les autres,
ainsi qu'une chevelure de serpents.

Imaginons pour représenter cette contraction extrême de formes dissemblables et d'associations am-
biguës, un lieu verbal aussi réduit que possible, qui
pourrait être, comme chez d'autres poètes de l'époque, un quatrain, un distique, n'importe quel petit
groupe de vers de quelques pieds. Ici, la forme minimum est le dizain : tout s'y ramasse et, en même
temps, y trouve son équilibre. Dix vers décasyllabi-
ques forment une surface strictement délimitée,
aussi large que longue, dans le carré de laquelle s'inscrit, sans jamais la déborder, le cercle serré des
pensées. Et imaginons encore ce petit cercle se reproduisant quatre cent quarante-neuf fois dans le
même poème. La *Délie* de Scève est ce poème quatre
cent quarante-neuf fois répété, où revient inlassablement le même ensemble de pensées. Quel est donc
cet ensemble qui mérite d'être réitéré avec tant d'insistance ? Citons à titre d'exemple le dizain 393 .

> *Je vais et viens aux vents de la tempête*
> *De ma pensée incessamment troublée :*
> *Ores à poge, or' à l'orse tempête,*
> *Ouvertement et aussi à l'emblée,*
> *L'un après l'autre, en commune assemblée*
> *De doute, espoir, désir et jalousie,*
> *Me foudroyant tels flots la fantaisie*
> *Abandonnée et d'aides et d'appuis.*
> *Par quoi durant si longue frénésie,*
> *Ne pouvant plus, je fais plus que ne puis.*

Comme dans le *Coup de dés* de Mallarmé, la barque
de la pensée penche d'un côté à l'autre, livrée qu'elle
est à la tourmente intérieure. L'espoir, le doute, le
désir, la jalousie, tantôt à tour de rôle et tantôt tous
ensemble, tantôt à découvert et tantôt à la dérobée,
assaillent une imagination en proie à son propre tumulte. Une activité sans mesure occupe l'esprit.
activité proprement répétitive, puisque jamais, semble-t-il, à la multiplicité des combinaisons internes
ne vient s'ajouter aucun élément extérieur. Pourtant
un certain excès se marque, le total réel dépasse le
total prévisible. Tout se passe comme si la vie frénétique de l'esprit était semblable à un nombre qui
grossirait par une multiplication perpétuelle de lui-
même, et dans le *carré* duquel se poursuivrait

> ... *l'intrinsèque déba:*
> *Qui de douleur à joie me promène.*

La vie spirituelle est cela, un débat purement
intérieur, une hydre dont les têtes repoussent :

> *Car à mon hydre incontinent succède*
> *Un mal soudain à un autre repris.*

Mal toujours semblable et toujours différent, témoignage d'un mouvement de l'esprit qui ne s'arrête
jamais, qui renaît sans cesse dans l'agitation de la
fièvre.

Tel serait, s'il était besoin de le définir — mais il
se définit lui-même, — l'acte premier de la conscience
chez Maurice Scève : tournoiement de la girouette
mentale, agitation cyclique, tourbillon qui enfle et
se résorbe, et au-delà comme en-deçà duquel rien ne
se conçoit, car de son « intrinsèque débat » toute intervention étrangère semble exclue. Il serait donc
facile, — et exact, dans un certain sens, — de soutenir que Maurice Scève est le poète de la vie inté-

rieure absolue, de celle qui, comme le **solipsisme,**
s'organise en un cercle hermétiquement clos ; activité
incessante, mais qui, repliée sur elle-même, passe du
tout au rien et du rien au tout, sans jamais sortir de
son intériorité :

> *Incessamment mon grief martyre tire*
> *Mortels esprits de mes deux flancs malades ;*
>
> *Toujours, toute heure, et ainsi sans cesser*
> *Faudra finir ma vie et commencer*
> *En cette mort inutilement vive.*

Mais cette mort vive est-elle vraiment inutile ?
Et d'autre part, l'absence de toute extériorité est-elle
aussi évidente qu'il paraît à première vue ? Comment,
s'il n'y avait, venant du dehors, aucune influence
renouvelante, l'activité de l'esprit pourrait-elle se
poursuivre ? Et comment encore la diversité pourrait-
elle s'engendrer de soi dans une pensée où, tout étant
intrinsèque, tout devrait être homogène ? Enfin quel
est, s'il existe, ce principe de division qui, établi au
centre de la pensée, transforme celle-ci en une force
tangentielle et centrifuge ? Telles sont quelques-unes
des questions que fait naître le spectacle inépuisablement renouvelé de la poésie scévienne.

A ces questions, d'un bout à l'autre des quatre cent
quarante-neuf dizains une seule réponse est donnée.
S'il est vrai que, dans un sens, toute activité dans le
monde du poème naît et se fomente de l'intérieur, le
principe dont il s'agit et qui habite au cœur de l'esprit
est un principe d'altérité pure. Délie, l'être aimé,
inspiratrice du désir, de l'espoir, de la jalousie, et par
conséquent du tourbillonnement frénétique de la pensée, est une personne de chair et d'os, portant un nom
(Pernette du Guillet), habitant un lieu terrestre (Lyon),
poète elle-même et femme mariée ; mais d'un autre côté, par une contradiction qui réside en elle parmi
beaucoup d'autres, elle est une image intériorisée qui,

se situant au centre d'une pensée, en devient le ressort.
Certes, il n'est pas difficile de relever dans la *Délie* un
certain nombre de passages, la plupart admirables, qui
prouvent qu'à aucun moment Maurice Scève ne perd
de vue le fait que celle qu'il aime est une créature
incarnée, vivant de sa vie de femme dans le monde
externe. Nul poète n'a moins de prédilection pour les
pures abstractions. Cependant Scève a la plus nette
conscience que cette personne aimée, tandis qu'elle
continue sa vie de femme au dehors, n'en poursuit pas
moins au dedans de lui une action dont il est le sujet
exclusif :

> *Si poignant est l'éperon de tes grâces*
> *Qu'il m'aiguillonne ardemment où il veut ;*

ou encore :

> *Au doux record de son nom je me sens*
> *De part en part l'esperit transpercer*
> *Du tout au tout, jusqu'au plus vif du sens...*

jusqu'au centre de la conscience, comme si la force
« poignante » opérant en lui-même, y avait une source
plus intime que lui-même, et que l'être qui l'aiguillon-
nait et le transperçait, eût en lui, pour employer le
langage de saint Augustin, une nature plus intime
encore que la sienne.

Et, de fait, pour que l'image de sa maîtresse puisse
ainsi opérer librement au fond de lui-même, il faut que
la conscience de soi n'ait plus la même vigueur et que
l'image de l'aimée tende à s'y substituer :

> *Car qui par vous conclut résolument*
> *Vivre en autrui, en soi mourir commence ;*

> *Je quiers en toi ce qu'en moi j'ai plus cher.*

Ainsi, conclut le poète, l'amour m'incite

> *à m'oublier moi-même*
> *Pour mieux pouvoir d'autrui me souvenir.*

Effacement du moi, remplacement de celui-ci par un autre moi, qui est l'être de l'aimée. L'amour scévien tend donc à s'organiser en un cycle tout intérieur. *Circulus amorosus* qui ne différerait pas sensiblement de celui des *Trattati d'amore*, si répandus dans les milieux néo-platoniciens de l'époque, si, d'autre part, l'intériorisation de l'amour n'était portée ici à un degré jamais approché ailleurs ; et si, à l'intérieur du sujet, cette prise de possession de celui-ci ne se heurtait de sa part à lui à une résistance désespérée. Ame tantôt dépossédée et tantôt repossédée, la conscience scévienne mène un combat dont on ne sait si l'issue souhaitée est la reddition totale de soi-même aux mains de l'adversaire, ou la préservation de son identité. Un idéal platonicien auquel, par le renoncement et l'obéissance, l'on arrive à se conformer, voilà ce que l'amour scévien aurait pu être. Voilà, certes, ce qu'il n'est, pour ainsi dire, jamais tout à fait. Non que l'intériorisation ni que l'idéalisation de l'aimée restent, chez lui, chose inachevée. Jamais idéal — pour réel qu'en soit le représentant, — ne s'est montré plus élevé ni ne s'est fixé plus profondément dans la pensée de celui qui l'a adopté. Mais à partir du moment où ce transfert d'habitat a lieu, l'aimée fait sentir sa présence de façon étrangement ambivalente, non pas seulement comme un centre d'activité bienfaisante, mais encore, — et cela est imprévu, — comme un foyer de dissension intestine. Scève, il est vrai, reconnaissant la haute influence qu'elle exerce, ne cesse de lui redire :

> *Tu es le Corps, Dame, et je suis ton ombre,*
> *Qui en ce mien continuel silence*
> *Me fais mouvoir...*

mais au pouvoir moteur représenté par la Dame, le
moi mobile n'obéit pas toujours dans un silence docile.
Une plainte s'échappe de ses lèvres. Ses mouvements
sont heurtés et même contrariés. L'extrême intimité
dans laquelle il vit avec celle qu'il aime, loin d'engendrer en lui le bonheur, est pour lui une source
d'affliction. A n'en pas douter, une dualité douloureuse de ce genre se retrouve souvent dans les relations
érotiques. Mais, chez Scève, elle prend une intensité
singulière, du fait que la relation dont il s'agit existe
entre deux êtres qui, pour ainsi dire, cohabitent dans
une même pensée. D'où, chez le poète, le sentiment
exceptionnellement aigu de la disparité qui éclate
entre les âmes ainsi confrontées. L'excellence de
l'une accuse l'ignominie de l'autre. Aussi le néo-
platonisme florentin qui sert ici d'inspiration à
Maurice Scève, est-il profondément altéré par cette
contrariété des tendances. Délie n'est plus simplement
un idéal céleste, qui, du haut de sa supériorité, guide
une pensée se mouvant autour d'elle comme une
planète autour d'un soleil de vertu et de bonté ; elle
est plutôt la présence d'une perfection à la fois toute
proche et infiniment étrangère, en face de laquelle
l'âme constate amèrement son infériorité. Sans doute,
contempler un tel modèle, c'est, dit le poète, « anoblir
son indignité » ; mais c'est souvent aussi mesurer à ce
modèle sa propre insuffisance : d'où la honte, la
révolte, un sentiment désespéré de soi. Tel est le cycle
singulier dont les quatre-cent-quarante-neuf dizains
nous donnent le spectacle : spectacle d'un être chez
qui la conscience de soi, hantée par une perfection qui
réside en elle-même sans être d'elle-même, et calculant
d'autre part la distance qui la sépare de cet idéal, s'inquiète, se ronge, s'agite, tourne et retourne sur elle-
même, accuse qui la fait souffrir, et renouvelle ainsi un
mouvement de comparaison d'où elle tire à la fois
joie et douleur. Bref, chez Scève, le thème des contrastes, si abondamment et ennuyeusement traité

par les pétrarquistes, prend une fraîcheur et une
vigueur inattendues, du fait que les deux termes du
contraste : pleurs et joie, mort et vie, lumière et
ténèbre, froid et chaleur, décrivent ici un rapport
d'opposition vécu de l'intérieur, la simultanéité dans
l'esprit de deux éléments contraires :

> *Par mes soupirs Amour m'exhale l'âme,*
> *Et par mes pleurs la noie incessamment.*
> *Puis ton regard à sa vie l'enflamme,*
> *Renouvelant en moi plus puissamment.*
> *Et bien qu'ainsi elle soit plaisamment,*
> *Toujours au Corps son tourment elle livre,*
> *Comme tous temps renaît, non pour revivre*
> *Mais pour plus tôt derechef remourir :*
> *Par quoi jamais je ne me vois délivre*
> *Du mal auquel tu me peux secourir.*

Cet étrange néo-platonisme semble donc avoir pour
fin non pas tant un progrès vers un idéal, qu'un conflit
douloureux avec celui-ci. L'esprit est pris au piège de
ce qu'il rêve. Deux forces contraires, l'idéal et la honte
engendrée par l'idéal, le font tourner perpétuellement
sur place. On dirait un écureuil dans sa cage, Sisyphe
(un Sisyphe plus malheureux qu'heureux), roulant
son rocher.

Cela voudrait-il dire cependant que la pensée
scévienne ne peut échapper à son propre supplice ?
Il semble que non, puisqu'entre la perfection et
l'insuffisance la même intolérable disparité doit toujours exister. Il advient parfois pourtant que la pensée de Scève arrive à une harmonie interne, mais ce
n'est jamais par immobilisation, détente, renonciation à l'activité qui en est le principe. Captif du cercle
mobile où il s'enferme jusqu'au vertige, jamais l'esprit scévien ne pourrait s'en évader ni l'arrêter. Mais
cette génération perpétuelle de la disparité et de la
discordance ne peut-elle se transformer en le principe

d'un accord qui dépendrait du désaccord lui-même ?
Comme les éléments ennemis, eau et feu, terre et air,
créent, en raison de leur inimitié même, mille combinaisons d'où ressort finalement une harmonie,
ainsi, à force de s'opposer, de se torturer, la honte de
soi et l'aspiration vers le haut ne peuvent-elles créer
par leur emmêlement une joie fuyante, une connaissance trouble, le sentiment, comme dit Baudelaire, de
la « composition double » de la beauté ? Ce caractère
paradoxal, anti-naturel et essentiellement précaire
de la *concordia discors* en l'expérience humaine,
Maurice Scève l'a perçu et exprimé dans toute sa
complexité :

> *Les éléments entre eux sont ennemis,*
> *Mouvant toujours continuels discords :*
> *Et toutefois se font ensemble amis*
> *Pour composer l'union de ce corps.*
> *Mais toi contraire aux naturels accords*
> *Et à tout bien que la Nature baille,*
> *En cette mienne immortelle bataille*
> *Tu te rends douce et t'apaises soudain :*
> *Et quand la paix à nous unir travaille,*
> *Tu t'émeus toute en guerre et en dédain.*

II

Guerre et paix, guerre au sein de la paix et paix au sein de la guerre, corps à corps, en chaque pensée, avec un adorable et insupportable ennemi.

Telle est la poésie scévienne, du moins celle que le poète réalise dans la *Délie*. On y perçoit un accord renouvelé dans un désaccord renouvelé. Elle procède par une série d'expériences, toutes similaires, reproduisant avec une égale perfection de forme un égal sentiment de l'imperfection du fond. C'est très délibérément que fut conçu ce livre sous l'apparence d'un chapelet de petits poèmes tirant chacun la même réussite verbale d'un même conflit mental. Concorde sortant de la discorde ! Un tel livre avait évidemment pour but de ramener l'esprit, toujours avec la même exactitude, à son expérience de chaque jour. Un ensemble de moments, enclos chacun dans la gaine la plus étroite, un minimum de mots pour capter en un minimum de temps toute la complexité d'une expérience quotidienne, voilà quel est ce livre, triomphe de densité, miracle de raccourci. On dirait que pour y mieux montrer son intention, le poète a voulu y marquer un nombre déterminé de fois *toujours le même point*. Le dizain de Scève est un point qui, à force d'être répété, devient livre, mais sans jamais cesser d'être un minimum de mots et un condensé de pensées, c'est-à-dire un lieu presque sans espace, un point.

Il est vrai que parfois cependant la ponctualité du dizain semble brusquement se gonfler et s'entr'ouvrir, comme si l'esprit se trouvait soudainement au seuil

d'un grand poème. Ainsi en va-t-il dans la strophe
suivante :

> *De toute mer tout long et large espace,*
> *De terre aussi tout tournoyant circuit,*
> *Des monts tout terme en forme haute et basse,*
> *Tout lieu distant du jour et de la nuit,*
> *Tout intervalle, ô qui par trop me nuit !*
> *Seront remplis de ta douce rigueur.*
> *Ainsi passant des siècles la longueur,*
> *Surmonteras la hauteur des étoiles*
> *Par ton saint nom, qui vif en ma langueur*
> *Pourra partout nager à pleines voiles.*

Ou bien encore, par un mouvement interne, tout à
fait caractéristique de la poésie scévienne, celle-ci
en son étroit réduit se met — il n'y a pas d'autre
terme, — à palpiter. Quelque chose en elle se
condense, quelque chose aussi s'y déplie. Un *développement* succède à un *enveloppement*. Et nous avons
alors un poème comme celui-ci :

> *L'aube venant pour nous rendre apparent*
> *Ce que l'obscur des ténèbres nous cèle,*
> *Le feu de nuit en mon corps transparent*
> *Rentre en mon cœur couvrant mainte étincelle,*
> *Et quand Vesper sur terre universelle*
> *Étendre vient son voile ténébreux,*
> *Ma flamme sort de son creux funébreux,*
> *Où est l'abîme à mon cher jour nuisant,*
> *Et derechef reluit le soir ombreux*
> *Accompagnant le Vermisseau luisant.*

En présence de telles réussites, à la fois si conformes
et si contraires à la structure particulière de la *Délie*,
ne serait-il pas possible de rêver à une poésie où le
point, au lieu de rester contracté, s'étendrait, deviendrait une série de cercles contenant finalement l'uni-

vers ? Mouvement exactement inverse de celui qui prédomine dans la *Délie*, mais qui, pour cette raison même, n'est pas hors de portée de son auteur. Or, ce poème de l'étendue et de l'universalité, Maurice Scève l'écrira. Nous avons vu la *Délie* se présenter comme un poème de l'extrême contraction. Par un renversement qui n'est pas fortuit, — qui tient, au contraire de la façon la plus évidente à la volonté expresse du poète, — celui-ci fait suivre la *Délie* (après combien d'années de maturation cependant !) par un autre poème, le *Microcosme*, où la pensée « sort de son creux ténébreux » pour émerger en pleine lumière, en plein espace.

Cherchons donc quel est le thème poétique le plus vaste, le plus éloigné d'une absence d'étendue initiale. C'est assurément le poème de la pensée qui devient monde, de l'unité divine s'épandant dans la multiplicité de la création. Concevons donc, avant même l'existence du monde, celle d'un esprit qui le contient en lui, comme le point central contient le cercle, comme le germe contient ses développements, comme la virtualité infinie contient d'infinies réalisations. Tout va donc commencer dans ce poème par la même condensation que dans chaque dizain de la *Délie*. Et, comme dans ces dizains, on y verra un principe central et supérieur engendrer dans une entité inférieure une série de manifestations. Mais le principe dont il s'agit maintenant, s'avère supérieur encore à celui qui animait la *Délie*. Plus n'est question d'un principe féminin idéal, exerçant sur l'âme son influence. Il s'agit de Dieu même, Dieu saisi en son insondable origine, Dieu principe des principes, unité de toute unité. Le début du *Microcosme* est rempli par la description stupéfiante de cette unité divine, conçue non sous la forme du Christ, Dieu incarné, ni sous celle anthropomorphe, du Zeus de la mythologie grecque ou du Jéhovah de la religion juive, mais sous l'aspect occulte, mathématisé, ramené à l'abstraction la plus rare, du Dieu pur principe et pure monade, du *Dieu-point*. Jamais poème peut-être n'a trouvé un début plus noble, plus succinct, plus véritablement initial. Pour arriver à décrire finalement l'extrême expansion du microcosme, Scève devait commencer par exprimer une positivité aussi proche que possible de la négativité, une unité première qui, la plus proche voisine du Rien, pût ensuite se dévoiler comme capable de se développer en un Tout et d'être le Tout.

Cette merveille de concentration première, Scève la présente en les vers que voici. Ils sont parmi les plus grands, les plus solennels, les plus gonflés de sens de toute la langue française :

> *Premier en son Rien clos se célait en son Tout,*
> *Commencement de soi sans principe et sans bout,*
> *Inconnu fors à soi, connaissant toute chose*
> *Comme toute de soi, par soi, en soi enclose.*
> *Masse de Déité en soi-même amassée,*
> *Sans lieu et sans espace, en terme compassée,*
> *Qui ailleurs ne se peut qu'en son propre tenir,*
> *Sans aucun temps prescrit, passé ou avenir,*
> *Le présent seulement continuant présent,*
> *Son être de jeunesse et de vieillesse exempt.*

Et ces autres vers, qui viennent immédiatement après, et dont personne, à aucune époque, n'aurait trouvé l'équivalent : ni Ronsard, ni Racine, ni Chénier, ni Hugo, ni Baudelaire, ni Claudel :

> *Essence pleine en soi d'infinité latente,*
> *Qui seule en soi se plaît et seule se contente,*
> *Non agente, impassible, immuable, invisible*
> *Dans son Éternité, comme incompréhensible,*
> *Et qui de soi en soi étant sa jouissance,*
> *Consistait en Bonté, Sapience et Puissance.*

Seul Dante, au plus haut, au plus profond de lui-même, a trouvé des accents d'une telle altitude.

Il va sans dire que ce qui se trouve exprimé ici, en termes hardis mais selon la plus rigoureuse orthodoxie, c'est l'image d'une activité principielle, fonctionnant inépuisablement, éternellement en elle-même mais de telle façon que ce qu'elle produit éternellement, c'est elle-même, et que cette éternelle production s'accomplit en cercle fermé.

Ce qui se révèle donc au début du *Microcosme*, c'est une activité circulaire auto-créatrice, du même type que celle qui se révélait déjà presque en chaque dizain de la *Délie*. De la même façon que la pensée humaine semblait dans ce dernier poème, sous l'empire de l'amour, s'engendrer perpétuellement, ainsi, dans le *Microcosme*, c'est par un acte d'amour que l'*energeia akinesis* de la Trinité divine accomplit sans cesse le mystère de son existence triple et une. Une célèbre définition, datant du xiie siècle, exprime admirablement ce renouvellement perpétuel de Dieu : *monas monadem gignit et in sese suum ardorem reflectit.* L'unité divine, en la personne du Père, s'engendre elle-même en celle du Fils, et cette génération de Dieu par Dieu s'exprime sous la forme de l'amour que le Père porte à son image réfléchie, et qui est le Saint-Esprit. Ainsi aux yeux des mystiques du Moyen-Age, comme bientôt à ceux de Cusa, de Ficin, qui vont reprendre les spéculations néo-pythagoriciennes et néo-platoniciennes sur le dynamisme des nombres, la Trinité est l'image parfaite du *circulus amorosus*, unité qui ne cesse de renaître d'elle-même et qui, dans le point qui la constitue, contient l'immensité des cercles qui s'en dégageront en s'explicitant.

Cette explicitation de l'immensité latente, voilà le sujet dont nous venons de citer le grandiose début. Sujet d'une telle grandeur qu'aucun pouvoir de poésie n'y pourrait suffire, et qui sera d'ailleurs repris gauchement, parfois magnifiquement, et, en fin de compte toujours insuffisamment, par une série de poètes de la seconde moitié du xvie siècle, Lefèvre de la Boderie,

Du Bartas, Du Monin, Agrippa d'Aubigné, etc. Le
moins insuffisant de ces poètes reste Maurice Scève
lui-même. Sans doute, dans son *Microcosme*, n'est-il
pas difficile de trouver des accumulations de termes
à la fois insolites et barbares, de déplorables longueurs,
des digressions sans vertu. Ainsi, par une exacte punition infligée à celui qui a voulu *trop* dire, le poète de
la condensation devient le versificateur inefficace de
l enflure. C est en se tenant dans un lieu mental et
verbal aussi étroit que possible, que Maurice Scève
échappe aux défauts qui lui sont le plus contraires,
ceux de l'expansivité et de la verbosité. Aussi, conscient des limites de son génie, du sens de la limite, qui
est l'essence de son génie, Maurice Scève tente-t-il
l'impossible pour limiter l'infini, pour mettre le tout
dans un rien, le cercle infini dans un point, et pour
mesurer l'ensemble de sa pensée cosmique à un simple
instant de cogitation. Il le fait d'abord sous la forme
que nous venons de voir, dans la représentation initiale de la Trinité divine ; il le fait encore, une seconde
fois, en décrivant l'expansion historique, géographique et noétique de l'humanité à travers les âges,
contrées et sciences, sous la forme d'un rêve vécu par
Adam, après la mort d'Abel, au cours d'une seule
nuit. Comme Dieu sort de Dieu par un mystère
d'activité génératrice, la connaissance du microcosme sort, comme une immense circonférence, du
point central constitué par l'intelligence acquisitive
de l'homme : intelligence qui s'étend à tout et qui
ramène à soi le tout. Et le mouvement verbal du
poème apparaît comme l'exact équivalent du mouvement de pensée par lequel le tout de la création et le *un*
de cette pensée même s'équivalent ; ils s'équivalent,
par anticipation, dans le poète, ils s'équivaudront
actuellement dans l'Homme-Dieu, qui, dit Scève dans
les derniers vers de son poème,

> *se montrant la voie et vérité,*
> *Et la vie éternelle à cette humanité,*
> *Commencement et fin principiant son bout,*
> *Son Rien, son Microcosme, unira à son Tout.*

Jusqu'au bout le poète reste donc fidèle à lui-même. Il demeure le poète d'une unité initiale, développant d'abord ce qu'elle renferme, et ramenant ensuite ce développement à un enveloppement, à une réimplication [1].

1. Lire sur tous ces points le livre essentiel de Hans Staub, paru tout récemment chez Droz à Genève sous le titre : *Le curieux désir.*

II

SAINT-CYRAN

I

Chez d'autres le sentiment premier est une affirmation, une certitude ; chez Saint-Cyran, c'est l'expérience d'une défaillance. Il se perçoit sans cesse en train

de changer son être à tout moment, de vieillir de jour en jour, et de défaillir peu à peu par de secrètes langueurs et par de grandes maladies... [1]

Bien loin d'avoir en elle-même un principe de continuation et de positivité, pour lui la vie humaine est

si faible et si débile qu'elle ne peut durer longtemps ni se conserver par elle-même. [2]

Elle ne dure et ne se conserve que de moment en moment, et par l'action de Dieu :

S'il ne nous retenait et conservait dans l'être qu'il nous a donné, nous nous écoulerions au même moment comme des eaux qui n'ont point de consistance. [3]

1. *Lettres chrétiennes et spirituelles,* Rouen, 1645, t. I, p. 260.
2. *Théologie familière,* Rouen, 1652, p. 114.
3. *Lettres chrétiennes,* t. I, p. 416.

Si donc le moment présent existe, et nous avec lui, si le moment suivant n'est pas celui du néant où de nous-mêmes nous nous portons, c'est en raison de l'acte sans cesse répété par lequel Dieu nous donne existence. L'être nous est *mesuré* de sa main, à chaque instant nouveau, comme à celui de la création : création continuée, qui répare inlassablement en l'être créé son incapacité à continuer d'être. La création continuée est pour Saint-Cyran une sorte de postulat premier, sur lequel repose toute sa conception de l'existence, et dont la rigueur n'est tempérée par aucune théorie de raisons séminales ni de formes substantielles. Tout est ramené au concept le plus nu, tel qu'on le trouve chez les prophètes juifs ou dans certaine philosophie arabe : celui d'un monde qui n'est que de moment en moment, parce que, de moment en moment, l'arbitraire divin le tire du néant qui est son essence.

A la simplicité radicale de l'ordre naturel correspond celle de l'ordre moral. Impuissant à s'empêcher de tomber dans le non-être, l'homme est non moins incapable de s'empêcher de tomber dans le mal. Seule l'action divine le retient perpétuellement de s'abîmer dans le néant du péché qui redouble celui de la nature.

> *Étant à tout moment en danger de commettre des péchés, il n'y a qu'une main invisible qui le retient et l'empêche de le faire.* [1]

Sur le plan de la surnature, la grâce divine a donc la même simplicité et la même omnipotence que le concours divin sur le plan de la nature. Comme celui-ci, elle agit librement, sans l'aide d'aucune cause seconde ; comme celui-ci, elle intervient à chaque moment pour sauver l'être du non-être ; enfin, comme

---

1. *Lettres chrétiennes*, p. 130.

celui-ci, elle procède, non selon une action continue,
dans une durée homogène, mais par une série d'actes,
qui, quelles que soient leur liaison et leur entresuite,
n'existent chacun que par une opération propre, et
dont chacun constitue un moment distinct et nouveau
de l'existence :

*Nous ne pouvons rien faire, ni nous avancer en façon
quelconque, si Dieu ne nous prévient à chaque pas et ne
nous envoie un nouveau secours et une nouvelle
grâce* [1].

Il n'y a donc pas une grâce, il y a des grâces.
L'homme est si pauvre et si stérile, si proche du
néant du mal, que s'il ne lui est donné continuellement une grâce différente, il perd instantanément
sa vie surnaturelle :

*S'il ne nous secourait à tous moments par des grâces
nouvelles, nous péririons tous* [2].
*Il n'appartient qu'à Dieu de donner sans cesse des
grâces à l'Homme, qui quelque grandes et abondantes
que soient celles qu'il a reçues, ne saurait se passer de
lui en demander toujours de nouvelles ; puisque sans
cela il ne peut subsister un seul moment* [3].

Ainsi, dans l'univers cyranien, la dépendance de
l'homme à l'égard de Dieu est conçue avec une telle
implacabilité qu'il n'est pas permis à la créature de
prendre appui jusque dans l'acte par lequel Dieu la
maintient et la sauve. Cet acte n'est valable que pour
l'instant même ; et le néant de la créature est tel, et
si essentielle son incapacité à se former quelque durée,

1. *Théologie familière*, p. 76.
2. *Lettres chrétiennes*, t. I. p. 434.
3. *Ibid.*, p. 361.

que Dieu même en son immutabilité ne peut le sauver
qu'en s'y exerçant de seconde en seconde, et en lui
donnant sans cesse, avec de nouveaux secours, un
temps qui est fait, morceau par morceau, d'actions
divines multipliées.

II

Dans ce monde de la vie intérieure, que crée chaque fois le geste divin, il pourrait n'y avoir place que pour la seule conscience de cette action même ; si bien que la vie spirituelle pourrait être formée, comme chez Luther, d'une chaîne de ravissements et d'actions de grâce, où l'âme reconnaîtrait à tout coup en elle-même l'opération nouvelle de Dieu. Et c'est à cela sans doute que tend finalement la pensée cyranienne. Mais aucune pensée, d'autre part, n'affirme plus nettement la conscience angoissée du contraste entre l'action divine et l'impuissance humaine. Car si l'être de la créature n'a d'existence et de bonté que par une intervention toujours nouvelle et toute gratuite, rien ne lui permet d'être sûr que, dans l'instant qui suit, quelque intervention du créateur s'interposera entre elle et le néant. L'existence est suspendue, seconde par seconde, à un geste que Dieu ne fera peut-être pas. Rien ne garantit ni notre persévérance à être, ni notre persévérance à être justes :

Nul ne peut être assuré du grand don de persévérance [1].

A ce premier sentiment « de tremblement et de crainte », s'ajoutent un autre tremblement et une autre crainte ; non plus tournés vers l'avenir, mais situés dans la perception même du présent. Car c'est dans le présent, dans la conscience actuelle, qu'éclate l'opposition entre le mouvement créateur qui vient

1. *Lettres chrétiennes*, p. 85.

de Dieu, et le mouvement destructeur qui procède de notre essence. Du sentiment immédiat que Dieu nous fait et nous invente, la conscience est à l'instant rejetée dans le sentiment non moins immédiat que nous voici retombant au néant :

Je ne suis rien devant vous, et vous êtes tout devant mes yeux ; je me trouve encore un néant après être sorti par votre double miséricorde du double néant de la nature et du péché ; et je porte incessamment l'un et l'autre dans moi-même par la continuelle défaillance que je sens [1].

Parfois même, lorsque le secours divin tarit ou se cache, « comme la sève se retire en hiver dans la racine des arbres » [2], lorsque le sentiment de la grâce s'efface et « qu'il plaît à Dieu de faire rentrer toute la vertu de sa grâce dans le centre des âmes, et de les rendre comme sèches » [3], il arrive qu'il ne reste plus dans l'âme que la conscience du mouvement par lequel elle va d'elle-même à sa destruction. Alors le temps humain, au lieu de se composer d'une chaîne de grâces nouvelles, apparaît comme une durée toujours expirante, où seul demeure en la conscience du pécheur « le sentiment continuel de sa défaillance » [4].

Sentiment le plus désolé peut-être que l'âme puisse éprouver ; puisque la conscience de vivre s'y réduit à celle d'une série d'agonies successives.

Il serait difficile d'imaginer conscience de soi plus misérable. Et pourtant c'est en ce point, qui est le degré le plus bas du sentiment intime, où chaque pensée de soi est une indigence, que Saint-Cyran concentre toute l'activité spirituelle de la créature. La réalité humaine est une privation, la vertu essen-

1. *Lettres chrétiennes*, p. 376.
2. *Ibidem*, p. 473.
3. *Ibidem*.
4. *Ibidem*.

tielle une humilité. Si l'on est pauvre, il ne reste qu'à
« imiter les pauvres » :

*Il ne reste autre chose que de pouvoir demander du
pain sans être assuré qu'on en donne* [1].

Dans l'absence totale d'assurance, il ne reste qu'à
accepter et à pratiquer l'absence d'assurance ; qu'à
persévérer à demander la persévérance. Une seule
continuité peut et doit former notre vie : la continuité du sentiment de notre dépendance. Vivre,
c'est demander continuellement à Dieu la vie ; c'est
lui montrer continuellement le besoin que nous avons
de lui pour continuer d'exister :

*Nous n'avons qu'à continuer de prier Dieu et de com-
battre le ciel pour le fléchir et l'emporter par une sainte
violence, c'est-à-dire par la persévérance, puisqu'il n'y
a rien de si violent auprès de Dieu, qu'un gémissement
continuel et une prière qui ne cesse point, par les paroles,
par les pensées, par les désirs et les mouvements intérieurs, à quoi le ciel même ne peut résister* [2].

*S'humilier, souffrir et dépendre de Dieu, est toute la
vie chrétienne, si on fait ces trois choses continuellement* [3].

Nous avons besoin d'une prière continuelle [4].

1. *Lettres chrétiennes*, p. 85.
2. Rapporté par Fontaine dans *Mémoires pour servir à l'histoire de Port-Royal*, 2 vol., Utrecht, 1736, t. I, p. 150.
3. *Lettres chrétiennes*, t. I, p. 168.
4. *Théologie familière*, p. 210.

III

Dans l'affirmation sans cesse répétée de son insuffisance absolue, la pensée cyranienne finit par trouver comme une manière d'être propre. Sentir et montrer continuellement son néant devant Dieu, devient quelque chose presque de positif. Car « ressentir en nous de grands mouvements d'infirmité » [1], « multiplier nos mouvements intérieurs d'humilité » c'est donner à ce qu'il y a d'humble, d'infirme, de négatif en nous, non plus seulement la valeur négative d'un jugement de condamnation sur notre impuissance et notre vide, mais la signification d'un appel à la plénitude, faire de cette impuissance un mouvement vers la puissance :

Je ne me contente, nullement d'une espérance qui ne s'étend qu'à empêcher le désespoir [3].

Bien au contraire, il faut une espérance active, un élan par lequel l'âme « impatiente du repos, est toujours en mouvement » (*quietis impatiens est, semper in motu versatur*) [4].

En un sens, il est vrai, ce mouvement de l'âme n'est rien autre, nous l'avons vu, que l'action de Dieu en l'âme. Mais à ce mouvement de Dieu nous sentons que s'allie notre mouvement propre. C'est

1. *Lettres chrétiennes*, t. I, p. 434.
2. *Ib.*, p. 341.
3. Cité par Sainte-Beuve, *Port-Royal*, t. I, p. 351.
4. *Petrus Aurelius*, Paris, 1632, p. 612.

comme une double série, alternée de secours divins
et d'actions mortelles, où la grâce sans doute est la
première à toucher la volonté humaine, mais où celle-
ci aussitôt s'ébranle et répond à l'attouchement qui
lui est fait. A chaque grâce nouvelle répond donc un
mouvement humain nouveau :

> *Et celui qui prie, soit qu'il le sache ou qu'il l'ignore*
> *ne demande autre chose à Dieu, lorsqu'il le prie, sinon*
> *qu'il répande en son âme un amour nouveau qui lui*
> *donne moyen de l'aimer davantage* [1].

Ainsi, en fin de compte, la terrifiante constatation
d'impuissance, presque le cri de désespoir, qui, du
côté humain, était à l'origine de la conscience de l'être,
se transforme, sans perdre cependant de son caractère premier, en le mouvement d'amour par lequel
l'âme répond à la grâce : double caractère en quoi
se résume presque toute la religion cyranienne :

> *ne constituant la vraie religion que dans le fond de la*
> *piété intérieure, qui regarde Dieu, à tous moments, avec*
> *tremblement et crainte, et dans les mouvements d'amour,*
> *qui sont toujours nouveaux, et qui se renouvellent de*
> *jour en jour* [2] ;

renouvellement intérieur qui ne peut avoir de cesse
ni de trève :

> *car s'il s'arrêtait et s'immobilisait hors de ce point su-*
> *prême, hors du centre, il se corromprait et dégénérerait* [3].

Or, c'est ici même, en ce risque d'ARRÊT, que la
dialectique de Saint-Cyran arrive à son point le plus

1. *Lettres chrétiennes*, t. I, p. 431.
2. *Ib.*, p. 281.
3. *Petrus Aurelius*, p. 612.

dramatique. En raison de sa dépendance d'une grâce qui n'est jamais continue, l'activité humaine, en effet, ne peut être elle-même un mouvement continu. Créée en chaque instant par chaque grâce nouvelle, elle participe non seulement de sa naissance, mais de son repli et de son extinction. « Arrêter » la grâce, ce serait d'abord impossible ; ce serait vouloir donner une durée à ce qui n'existe que pour l'instant ; mais ce serait commettre de toutes les fautes la plus grave ; ce serait se complaire en la grâce reçue, tenter de l'intégrer à soi-même et d'en faire une « vertu » ; ce serait prendre la grâce *actuelle* pour un *état de grâce*, un acte pour un pouvoir, et ce qui est alloué à l'instant, pour une valeur permanente. Par là il y aurait comme une appropriation funeste et coupable de la puissance divine :

Ce qui me fait craindre que si mon âme retient un seul moment vos eaux et vos grâces sans les faire retourner vers leur origine, ce moment auquel elles s'arrêteront en moi ne cause de la corruption dans mon âme [1].

Dieu remplit de ses biens ceux qui en sont vides... Au contraire il laisse dans une continuelle indigence ceux qui en demeurent remplis, et qui n'ont pas soin de s'en décharger et de s'en priver, en les lui rendant comme siennes, à l'instant même qu'ils les ont reçues [2].

Dieu ne peut devenir une *possession* de l'homme :

Lorsqu'on pense le posséder, il s'est retiré, et lorsqu'on croit qu'il s'est retiré, on le possède [3].

Loin de vouloir le posséder, il faut vouloir qu'il se retire ; vouloir qu il ne soit en nous que pour le

---

1. *Lettres chrétiennes*, t. I, p. 376.
2. *Ib.*, p. 384.
3. *Ib.*, p. 52.

moment où il est en nous ; vouloir même qu'il n'y soit plus, dès le moment où il nous a donné ses richesses. Bien plus, il faut savoir se dépouiller de ces richesses mêmes, et, à l'instant où l'on en est encore orné, il faut souhaiter se retrouver dans son dénuement originel. Au mouvement d'amour par lequel on s'élance vers Dieu, doit chaque fois succéder un mouvement inverse, où l'on reprend conscience de l'infinie distance qui nous sépare de lui, et de l'infini néant qui est notre partage. Notre retrait loin de la grâce, notre mort à la grâce, doit être voulue par nous comme un sacrifice que nous faisons à la grandeur divine, et dont nous trouvons le symbole dans le mystère eucharistique, où Dieu se sacrifie à Dieu :

> « *Jésus-Christ, qui en est le principal auteur, et qui se produit toujours un autre soi-même dans la personne de Jésus-Christ, s'y anéantit toujours après s'y être produit, pour honorer son Père, en l'honneur duquel il s'offre et se produit lui-même dans ce grand mystère* [1].

L'action par laquelle nous participons à la création continuée de notre être spirituel, n'est donc pas faite seulement du mouvement instantané que provoque en nous l'éclat instantané de la grâce ; mais encore du mouvement non moins prompt par lequel nous acceptons et voulons notre retour au non-être. Notre vie n'est pas faite que de vies ; elle est faite encore de morts répétées, à l'image de la vie de celui

> *qui n'a point trouvé de plus excellent moyen pour honorer son Père, qu'en mourant, non seulement une fois en son corps mortel, mais une infinité de fois, et à toute heure, à tout moment, en tous les temps et en tous les lieux de la terre...* [2].

1. *Lettres chrétiennes*, p. 384.
2. *Ib.*, p. 79.

De Dieu au néant, et du néant à l'être, il faut que nous passions incessamment, comme par une série de flux et de reflux.

Flux et reflux dont nous trouvons encore la correspondance dans les mystères et les actions divines. Car si, contemplé en lui-même et dans sa gloire, Dieu demeure toujours le même, « exempt de la moindre altération qu'on saurait imaginer », si pour cette raison il a été « comparé par les philosophes païens à une figure ronde et à un cercle »[1], et si enfin il est comme « une mer infinie de l'être de la nature et de la grâce, non une mer mobile et coulante, mais immobile et permanente »[2] ; néanmoins, si on le considère dans l'action souveraine qu'il exerce en ses créatures, il apparaît comme « s'approchant ou se séparant d'elles d'une façon insensible », et « faisant faire à son Esprit des flux et des reflux ineffables et divins »[3].

1. *Lettres chrétiennes*, p. 245.
2. *Ib.*, p. 376.
3. *Ib.*

IV

*C'est pourquoi je vous demande cette unique grâce qui
contient toutes les autres, que votre grâce ne s'arrête point
en moi ; qu'elle n'y descende jamais que pour remonter
vers vous ; et qu'elle ne remonte jamais en vous que pour
descendre encore vers moi, afin qu'éternellement je sois
arrosé de vous, et que vous soyez comme arrosé vous-même
des eaux que vous verserez dans mon cœur* [1].

Aucun passage n'exprime mieux que ces paroles
à la fois le caractère de simplicité et de multiplicité de
l'univers cyranien. Simplicité d'abord : rien n'existe
que la grâce, la grâce immédiate. « On ne doit pas
se troubler du passé » [2], ni « regarder en arrière ».
Le souvenir est une « tentation » ; la prévoyance en est
une autre ; « les âmes qui sont à Dieu ne doivent avoir
ni assurance ni prévoyance » [3]. Il ne faut pas « porter
notre esprit à autre chose qu'à la considération de la
grâce présente » [4].

Cette « grâce présente » se reconnaît en nous à ce
qu'elle est *mouvement* ; mouvement qu'on ne peut ni
anticiper, ni retarder, qu'il faut subir et suivre. Il faut

*attendre et suivre les mouvements qu'il plaît à Dieu de
nous donner* [5] ;

1. *Lettres chrétiennes.*
2. *Ib.*, p. 3.
3. Cité par Sainte-Beuve, *Port-Royal*, t. I, p. 350.
4. *Lettres chrétiennes*, t. I, p. 190.
5. Lancelot, *Mémoires touchant la vie de M. de Saint-Cyran*,
Cologne (Utrecht), 2 vol., 1738, t. 2, p. 129.

Les Justes doivent en toute chose suivre les mouvements de la grâce intérieure [1].

Dans les accusations portées contre Saint-Cyran, c'était cette prétention à discerner et appréhender la grâce présente qu'on dénonçait chez lui :

Il disait que... comme il avait un discernement pour les mouvements de l'Esprit de Dieu qu'il ressentait sensiblement, il ne se trompait jamais [2].

Enfin cette grâce-mouvement, puisqu'elle est mouvement de Dieu, et suspendue à son caprice souverain, ne peut se manifester par des lois générales, mais toujours par des volontés particulières ; si bien que dans leur relation avec la grâce, les événements de l'existence ne sont plus que les *occasions* de cette grâce, et comme une contingence transcendante, dont nous dépendons :

L'Esprit de Dieu a ses heures, ou, pour mieux dire, ses moments [3].

Pour agir, il faut attendre ces moments ; il faut « dépendre des rencontres que la Providence fait naître » [4] ; il faut « attendre la rencontre de ces esprits épurés qui aident à former les hautes imaginations » [5] ; autrement dit, pour bien agir, pour que le mouvement humain, dans le moment présent, épouse exactement la forme nouvelle que le secours divin lui impose et propose, il faut qu'à l'*occasion* divine s'ajoute la *disposition humaine* :

Il faut disposition et occasion [6].

1. *Apologie pour feu M de Saint-Cyran*, 1644, 2ᵉ part., p. I.
2. Père Rapin, *Histoire du Jansénisme*, p. 338.
3. Lancelot, *Mémoires*, t. I, p. 46.
4. Cité par Sainte-Beuve, *Port-Royal*, t. I, p. 350.
5. Cité par le Père Rapin, *Histoire du Jansénisme*, p. 100.
6. Fontaine, *Mémoires*, t. I, p. 110.

Mais cette disposition du cœur, à son tour, ne consiste que dans la docilité et l'agilité avec lesquelles le cœur répond à la grâce présente, quelle qu'elle soit. Flux et reflux, occasion et rencontre, toujours autre, toujours dans un moment différent, la grâce exige du cœur cette simplicité qui n'est faite que d'une disponibilité continuelle, — disponibilité déjà étrangement proche de celle d'un Gide :

Dieu veut que l'âme ne soit attachée qu'à lui, et qu'ainsi elle se tienne comme en suspens pour tout le reste [1] ;

suspension totale de toute ferveur autre que la ferveur présente, et qui laisse le cœur merveilleusement souple dans les mains actives de Dieu :

Je le demande tous les jours à Dieu dans mon cœur afin qu'il le rende comme un ciel, le rendant aussi mobile à son égard, en toutes les occasions, que le ciel qui environne toute la terre l'est à l'égard de l'ange qui lui donne le mouvement et le roule sans cesse [2].

Ici se déploie enfin, dans la pluralité de ses replis, la complexité d'une pensée dont s'était d'abord si durement affirmée la rigueur. A la simplicité, chez Saint-Cyran, se relie la multiplicité ; à la tension unique du cœur en suspens se joint une flexibilité presque infinie. Comme le dit un de ses disciples, « Saint-Cyran avait un esprit flexible à tous les mouvements de la grâce » [3].

Je ne crois pas, disait-il lui-même, qu'il y ait de règle plus importante ni plus universelle, et j'admire que l'Église demande au Saint-Esprit pour ses enfants, qu'il lui plaise de les rendre flexibles et de leur ôter cet esprit

1. *Ib.*, p. 189.
2. Cité par Bremond, *Histoire du sentiment religieux*, t. 4, p. 167.
3. Lancelot, *Mémoires*, t. 2, p. 7.

*de roideur qui les empêche de lui obéir avec facilité en
toutes les occasions* [1] ;

et ailleurs :

*Il faut une flexibilité non pareille et universelle à une
âme chrétienne. Il faut qu'elle sache passer du repos au travail, du travail au repos, de l'oraison à l'action, de l'action
à l'oraison ; n'aimant rien, ne tenant à rien, sachant tout
faire et sachant aussi ne rien faire, quand la maladie ou
l'obéissance l'arrête demeurant inutile avec paix et joie* [2].

A la faveur de ces textes s'éclairent ces paroles qui
autrement resteraient mystérieuses :

*Il faut que la grâce nous rende comme immobiles, et
autant qu'il est possible, d'une même humeur, dans la
diversité de nos affections et de nos rencontres* [3].

Alors l'on entre dans cette étonnante multiplicité
qui est le point ultime de la spiritualité cyranienne :

*C'est une chose merveilleuse que la dévotion d'un
homme de bien... Elle se diversifie en mille façons sans
peine et avec une joie qui se renouvelle...* [4].

Car il ne s'agit pas seulement d'une multiplication
des grâces ; multiplication aussi de « la suite des bonnes
œuvres qui sont les fruits de ces grâces nouvelles, qui,
à mesure qu'elles se trouvent multipliées, forment
comme de nouveaux fruits et de nouvelles racines » [5] ;
multiplication issue de l'alternance des grâces et des

1. Bremond, *op. cit.*
2. Cité par Sainte-Beuve, *Port-Royal*, t. I, p. 350.
3. *Lettres chrétiennes*, t. I, p. 245.
4. *Ib.*, p. 478.
5. *Ib.*, p. 344.

défaillances ; multiplication issue de la défaillance
même ; car

il n'est pas croyable combien cette multitude de péchés
journaliers donne moyen à l'homme de bien multiplier ses
mouvements intérieurs d'humilité et de se rendre fort
contre le péché même multiplié de cette sorte [1] ;

si bien qu'en fin de compte, « entre Dieu donnant
toujours des grâces et entre l'homme qui pèche
toujours » [2], se forme et se développe, en un réseau
d'instants variés, tout un univers spirituel intermédiaire :

C'est l'oraison continuelle DIVERSIFIÉE en mille
manières [3].

Univers spirituel qui a pour autre nom la vie du
cœur.

1. *Lettres chrétiennes*, p. 341.
2. *Ib.*, p. 361.
3. *Ib.*, p. 361.

V

Vie du cœur qui ne peut consister que dans un renouvellement perpétuel.

On n'opère pas son salut par une seule invocation ; on ne surmonte pas toutes les difficultés par un seul acte de foi. Il faut les renouveler à toute heure [1].

C'est qu'il faut que l'acte coïncide avec l'occasion de la grâce présente ; de la grâce qui doit être « toujours nouvelle dans notre cœur » [2].

De la même façon que la grâce passée n'a plus son efficace, de la même façon la mémoire n'est pas le mouvement présent. Le cœur est « source de la mémoire » [3], mais il n'y a pas de mémoire du cœur. Saint-Cyran avait coutume de dire qu'« il n'y avait rien de plus dangereux que de parler de Dieu par mémoire plutôt que par le mouvement du cœur » [4]. Il disait aussi qu'« il n'avait presque jamais deux fois la même disposition » [5] ; et, comme un jour on lui faisait observer que dans deux circonstances différentes il avait écrit la même chose, il s'en excusait en disant que « ce n'était pas tant sa mémoire qui lui avait suggéré ces paroles, que la disposition qu'il avait profondément gravée au fond de son âme » [6].

1. *Lettres chrétiennes*, p. 422.
2. Fontaine, *Mémoires*, t. I, p. 174.
3. *Lettres chrétiennes*, t. I, p. 306.
4. Lancelot, *Mémoires*, t. I, p. 44 ; t. 2, p. 129.
5. Fontaine, *Mémoires*, t. I, p. 110.
6. *Lettres chrétiennes*, t. I, p. 284.

Ainsi, par le miracle de la grâce et l'éternelle flexibilité du cœur, l'être atteint à une vie qui d'une certaine manière est faite d'une multiplicité discontinue de naissances et d'anéantissements ; mais qui, d'une autre, par le renouvellement de la force divine et la reviviscence des mouvements du cœur, arrive à une sorte de permanence.

C'est ce qu'exprime Saint-Cyran lui-même dans une dernière citation empruntée à la lettre qu'il écrivait de prison à un ami :

Votre peine et vos soins me demeurent pour gage de votre affection qui se renouvelle et se rajeunit en quelque sorte dans les occasions, encore qu'elle soit ancienne, étant en cela semblable à Dieu qui est, selon saint Augustin, SEMPER VETUS ET SEMPER NOVUS, toujours ancien et toujours nouveau [1].

1. Cité par Lancelot, *Mémoires*, t. I, p. 172.

III

RACINE, POÈTE DES CLARTÉS SOMBRES

I

Je crains de me connaître en l'état où je suis [1].

Souvent se confondent chez le personnage racinien
un désir et une peur relatifs à un objet identique. Cet
objet est l'être même de celui en qui ce double sentiment se manifeste. Quelle que soit la situation exté-
rieure ou intérieure où je me trouve, quelles que soient
mes colères, mes ambitions, mes convoitises ou mes
terreurs, moi qui parle, moi qui d'une voix étrange et
entrecoupée adresse à moi-même ou à quelque com-
parse mes confidences, je reconnais qu'envers l'être
que je suis je brûle d'une passion de curiosité qui n'a
d'égale que l'effroi éprouvé par moi à l'idée de parfaire
cette connaissance. Avant ce moment d'aveu qu'ai-
je été ? Peut-être ai-je vécu longtemps sans la curiosité qui me ronge ? Peut-être, à l'inverse, ai-je senti
croître en moi, pendant des jours ou des années, l'angoisse que m'inspire l'approche de l'instant où je saurai
qui je suis. Il arrive, en effet, que l'instant futur
d'illumination s'entoure de prédictions qui le rendent
terrible. Il semble que se connaître ait pour résultat,

1. *Andromaque*, II, i, Œuvres, Pléiade, I, p. 277.

chez celui qui en fait l'expérience, non pas seulement
de lui apprendre son malheur, mais d'en précipiter
la venue.

C'est le cas de l'infortunée Ériphile :

> *J'ignore qui je suis : et pour comble d'horreur,*
> *Un oracle effrayant m'attache à mon erreur,*
> *Et quand je veux chercher le sang qui m'a fait naître*
> *Me dit que sans péril je ne me puis connaître* [1].

D'où vient cette interdiction ? et d'où vient en
même temps l'envie que j'ai de l'enfreindre ? et
d'où vient surtout qu'à l'extrémité de n'importe
quel mouvement d'âme auquel je m'abandonne,
ce soit moi-même que je trouve, moi-même, non
pareil à quelque personne familière et reconnue,
mais un moi-même énigmatique, — terrible et
fascinante révélation qui m'est faite par la passion qui me conduit à cette vérité ? En présence
d'un tel mystère *révélé*, une seule attitude, une seule
façon de penser et de parler est possible. C'est
la façon interrogative. A-t-on remarqué qu'à la
différence du héros cornélien, toujours prêt à affirmer
la coïncidence entre celui qu'il est et celui qu'il veut
être, le personnage qui apparaît le plus souvent dans
le théâtre de Racine, est celui d'un être contraint de
renoncer à toute affirmation, à toute certitude personnelle, et qui se contente alors de diriger sur soi un
regard questionneur, apeuré, insatisfait ? Dans ce
monde où il ne trouve jamais de réponses toutes
faites, cent questions lui montent aux lèvres, dont la
dernière est la plus intime :

> *Pourquoi l'assassiner ? Qu'a-t-il fait ? A quel titre ?*
> *Qui te l'a dit ?* [2]

---

1. *Iphigénie*, II, i, p. 706.
2. *Andromaque*, V, iii, p. 315.

Que vois-je ? Est-ce Hermione ? Et que viens-je d'entendre?
Pour qui coule le sang que je viens de répandre ? ...
Est-ce Pyrrhus qui meurt ? et suis-je Oreste enfin [1] *?*

L'objet sur lequel la pensée s'interroge, prend des formes successives. Comme une lampe qui, dans l'ombre, éclairerait à tour de rôle différentes figures, voici la lumière projetée tantôt sur le visage d'une amante et tantôt sur le corps d'une victime. L'esprit cherche à se rapporter à quelque vérité constatée dans le monde externe, une parole entendue, un meurtre perpétré. Mais en fin de compte, par delà le son de cette voix, par delà l'image de cette mort, c'est sur l'être que l'on est que la pensée pose ses questions. Qu'entends-je, sinon moi-même condamné pour mon crime, que vois-je, sinon moi-même l'exécutant ? A la question *Que vois-je ? Qu'entends-je ?* se substitue donc la question *Qui suis-je ?*

Qui suis-je ? Est-ce Monime ? Et suis-je Mithridate [2] *?*

Dans un tel mouvement de l'esprit la pensée ne délibère pas, ne pèse pas les éventualités qu'elle questionne. Elle ne balance pas entre des points de vue également importants. Elle court, si l'on peut dire, du plus pressé au plus profond. Bien loin de se fixer, fût-ce provisoirement, sur le premier visage de la réalité qui se présente, elle s'enfonce aussitôt au delà pour aller chercher dans son intériorité la certitude qui lui est refusée. Qui suis-je ? Cela veut dire : Est-ce moi qui sens cela ? Moi qui vois et moi qui ignorais l'instant d'avant sur quoi allait tomber ma vue, sommes-nous vraiment le même être ?

Moi-même en ce moment sais-je si je respire [3] *?*

1. *Mithridate*, id., p. 316.
2. *Mithridate*, IV, v, p. 666.
3. *Bérénice*, IV, vii, p. 529.

Hé bien, Antiochus, est-tu toujours le même [1] ?

Ces deux vers, formulés l'un à la première, l'autre à
la seconde personne, et adressés à eux-mêmes par des
personnages différents, expriment en deux endroits
différents d'une même pièce le même désarroi inter-
rogateur. Titus doutant si dans l'instant présent il
respire, ressemble à Antiochus se demandant s'il est
encore semblable à l'être qu'il était dans la minute
d'avant. L'interrogation exprime ici plus et autre
chose qu'une imperfection de la connaissance objective, un vertige de l'esprit, la difficulté de se reconnaître en celui qu'on est pourtant dans le moment
actuel :

Maintenant je me cherche, et ne me trouve plus [2].

Derrière la question *Qui suis-je* ? il y a donc une
question plus grave encore, et qui a rapport à l'effrayante impossibilité d'établir un rapport entre deux
versions de soi-même que l'esprit confronte dans
l'ordre des temps. La tragédie racinienne est faite,
au moins partiellement, de cette incompréhensible
incompatibilité qui se manifeste dans la conscience,
lorsque les circonstances forcent soudainement un
être à comparer deux moments inconciliables de sa
propre durée. Suis-je à la fois celui que je suis et celui
que je fus ? Il semble que ce ne soit pas possible. Mais
il est à peine plus croyable que je sois successivement
deux êtres aussi manifestement dissemblables. Alors,
me trouvant incapable de me relier à moi-même,
d'apercevoir quelque similarité entre le personnage
inconnu que je suis et le moi familier dont je me sens
brusquement séparé, c'est comme si je me découvrais
tout à coup perdu, non pas au dehors, dans l'univers

1. *Bérénice*, I, ii, p. 487.
2. *Phèdre*, II, iii, p. 785.

externe, mais dans le champ, devenu insolite et
dangereux, de mon existence intime. Et la question
Qui suis-je ? du fait de cette incertitude, se métamorphose alors en une question plus angoissante
encore : Où suis-je ? Question qui se trouve répétée
sans cesse dans le théâtre racinien :

Où suis-je ? De Baal ne vois-je pas le prêtre [1] *?*

Où suis-je ? O trahison, ô reine infortunée !
D'armes et d'ennemis je suis environnée [2].

Par une extension logique de sa confusion, le personnage racinien se trouve non moins incapable de
déterminer le lieu où il est que le moment où il est en
train de vivre. Son ignorance est relative à l'espace,
au moins à un espace intérieur. Prenant tout d'un
coup conscience de lui-même dans le danger, dans le
scandale, dans le dessillement violent de la pensée,
dans la révélation de son être occulte, il se découvre
au sein d'une contrée étrangère. La passion et son
corollaire immédiat, qui est une perception nouvelle
de soi-même, ont pour conséquence un étrange dépaysement. Au lieu de vivre dans une sécurité relative,
voici l'être racinien entouré « d'armes et d'ennemis ».
Mais ce monde hostile n'est pas simplement celui
du dehors. Transporté par la magie de la passion dans
une région infréquentée de lui-même, le personnage
de Racine est forcé de se reconnaître littéralement
égaré dans sa propre profondeur.

Il n'y a pas en effet de mot qui doive se comprendre
plus littéralement, et, en même temps, s'appliquer
plus rigoureusement à un monde métaphorique, à
un monde moral, que le mot *égaré*, tel qu'il est constamment employé par Racine :

1. *Athalie*, III, v, p. 931.
2. *Id.*, V, v, p. 958.

> *Que fais-je ? Où ma raison se va-t-elle égarer* [1] *?*

> *Insensée, où suis-je ? qu'ai-je dit ?*
> *Où laissé-je égarer mes vœux et mon esprit* [2] *?*

Souvent même quand le mot *égaré* n'est pas prononcé, l'image qui domine est néanmoins celle d'un être perdu (et éperdu) dans un labyrinthe, celui sans doute de ses pensées. L'espace externe en est le symbole :

> *Où suis-je ? Qu'ai-je fait ? Que dois-je faire encore ?*
> *Quel transport me saisit ? Quel chagrin me dévore ?*
> *Errante et sans dessein, je cours dans ce palais* [3].

> *Je ne sais où je vais, je ne sais où je vis.* [4]

Chose singulière et directement contraire à ce qui a été maintes fois enseigné par l'ancienne critique, l'acte de conscience de soi n'a pas pour résultat chez le personnage racinien un accroissement de lumière. C'est plutôt l'inverse qui se produit. Se saisir, se découvrir, c'est s'égarer. Plus l'être racinien s'enfonce à l'intérieur de lui-même, et plus en même temps sa pensée s'éloigne de la zone éclairée, où, jusqu'alors, la conscience de soi semblait reposer. Apprendre qui l'on est, ce n'est pas atteindre à la clarté, c'est plonger dans les ténèbres. C'est perdre de vue l'image familière à laquelle on était attaché et avec laquelle on vivait dans la sécurité, c'est s'avancer dans une région de l'esprit où plus rien de certain n'existe. La connaissance de soi n'est donc pas pour Racine le domaine de la connaissance claire et distincte ; c'est celui de la conscience obscure.

1. *Phèdre*, IV, vi, p. 809.
2. *Ib.*, I, ii, p. 772.
3. *Andromaque*, V, i, p. 311.
4. *Phèdre*, IV, i, p. 800.

II

Un mot à nouveau s'impose ici, mot aussi chargé de résonances raciniennes que le mot *égaré*. C'est le mot *trouble*. Il suggère d'abord l'idée d'une agitation désordonnée, puis d'une transparence ternie, d'une clarté obscurcie par le désordre même. Obscurcie mais non anéantie ! Quelque ténébreuses que soient en leur origine les passions qui règnent dans les âmes raciniennes, la noirceur totale n'est jamais chez elles qu'un point extrême et, pour ainsi dire, idéal, de leur nature. Et si ces âmes laissent entrevoir, au fond d'elles-mêmes, l'existence de quelque chose de si monstrueux qu'elles en deviennent, même à leurs propres yeux, incompréhensibles, l'incompréhensibilité n'est pas absolue, leur pensée peut être suivie dans une sorte de crépuscule jusqu'à ce qu'elle se perde dans une ombre trop dense pour qu'il soit possible d'avancer plus loin. A côté du combat entre le crime et le remords, entre le désir et son objet, un autre conflit se poursuit parallèlement entre la connaissance de soi et l'ignorance. Rien qui ressemble moins au monde mental habituellement décrit par Racine, qu'un monde de ténèbres absolument opaques, qu'une présence quasi physique de l'obscurité. Nous sommes ici, non dans le dernier cercle de l'enfer, mais moins bas, dans des espèces de limbes ; limbes proches de celles où Baudelaire voudra situer ses *Fleurs du mal*. Là l'ombre n'est pas totale, là non plus ne brille pas la pleine lumière. Rien n'y est absolument distinct.

De ce monde on pourrait dire qu'il est le moins
cartésien qui soit, si l'on ne se souvenait que Descartes lui-même, par opposition à l'intuition directe
de la vérité, révélée dans son fameux *Cogito*, décrivit
ailleurs, minutieusement, une façon de penser inverse,
où la conscience est rendue confuse par le mouvement
des passions. Expérience qui est aussi celle de La Ro-
chefoucauld, situant dans une profondeur insondable,
à couvert des yeux les plus pénétrants, les insensi-
bles tours et retours de l'amour-propre ; mais pour
placer d'autre part dans un demi-jour plus accessible
la variété des effets engendrés par cette activité.
Expérience qui est celle encore de la jeune
princesse de Clèves, quand la limpidité de sa
conscience de soi est soudain altérée par des « pensées
si confuses qu'elle n'en avait aucune distincte ».
A vrai dire, rien n'est plus fréquent dans la littérature française dite classique, qu'une conscience
non claire, qu'une vue de soi troublée par quelque
remous de la sensibilité. Aussi serait-ce une erreur
de croire que la littérature classique présente
toujours une estimation précise de ce qui se passe
en ceux dont elle nous décrit l'état d'âme. Car cet
état d'âme, le plus souvent, nous est présenté de
l'intérieur et comme voilé par l'essentielle ignorance
de celui qui en est le sujet. C'est seulement en quelques sommets de la pensée diurne, dans la saisie héroïque de soi-même par le personnage cornélien, ou
dans le sentiment de l'existence associé par Descartes
à l'intuition du vrai, que se manifeste au grand jour
ce rare et admirable épanouissement de la pensée
claire, dont on dit qu'il est un trait général de l'art
classique.

Quoi qu'il en soit, l'on ne saurait concevoir de
Cogito plus différent de celui de Descartes, que le
sentiment de soi du personnage racinien. Point ici
de recherche méthodique de la vérité, point d'élimi-
nation de toutes les croyances équivoques, point

enfin de concentration triomphale de la pensée sur un moment d'intuition. Bien au contraire, le *Cogito* racinien s'accomplit dans un chaos de pensées indistinctes, où il n'y a rien d'isolable, de déterminable, et où la perception est à la fois exaltée et contrariée par la pression de forces violentes et mal connues :

> *Un trouble assez cruel m'agite et me dévore*[1].
> *Je le vis, je rougis, je pâlis à sa vue ;*
> *Un trouble s'éleva dans mon âme éperdue*[2].
> *Un je ne sais quel trouble empoisonne ma joie*[3].
> *Quel prodige nouveau me trouble et m'embarrasse*[4].

Certes, que le jeu du hasard et des passions jette le personnage dans la confusion, rien là qui ne soit naturel et qui mérite moins qu'on s'y arrête. Ce qu'il importe pourtant de remarquer, c'est que le personnage troublé est intensément conscient de son trouble, encore que cette conscience ne lui permette pas de surmonter son état de confusion. D'un côté, sans l'intervention de la passion il n'aurait pas une aussi vive perception de soi. Le désir, le danger, l'étonnement jouent ici·le rôle d'un galvaniseur de la conscience. Mais d'autre part cette conscience alertée est à demi obnubilée par les fumées et le frémissement de la passion. Dans le miroir où il se voit, le personnage de Racine n'aperçoit de lui-même qu'une image brouillée.

De plus, celle-ci est rendue plus trouble encore par la difficulté où se trouve celui qui la perçoit, de préciser la cause de son trouble. Est-il ou n'est-il pas responsable de ce qu'il éprouve ? D'où vient la force qui s'installe et agit en lui ? Comme à la clarté cartésienne s'oppose la pénombre racinienne, ainsi à la

1. *Bérénice.* IV, v, p. 523.
2. *Phèdre*, I, iv, p. 776.
3. *Esther*, II, i, p. 851.
4. *Athalie*, II, vii, p. 917.

pensée spontanée, autonome, de Descartes, s'oppose chez Racine ou son personnage le sentiment de la contrainte. Il lui est impossible de ne pas se sentir soumis aux déterminations d'une force externe ou interne, à laquelle il donne volontiers le nom de fatalité :

C'est ce trouble fatal qui vous ferme les yeux [1].

De ce trouble fatal par où dois-je sortir [2] ?

Point de trouble sans la perception d'une puissance *troublante*, intervenant soit à découvert, sous le nom de destin, soit encore et le plus souvent sous le couvert d'un agent instrumental, l'objet de la passion :

D'où peut naître à ce nom le trouble de mon âme [3] ?

Quel crime a pu produire un trouble si pressant [4] ?

Ainsi l'état de trouble peut être considéré comme causé par une énergie perturbatrice, qui, venant du dehors ou de quelque coin inconnu de l'être, influe sur ce dernier en ce point incertain de la conscience, où l'obscurité fait place à un mélange d'ombre et de lumière aussi variable que l'éclairage des forêts. A l'action de la puissance troublante correspond le pouvoir de réception passive de la conscience troublée. Pour le personnage racinien l'acte de connaissance se borne à accompagner le déchaînement de forces qui s'accomplit dans son esprit, comme un projecteur de faible amplitude suit dans la nuit les déplacements tumultueux d'une foule. Néanmoins si chétive que soit une telle illumination, elle paraît sou-

1. *Alexandre*, IV, ii, p. 234.
2. *Mithridate*, IV, v, p. 667.
3. *Ib.*, III, v, p. 656.
4. *Phèdre*, I, ii, p. 774.

vent encore trop vive au personnage qu'elle éclaire et dénonce. Il frémit de se trouver exposé à la cruelle épiphanie.

C'est le cas de Monime :

Je ne paraîtrai point dans le trouble où je suis [1].

C'est le cas aussi de la reine Bérénice, jusqu'au moment où, quelle que soit sa répugnance, elle se voit forcée de dévoiler à un tiers toute l'étendue de sa passion :

Prince, c'est trop cacher mon trouble à votre vue.
Vous voyez devant vous une reine éperdue [2].

Il y a le mouvement de retrait, la pudeur de l'être fuyant l'indiscrétion de la lumière, comme il y a le mouvement inverse, celui par lequel, se percevant plongé, peut-être pour toujours, dans les demi-ténèbres où le condamne son trouble, l'être implore la lumière absente, supplie le principe lumineux de l'éclairer.

C'est Thésée s'écriant :

Dieux, éclairez mon trouble et daignez à mes yeux
Montrer la vérité que je cherche en ces lieux [3].

Et c'est le psalmiste s'adressant presque en les mêmes termes à la divinité :

> *Parmi le trouble et les alarmes*
> *Éclaire ma faible raison* [4].

La clarté est donc perçue ici comme un recours et comme un remède, clarté guérisseuse du trouble,

---

1. *Mithridate*, III, i, p. 637.
2. *Bérénice*, III, iii, p. 516.
3. *Phèdre*, II, ii, p. 813.
4. *Ode tirée du psaume XVII*, p. 1025.

triomphatrice de la mauvaise obscurité. Cependant, loin de dissiper toujours la confusion de l'être, elle la fait parfois apparaître au grand jour avec une netteté insupportable. Alors une honte mêlée de répulsion saisit les personnages de Racine. Ils se connaissent et ils s'abhorrent, ils souhaitent de ne plus être, afin de ne plus se voir. Ce qui monte à leurs lèvres, c'est un cri d'horreur et un aveu d'humiliation :

> *J'ai honte des horreurs où je me vois contraint* [1].
> *J'ai honte de me voir si peu digne de vous* [2].
> *J'ai pris la vie en haine et ma flamme en horreur* [3].

Le remords est l'expression la plus explicite de cette conscience troublée. Plus l'être racinien devient conscient de lui-même, plus l'image de lui-même qui tend à se préciser devant ses yeux, lui devient odieuse. D'un côté, il ne peut se supporter, parce qu'il se connaît trop. Mais de l'autre, la connaissance de soi dans la honte et l'horreur engendre un trouble plus grand qui réagit à son tour sur la connaissance de soi. Pour qui se voit et se juge, la présence obsédante de fautes passées constitue à la fois une aide et un obstacle. Une aide, car sans la mémoire de ses crimes il ne saurait mesurer à quel point il est criminel ; et un obstacle pourtant, car la fixation de l'esprit sur telle faute particulière l'empêchera peut-être d'explorer toute la profondeur de sa turpitude. Là est sans doute la cause du vertige de Phèdre. Si c'était seulement de sa passion pour Hippolyte qu'elle était coupable ! mais à travers ce crime, plus rêvé d'ailleurs que réel, voici d'autres crimes dans le futur ou dans le passé, crimes ancestraux, crimes virtuels, — dissimulés, dans un sens, par la fixation

---

1. *La Thébaïde*, IV, iii, p. 171.
2. *Mithridate*, III, ii, p. 652.
3. *Phèdre*, I, iv. p. 777.

incestueuse, et révélés d'un autre côté par elle. De sorte que l'être racinien ne sait réellement pas ce qu'il vaut ni qui il est, puisqu'il ne sait pas jusqu'à quel point il est responsable de mille espèces de maux qui ont eu lieu ou qui menacent de s'accomplir. Il est associé, mais de façon moins directe qu'ambiguë, à une multitude de péchés déjà commis et non encore commis. En d'autres termes, ce qui reste indéterminable dans sa conscience, c'est, à l'occasion du crime particulier qu'il est en train de perpétrer, le degré de corruption de sa propre nature et le fond de son cœur.

III

J'ignore pour quel crime
La colère des Dieux demande une victime[1].

« J'ignore qui je suis », disait Ériphile, la seconde
des deux Iphigénie. « J'ignore pourquoi les dieux me
veulent du mal », dit en substance la première. D'un
côté comme de l'autre l'ignorance est grande, mais
l'ignorance de l'Iphigénie victime est encore plus
grave que celle de l'Iphigénie criminelle. Car il se
pourrait que l'innocente fût criminelle ou dût être
traitée comme telle, si c'était seulement en incrimi-
nant l'innocence que les dieux pussent s'exonérer
de leur propre criminalité. Comme il a été montré
successivement par Lucien Goldmann et par Roland
Barthes en des livres de tons très différents, mais également discutables et également brillants, ce qui angoisse le plus le personnage racinien, c'est la question
de savoir si la noirceur où il se débat se limite à lui-
même, ou si elle s'étend comme un voile, comme une
souillure, jusqu'à la divinité et, par conséquent, du
même coup, jusqu'à l'universalité de la lumière. Barthes a raison de dire que la tragédie racinienne célèbre le sacrifice de l'homme assumant la responsabilité
du crime des dieux. Et Goldmann a non moins raison
de soutenir que si l'être racinien est angoissé, c'est
que la divinité vers laquelle il se tourne est muette
et cachée derrière son voile, de sorte que la question

1. *Iphigénie*, IV, iv, p. 734.

de l'homme reste sans réponse et que sa pensée demeure plongée dans la perplexité. Combien de fois,
en effet, la question essentielle n'est-elle pas posée et
reposée ?

> O Dieu, que vous a fait ce sang infortuné
> Et pourquoi tout entier l'avez-vous condamné[1] ?

> Et toutefois, ô Dieux, un crime involontaire
> Devait-il attirer toute votre colère[2] ?

> Le ciel, le juste ciel, par le meurtre honoré,
> Du sang de l'innocence est-il donc altéré[3] ?

Encore en ces passages la question est-elle posée
par celui qu'elle concerne, de telle façon qu'elle appelle une réponse exonératrice ; peut-être finalement
le ciel sera-t-il assez équitable pour décharger l'homme,
victime innocente, et confesser sa propre culpabilité.
S'il en était ainsi, la lumière ne serait plus voilée, et
l'esprit humain cesserait d'être troublé.

Mais cet espoir est vain. Le ciel se tait et reste
inflexible. Rien ne peut changer la situation de
l'homme. D'un côté, le silence des dieux lui enlève
toute chance d'être reconnu innocent. D'autre part,
s'il prenait le parti désespéré de prendre à sa charge
leur crime, il n'y trouverait aucun avantage. Car les
reconnaissant ainsi comme les véritables auteurs de
tel crime, il les reconnaîtrait du même coup comme
les auteurs de tous les crimes. Il suffit d'une seule
tache pour noircir à jamais l'origine du bien. Pire
encore, si les dieux sont la source du mal, ils sont une
source mauvaise, et tout ce qui est sorti d'eux est mauvais. Or tout est sorti d'eux, et tout par conséquent
est mauvais. Pas moyen d'échapper à ce dilemme.
Que les dieux soient innocents ou qu'ils soient cou-

1. La Thébaïde, II, ii, p. 149.
2. Ib., III, ii, p. 156.
3. Iphigénie, IV, iv, p. 735.

pables, l'homme, lui, est toujours coupable, soit de
son propre chef, soit parce que corrompu, dès avant
ses crimes, par l'acte même, l'acte peut-être mauvais,
qui lui donne le jour.

Cela ne se trouve-t-il pas impliqué dans la première
question posée dans le théâtre de Racine au principe
créateur qui est aussi principe de lumière ?

> *O toi, Soleil, ô toi qui rends le jour au monde,*
> *Que ne l'as-tu laissé dans une nuit profonde !*
> *A de si noirs forfaits prêtes-tu tes rayons...* [1] ?

Cette question exclamative de Jocaste ne signifie-
t-elle pas que le Créateur en continuant de créer un
monde enténébré, se fait, lui pourtant principe de
lumière, sinon l'auteur, au moins le complice des
ténèbres ? Et qu'ainsi l'homme se trouve condamné
à ouvrir les yeux sur un jour hideusement assombri
et que Jocaste qualifie de détestable :

> *Nous voici donc, hélas ! à ce jour détestable*
> *Dont la seule frayeur me rendait misérable* [2].

Jour détestable en raison de son obscurcissement,
qui n'est pas seulement une enténébration de
l'homme, mais, aux yeux de l'homme, une enténébration de Dieu.

Sans doute de telles pensées ne font-elles, semble-
t-il, que traverser l'esprit des personnages raciniens au
moment où ils ont le plus en détestation les ténèbres.
Mais de façon implicite ou explicite, elles reviennent
dans le théâtre de Racine avec une singulière insistance. Toute sa vie celui-ci a été hanté par le thème
de la « colère céleste » ; toute sa vie il a exprimé par la
bouche de ses personnages le caractère ambigu du lien

---

1. *La Thébaïde,* I, i, p. 135.
2. *Ibidem.*

qui rattache l'homme à la divinité. C'est à l'extrémité
de ce lien, dans l'acte même de création, répété inlassablement en chaque moment de l'existence humaine,
que se situe pour Racine quelque chose de capital et de
mystérieux, dont l'homme voudrait savoir le secret,
parce que ce secret le concerne suprêmement. Au fond
de lui, là, tout au bout, en ce point où, incompréhen-
siblement, se joignent l'acte du Créateur et le surgissement de la vie créée, que se passe-t-il ? qu'est-ce qui
est exactement transmis et qu'est-ce qui est calami-
teusement altéré ? A l'instant même où Dieu me crée,
cette force divine qui m'est conférée se transforme-t-
elle par mon acte propre en un acte criminel, et trans-
forme-t-elle ma propre nature en une nature coupable ? Suis-je celui qui, à mesure que Dieu me fait,
me corromps et me défais ? Tel est le principe de la
pensée janséniste : celui d'une altération incessante du
divin par l'homme, non seulement au moment où par
ses actes il s'avère criminel, mais à la source même de
son existence ; comme si celle-ci s'empoisonnait à
mesure qu'elle se continuait. A n'en pas douter, c'est
là l'opinion d'Antoine Arnauld, pour qui Phèdre
représente l'être humain abandonné par Dieu à la
perversité de son cœur. Perversité fondamentale,
seconde nature, que dans l'agitation des passions, dans
le trouble, dans une conscience de soi ravagée par
l'horreur de se découvrir tel qu'un monstre, le personnage racinien reconnaît au fond de lui-même, comme
étant son véritable fond.

Mais avons-nous le droit de dire qu'il le *reconnaît*
en lui, ce fond dont il a la révélation confuse et épouvantée ? La conscience trouble chez Racine n'est pas
seulement telle en raison d'un désordre de surface, si
violent soit-il. Elle est trouble, parce que, s'enfonçant
dans les profondeurs de l'être, elle arrive justement
à un fond trouble, à une zone pour ainsi dire réservée,
dont il n'est pas possible à la conscience humaine
d'avoir pleine connaissance. Où suis-je ? que suis-je ?

s'écrie le personnage racinien. A ces questions il peut toujours donner des réponses superficielles et provisoires. Il ne peut pas donner la réponse essentielle et définitive, parce qu'il ne la sait pas, parce qu'il lui est interdit de la savoir.

Ainsi l'homme ici-bas n'a que des clartés sombres [1].

Ceci n'est pas seulement un des plus beaux vers de Racine, c'est un article de foi dans le monde janséniste. « Il y a toujours en nous un certain fond et une certaine racine qui nous demeure inconnue et impénétrable durant toute notre vie » [2], écrit Nicole. Et ailleurs : « Nous avons si peu de lumière pour pénétrer le fond de notre cœur, que nous ne distinguons point avec certitude par quel principe nous agissons, et si c'est par cupidité ou par charité » [3]. — De même, Duguet écrira : « Le fond de notre cœur est impénétrable à nos yeux » [4]. Cette conviction des Jansénistes se retrouve chez presque tous les Oratoriens. Dieu seul, dira Malebranche, nous connaît dans notre essence, alors que nous ne nous connaissons que par sentiment intérieur : « Je ne sais point ce que c'est que ma pensée, mon désir, ma douleur » [5]. Oratoriens et jansénistes partagent cette conviction pessimiste sur la possibilité qu'il y a pour nous d'avoir « une idée claire de notre âme ». « Je ne connais mon âme, dit le malebranchien Père André, que par un sentiment intérieur qui ne m'apprend rien que son existence actuelle, par des modifications particulières » [6].

---

1. *Cantiques spirituels*, I, p. 1015. — C'est une première version. Dans une version subséquente Racine écrira : « Nos clartés ici-bas ne sont qu'énigmes sombres. »
2. *Les Visionnaires*, Mons, 1693, t. 2, p. 217,
3. *Essais de morale*, Paris, 1723, t. 3, p. 222.
4. *Lettres sur divers sujets de morale et de piété*, Paris, 1708, t. 1, p. 96.
5. 10e *Eclaircissement*.
6. *Discours sur la nature et les merveilles du raisonnement*, Œuvres, éd. Cousin, 1843, p. 283.

Le jour viendra assez vite, où l'objet de la littérature sera précisément celui-là : montrer la conscience
humaine se saisissant dans les modifications actuelles
qui l'affectent ; dans le sentiment de l'existence, tel
qu'il se découvre dans un moment lié à telle ou à telle
sensation ; lié, par exemple, comme la statue de
Condillac, à une odeur de rose, ou comme l'ingénue de
Marivaux, à une image d'elle-même renvoyée par le
miroir d'un ruisseau ; ou encore au sentiment de soi,
associé comme chez Rousseau, au tremblement d'une
barque sur les eaux du lac de Bienne. Mais cela, c'est
le dix-huitième siècle, non le dix-septième. Le dix-
huitième siècle est l'époque où les êtres se contentent
facilement d'une connaissance de soi par sentiment
intérieur et perception de leurs sensations actuelles.
Y a-t-il autre chose que cela, demanderaient-ils.
Mais peut-il en être de même avec Racine ? Toute sa
pensée n'est-elle pas comme une interrogation angoissée, ayant pour objet la partie inconnaissable de
son être, celle qu'il ne peut atteindre et que seule la
divinité connaît ? Il n'y a que deux choses essentielles
qui, en l'homme, ne soient pas inconnaissables à
l'homme : d'une part, sa propre faiblesse, d'autre part
la grande dépendance où il est, dans cette faiblesse,
à l'égard de qui est destiné à lui servir d'appui. Se connaître, — humainement, — ainsi qu'il est permis à
l'homme de se connaître, — c'est se connaître dans
l'imperfection de son esprit et dans la faiblesse de son
être. Sur ce point, si imparfait que soit l'esprit humain,
il ne peut se tromper. Il se sait faible. Phèdre le sait,
qui, ignorant à demi la puissance de malice dissimulée
dans sa passion, sait au moins cela, qu'elle est faible,
qu'elle est la faiblesse même. Connaissance intime, qui
pourtant par contagion se communique au lecteur
ou au spectateur, de sorte qu'en eux comme en
Phèdre, « la seule pensée du crime, dit Antoine
Arnauld, y est regardée avec autant d'horreur que le

crime même, [et que] les faiblesses de l'amour y passent pour de vraies faiblesses ».

Troublée, ignorante de son fond et de son destin final, n'ayant d'elle-même qu'une connaissance incertaine à la fois voilée et révélée par les fluctuations de sa passion, Phèdre ne possède qu'une seule certitude. Celle-ci — toute négative — est d'ailleurs partagée par presque tous les personnages raciniens. C'est la certitude d'être délaissée par tout et par tous, même par soi-même. A la suffisance, trait essentiel du personnage cornélien, s'oppose avec une netteté étonnante l'insuffisance du personnage racinien. « La force m'abandonne »[1], dit Jocaste, première en date des fragiles héroïnes raciniennes. Andromaque et Mithridate parlent dans les mêmes termes : « Hélas ! tout m'abandonne »[2]. « Tout m'abandonne ailleurs. Tout me trahit ici. »[3] — Ou Monime :

Mon âme à tout son sort s'était abandonnée[4].

Aussi lorsque Phèdre, en la troisième scène fameuse du premier acte, prononce les paroles inoubliables :

Je ne me soutiens plus, ma force m'abandonne[5],

elle semble faire écho ici à un long cortège de consciences plaintivement soucieuses de leurs faiblesses, toutes « sans amis et sans défense », toutes « faibles et tristes victimes »[6], ombres semblables de l'enfer ra-

1. *La Thébaïde*, II, iii, p. 154.
2. *Andromaque*, III, iii, p. 294.
3. *Mithridate*, III, iv, p. 654.
4. *Ib.*, III, ii, p. 657.
5. *Phèdre*, I, iii, p. 771.
6. *Cantiques spirituels*, II, p. 1016. — Le « sans amis et sans défense » du Cantique reprend le « sans parents, sans amis » de *Mithridate* I, i.

cinien. Or, dans ces cris et ces plaintes, ce qui revient sans cesse, c'est l'affirmation que l'abandon dont le personnage est la victime, est à la fois chose totale et personnelle : *tout* m'abandonne, *mes* forces m'abandonnent. La conscience de soi, poussée ici, non pas à son maximum de lucidité, mais à son maximum d'intimité avec elle-même, aboutit donc à la double perception d'un abandon de soi par soi et d'un abandon de soi par le tout.

Prenons le grand vers d'*Athalie* :

Non, je ne puis ; tu vois mon trouble et ma faiblesse [1].

Sûrement le vers doit être lu ici, non pas seulement dans les limites étroites de son contexte, mais dans une sphère beaucoup plus large. Oui, il signifie qu'Athalie ne peut s'éloigner du temple, où il est pourtant dangereux pour elle de s'attarder. Mais il signifie aussi ce que signifient tous les autres vers presque identiques de Racine, où un être prend conscience de lui-même dans l'étendue de son trouble. Le sentiment d'une imperfection fondamentale, d'une viciation essentielle de lui-même, obsède l'être racinien. Sa connaissance de soi ne peut que se terminer en un appel au secours : « Juste Ciel, soutenez ma faiblesse ! » s'écriait déjà Jocaste dans la première pièce de Racine. De même, adressant à Xipharès un appel au secours qui dépasse la personne de celui-ci, il y a ce que nous pouvons appeler, en donnant au mot *prière* toute sa force, la prière de Monime :

Seigneur, je viens à vous. Car enfin aujourd'hui,
Si vous m'abandonnez, quel sera mon appui [2] *?*

1. *Athalie*, II, iii, p. 909.
2. *Mithridate*, I, i, p. 627.

Prière qui ressemble tellement, non par les mots, cette fois, mais par le ton, à la prière d'Esther :

> *O mon souverain roi,*
> *Me voici donc tremblante et seule devant toi* [1].

Devant toi ! La conscience du *moi* s'achève en la conscience d'un *toi*, d'un Autre. Par delà le trouble, le doute, la peur de trouver en l'autre un adversaire, un persécuteur, ou pire encore, un complice, il y a un acte de présence à autrui, un acte de confiance en le grand Autrui. Dans tout le théâtre de Racine y a-t-il un moment de conscience plus délicatement illuminé par la présence de l'autre, que celui où, avec tant de modestie et une sorte d'espoir craintif, un jeune esprit sort de sa solitude pour se placer sous le regard de son protecteur ?

Ici nous sommes aussi éloignés que possible des idées troubles obsédant la pensée des précédents personnages de Racine. Aux yeux d'Esther, la justice de Dieu ne fait pas de doute. Les ténèbres se sont dissipées et la pureté est rendue au jour, comme à l'esprit qui en est le témoin. Aussi l'âme d'Esther est-elle soutenue par un grand sentiment d'assurance. L'offrande d'elle-même qu'elle fait à Dieu, a pour contrepartie la conscience claire du souverain bien.

Dans cette offrande il y a une grande part d'acceptation, de résignation, même de retrait de soi. Me voici, dit Esther. L'être que je suis, tel qu'il est dans la faiblesse de ses forces, dans l'obscurité de son esprit, je le mets sous la garde de Dieu. Ou plutôt, en me présentant, je m'efface, je cède à l'être éclatant dont la lumière m'atteste la réalité. Peut-être de cette offrande faut-il en rapprocher une autre, celle de Phèdre, qui, au moment de mourir, « impatiente de dérober au jour » ce qu'elle appelle sa « flamme

1. *Esther*, I, iii, p. 842.

noire » [1], et se sachant irrémédiablement indigne de
la lumière, cherche cependant par sa mort à « rendre
à ce jour que ses yeux souillaient toute sa pureté » [2].

1. *Phèdre*, I, iii, p. 777.
2. *Phèdre*, V, vii, p. 820.

IV

FÉNELON

I

Mais enfin, monseigneur, je pars, et peu s'en faut
que je ne vole. A la vue de ce voyage, j'en médite un
plus grand. La Grèce entière s'ouvre à moi ; le sultan
effrayé recule ; déjà le Péloponèse respire en liberté,
et l'église de Corinthe va refleurir... Je cherche cet
aréopage où saint Paul annonça aux sages du monde
le Dieu inconnu... Je cueille les lauriers de Delphes,
et je goûte les délices du Tempé... Je ne t'oublierai
pas, ô île consacrée par les célestes visions du disciple
bien-aimé ! ô heureuse Patmos, j'irai baiser sur la terre
les pas de l'Apôtre, et je croirai voir les cieux ouverts !...

Rien de plus révélateur que cette lettre écrite de
Sarlat en 1675 ou 1676 à quelque destinataire inconnu par le jeune Fénelon. On y surprend avec
une netteté singulière le mouvement premier de son
esprit, qui consiste à glisser avec une promptitude
extraordinaire au delà du lieu et du moment actuels :
« Je pars, et peu s'en faut que je ne vole ». Se déta-
chant par une brusque secousse, l'imagination envahit
non seulement l'avenir immédiat, mais les futurs les
plus éloignés et les plus vastes. Au voyage à Paris se
substitue un voyage en Grèce. Fénelon se voit à

Corinthe, à Delphes, à Patmos. Il éprouve déjà les
sentiments que lui inspireront ces lieux. En un éclair
la pensée a conçu et cueilli mille futurs. Rarement
chez un jeune homme s'est révélée une telle aisance à
franchir les limites du présent, un si avide besoin
d'orner de formes sensibles les régions changeantes
de l'avenir.

Comme plus tard le jeune Télémaque, le jeune
Fénelon est déjà, pour toujours, un être que « les dieux
tiennent en suspens » [1]. Son cœur est ce « cœur malade »
qui « compte toujours pour rien ce qu'il a le plus désiré, dès qu'il le possède, et est ingénieux pour se tour-
menter sur ce qu'il ne possède pas encore » [2]. Il est,
dans le sens fort du terme, l'impatient, c'est-à-dire celui
qui « rompt les branches pour cueillir le fruit avant
qu'il soit mûr » [3]. D'où une double conséquence. D'un
côté le moment où l'on vit apparaît vécu avec une
rapidité alarmante. Il se consume dans l'acte même
par lequel il se jette dans le futur. L'être humain n'est
qu'« un demi-être » [4], une « ombre d'être ». Il ne peut
jamais posséder de lui-même qu'une ombre et un
fragment. Mais l'impatience et le regret ne font pas
seulement évanouir le présent, ils jettent l'être dans
un temps affectif, essentiellement anachronique, où
les anticipations de l'avenir et les retours sur le
passé contrastent cruellement avec ce mince présent
dont on n'a pas le temps de jouir. De sorte que l'être
fénelonien, « étrangement ingénieux à se chercher
lui-même perpétuellement » [5], vit sans cesse dans un
temps qui est un véritable « contre-temps » [6], qui est
la négation d'une durée stable, constante, continue,
la négation de toute permanence humaine.

1. *Télémaque*, 1. 18.
2. *Ib.*
3. *Ib.*
4. *Œuvres*, éd. Gaume, 1851, 10 vol., t. 1, p. 96.
5. *Instructions et avis*, I.
6. *Télémaque*, 1. 18.

« Tout ce qu'il fait à la hâte et à contre-temps, dit Mentor de l'homme impatient, est mal fait et *ne peut avoir de durée,* non plus que ses désirs volages. Tels sont les projets insensés d'un homme qui croit pouvoir tout, et qui se livre à ses désirs impatients pour abuser de sa puissance »[1].

Dès lors est-il étonnant que Fénelon se soit fait du temps humain la conception la plus pessimiste et la plus négative ? Pour lui, « le temps est la négation d'une chose très réelle et souverainement positive qui est la permanence de l'être »[2]. Le temps est essentiellement une « non-permanence ». C'est « la défaillance de l'être ou la mutation d'une manière en une autre »[3]. — « Il est donc certain que tout est successif dans la créature, non seulement la variété des modifications, mais encore le renouvellement continuel d'une existence bornée. Cette non-permanence de l'être créé est ce que j'appelle le temps »[4].

Cette non permanence est une succession infinie de métamorphoses. L'être humain n'a jamais le temps d'être, il n'a jamais le temps que de devenir. Il n'existe que partie par partie, et chacune de ses parties où se réfugie un instant ce que misérablement il possède d'être, n'existe que pour se transformer aussitôt en une parcelle d'existence si différente qu'entre elle et celle qu'elle remplace il n'y a ni continuité ni dépendance. C'est comme si, à chaque instant, l'être particulier que l'on devenait surgissait non du passé ou du futur, mais de l'intérieur même de l'instant par quelque action extra-temporelle. Aussi Fénelon accepte-t-il dans toute leur rigueur les théories de Descartes sur le temps. « Les instants n'ont entre eux aucune liaison réelle[5]. » — « Je ne sais comment

1. *Télémaque.*
2. *Traité de l'Existence de Dieu,* p. 2, ch. 5 ; *Œuvres,* t. I, p. 78.
3. *Ib.*
4. *Ib.*
5. *Réfutation du Système du P. Malebranche,* ch. 14.

m'assurer que le moi d'hier est le même que celui d'aujourd'hui. Ils ne sont pas nécessairement liés ensemble [1]. » — « De ce que nous étions hier, il ne s'ensuit pas que nous devions être encore aujourd'hui [2] ». — « Chaque instant ayant sa création détachée et indépendante de la création des instants précédents, il s'ensuit que l'état de la créature dans un moment ne peut être une disposition réelle pour l'instant qui doit suivre ce premier » [3]. L'existence de la créature n'est donc pas une trame continue, elle est un « tissu de créations successives » [4], et chacune de ces créations constitue une apparition mystérieuse, quasi miraculeuse, de soi-même à soi-même, où l'être créé se découvre sans liaison réelle avec ce qu'il a été ou sera, indépendant du temps, dépendant de sa seule création présente.

Telle est une des faces de la fameuse création continuée chez Descartes. Fénelon (comme presque tout son siècle d'ailleurs, et, en particulier, l'abbé de Saint-Cyran) l'adopte et la répète presque mot pour mot. Mais il lui donne une inflexion spirituelle et affective très différente de celle qu'on trouve chez Descartes. Chez celui-ci, l'appréhension instantanée de l'existence est un motif d'assurance et de joie. Il y a là la saisie d'une réalité ontologique sans doute extraordinairement restreinte, mais qui précisément se trouve merveilleusement fortifiée du fait qu'elle est enchâssée dans des bornes étroites, et que Descartes, pour ainsi dire, n'a qu'à étendre la main pour toucher les murs qui abritent son existence instantanée. « Je pense, donc je suis. » Cela veut dire entre autres choses : J'existe ! Je coïncide avec le seul moment présent de ma pensée. Quelles que soient les

1. *Œuvres*, t. I, p. 117.
2. *Instructions et Avis*, 18.
3. *Réfutation du Système du P. Malebranche*, ch. 14.
4. *Traité de l'Existence de Dieu*, p. 2, ch. 5 ; *Œuvres*, t. I, p. 78.

incertitudes du passé et du futur, je suis certain
d'exister dans l'acte de ma pensée présente. Elle m'enferme et je l'enferme. Je m'arrête en elle comme en
l'assise de mon être et de ma science.

Mais pour Fénelon, comme auparavant pour Saint-
Cyran ou Pascal), il ne saurait en être de même.
L'être qui se surprend dans son existence actuelle se
surprend ici dans un moment changeant. L'intuition
fénelonienne n'est plus celle d'un moment arrêté,
limité, illuminé tout entier du dedans par un seul
acte de pensée. Elle révèle plutôt une déficience, une
métamorphose. Le moment bouge, ondoie, remplit
mal ses creux, passe comme une vapeur. C'est quelque chose d'indéterminé et d'informe qui glisse, à
l'instant même où cela prend forme, dans un autre
instant et dans une autre forme. L'instant fénelonien est donc, à l'opposé de l'instant de Descartes,
un instant fluent. C'est, si l'on veut, le devenir berg-
sonien. Mais la joie bergsonienne est aussi éloignée de
l'expérience fénelonienne du temps que la joie cartésienne. Il n'est pas plus permis à Fénelon de tressaillir
de plaisir à voir se renouveler par l'élan inventif chaque moment de la durée, qu'à goûter le bonheur de
se fixer dans un moment de certitude absolue. Pour
Fénelon, se sentir vivre, c'est se sentir s'écouler. La
conscience de soi est la conscience d'un être qui s'évanouit de toute part, qui se perd et qui se perd de vue.
L'être fénelonien ne peut dire simplement : Je pense,
donc je suis ; car plus il s'interroge, moins il se sent
être :

Je ne suis pas, ô mon Dieu, ce qui est : hélas ! je suis
presque ce qui n'est pas. Je me vois comme un milieu
incompréhensible entre le néant et l'être : je suis celui
qui a été ; je suis celui qui sera ; je suis celui qui n'est
plus ce qu'il a été ; je suis celui qui n'est pas encore ce
qu'il sera ; et dans cet entre-deux que suis-je ? un je
ne sais quoi qui *ne peut s'arrêter en soi, qui n'a aucune*

consistance, qui s'écoule rapidement comme l'eau : un je ne sais quoi que je ne puis saisir, qui s'enfuit de mes propres mains, qui n'est plus dès que je veux le saisir ou l'apercevoir ; un je ne sais quoi qui finit dans l'instant même où il commence ; en sorte que je ne puis jamais un seul moment me trouver moi-même fixe et présent à moi-même pour dire simplement : Je suis. Ainsi ma durée n'est qu'une défaillance continuelle [1].

Et ailleurs, presque dans les mêmes termes :

En cet état, l'être libre et voulant doit se regarder sans cesse comme un demi-néant, comme un don toujours passager qui ne dure qu'autant qu'il se renouvelle, comme un demi-être qui n'est que prêté ; comme un je ne sais quoi *sans consistance*, qui échappe dès qu'on veut le trouver ; comme un être *fluide et successif* qui ne subsiste jamais tout entier, dont les parties, pour ainsi dire, ne sont jamais ensemble, non plus que les flots d'une rivière... [2]

Dans ces deux textes, à la pensée claire, solide, consistante, de Descartes, se substitue une pensée trouble, inconsistante et fuyante, qui, comme l'eau, se trouve incapable de s'arrêter en soi, de garder une forme.

De toute les images ou métaphores qu'on rencontre dans l'œuvre de Fénelon, il n'en est pas de plus fréquente que l'image de l'eau. Comme pour tant de poètes ou de penseurs analysés par Bachelard, l'eau est pour Fénelon l'élément universel. Elle est partout présente, dans le ruissellement sinueux du style, dans l'ondoiement des pensées. On la découvre le long des rivages, parmi les îles et les récifs entre lesquels Télémaque poursuit son destin nautique ; elle

1. *Traité de l'Existence de Dieu*, ch. V.
2. *Œuvres*, t. I, p. 117.

se répand et s'étend à l'intérieur même du cœur de
Télémaque, qui est une autre mer, non moins fluide,
non moins variable : « Toutes ces pensées contraires
agitaient tour à tour son cœur, et aucune n'y était
constante. Son cœur était comme la mer, qui est le
jouet de tous les vents contraires »[1]. Le voyage de
Télémaque est donc un voyage à l'intérieur de lui-
même. La mer qu'il parcourt est sa propre existence,
qui, comme toute existence humaine, est « fluide,
divisible et successive »[2]. Pour qui n'a pas de Mentor, quelle épreuve singulière que d'aller ainsi à la
recherche de soi-même, par une démarche errante et
aberrante, qui éloigne en même temps qu'elle rapproche, qui fait de nous le caprice de la vague et de
la passion, qui informe et qui déforme, qui transforme chaque délice en une amertume, chaque déesse
en une vapeur, qui ne nous laisse jamais la possibilité de prévoir ni de revoir, qui fait de l'existence
une chaîne toujours défaite d'enchantements promptement dissipés !

Ainsi l'eau devient pour Fénelon le symbole de ce
qu'il y a de plus troublé dans sa pensée ou dans son
cœur. Elle représente une vie qui ne peut cesser d'être
le jouet des passions. Il n'y a, semble-t-il, aucune
autre destinée possible pour l'homme que cette course
vagabonde, « sans cesse recommencée », où chaque
moment s'efface et se refait au hasard des remous.
De forme en forme l'existence se poursuit sans jamais posséder de forme. Elle a tour à tour toutes les
formes, et dès lors elle n'en a aucune. Issue de l'informe, elle se perd dans l'informe. L'être fénelonien
est comme Alcibiade, à qui Timon disait : « Vous
êtes un Protée qui prenez indifféremment toutes les
formes les plus contraires, parce que vous ne tenez à
aucune »[3].

1. *Télémaque*, 1. 6.
2. *Traité de l'Existence de Dieu*, p. 2, ch. 5.
3. *Dialogues des Morts*, 18.

A ce point la pensée de Fénelon apparaît comme
une des plus douloureusement vaines qui soient. C'est
la pensée d'un être qui se voit voué à se chercher sans
trève et qui se voit interdire pour toujours de se retrouver ou de se contenter de soi. A la folie des espoirs s'ajoute, en effet, la souffrance des regrets. Le
passé n'est pas moins douloureux à explorer que
l'avenir. Ce qu'il nous révèle n'est pas seulement le
péril ou la honte des retours en arrière, c'est encore
la fausseté de notre être qui, se démentant de moment en moment, ne peut jamais redécouvrir de soi
qu'un souvenir infidèle : « Je ne saurais guère rien
dire qui ne me paraisse faux un moment après »[1]. —
« Dès que je veux dire quelque chose de moi en bien
ou en mal, en épreuve ou en consolation, je le trouve
faux en le disant, parce que je n'ai aucune consistance
en aucun sens »[2]. — « Gardez-vous bien de dire :
Demain nous irons nous divertir dans tel jardin ;
l'homme d'aujourd'hui ne sera point celui de demain ;
celui qui vous promet maintenant disparaîtra tantôt ;
vous ne saurez plus où le prendre pour le faire souvenir de sa parole ; en sa place, vous trouverez un je ne
sais quoi qui n'a ni forme ni nom, qui n'en peut avoir,
et que vous ne sauriez définir deux instants de suite
de la même manière »[3]. D'un moment à l'autre nous
devenons donc pour nous (et pour les autres) un être
méconnaissable, un « fantasque », une espèce de men-
songe. L'être que nous étions, en s'enfonçant dans le
passé, s'est enfoncé dans le faux. Aussi Fénelon est-il,
de tous les écrivains français, celui qui diffère le plus
de Proust. Pour lui le temps se perd bien définitivement, et cette perte s'accomplit non dans l'oubli, ce
qui laisserait encore un recours, mais dans le men-

---

1. *Lettres spirituelles*, 194 ; *Œuvres*, t. 8, p. 589.
2. *Ib.*, 178 ; *Œuvres*, t. 8, p. 580.
3. *Le Fantasque* ; *Opuscules composés pour l'éducation du duc
de Bourgogne*.

songe. A mesure que nous vivons, ce que nous étions
est irrémédiablement démenti par ce que nous devenons. L'être fénelonien vit ce démenti en chaque seconde de sa durée. Il ne peut consister qu'en son inconsistance. Il ne peut exister qu'en éprouvant continuellement son défaut d'être.

Nul remède, semble-t-il, pas même l'espérance.
Fénelon ne peut dire comme Bossuet : « Cette vie que
nous ne possédons jamais que par diverses parcelles
qui nous échappent sans cesse, se nourrit et s'entre-
tient d'espérance »[1]. C'est que, pour Fénelon, à elle
seule, prise à part, l'espérance ne fait qu'aggraver et
non réparer notre sentiment de fragmentation et de
fuite. Le désir du bonheur est un malheur. Mais
alors plus aucun recours ne reste :

... Sur quoi est-ce que je fonde le repos de mon
cœur ? Si c'est sur mon salut, c'est sur le sable mouvant, non par l'incertitude des promesses de Dieu, mais
par l'incertitude qui vient de ma propre fragilité. Puis-je
apaiser mon cœur, puis-je respirer, puis-je vivre, *si je
ne m'appuie que sur une espérance* si incertaine de ma
part, quoique très certaine de la part de Dieu ? Sera-ce
l'incertitude qui nourrira mon cœur ? Eh, c'est elle
qui le rongerait [2].

Ma force m'abandonne : je ne sens plus que faiblesse,
qu'impatience, que désolation de la nature défaillante,
que tentation de murmure et de désespoir. Qu'est
devenu le courage dont je me piquais, et qui m'inspirait
tant de confiance en moi-même ? Hélas ! outre mes
maux, j'ai encore à supporter la honte de ma faiblesse
et de mon impatience. Seigneur, vous attaquez mon
orgueil de tous côtés ; vous ne lui laissez *aucune
ressource* [3].

1. Bossuet : *Deuxième Sermon pour le dimanche de la Quin-
quagésime.*
2. *Lettres au P. Lami sur la Grâce et la Prédestination,* 5.
3. *Méditations pour un Malade,* 10.

Ces dernières lignes, écrites pour une personne qu'il dirigeait, Fénelon les écrivait aussi pour lui-même. L'être qui se cherche et qui se perd continuellement vit d'une existence si défaillante, si humiliée, si dénudée par les tempêtes du temps, que plus aucune ressource ne lui reste, sinon celle des âmes qui se rendent compte enfin qu'il n'y a plus d'espoir et qu'elles n'ont plus de ressource : « Il faut se voir pauvre, se sentir corrompu et injuste, ne trouver en soi que misère, en avoir horreur, *désespérer de soi…* »[1].

1. *Lettres spirituelles*, 184.

Désespérer de soi ! C'est à cela qu'aboutit le mouvement premier de la pensée fénelonienne. Renoncement de l'espèce la plus grave, renoncement total
même, puisqu'il oblige à désespérer du futur comme
du passé, à désespérer de la durée humaine et même
du salut éternel. Et dès lors aussi ce renoncement
est une réduction extraordinaire de soi-même à l'être
momentané, à l'être emprunté, au demi-être que, par
un don toujours éphémère et toujours réitéré, Dieu
nous accorde d'avoir en chaque moment indépendant.
Par cet acte de résignation absolue, il s'agit donc
d'abdiquer toute volonté propre, tout intérêt personnel, tout amour de soi, et par conséquent aussi
tout rapport de fidélité ou de confiance avec le passé
ou avec l'avenir. Bien plus, il s'agit de devenir insensible au vide creusé en nous par la carence du
passé ou l'absence du futur. « Arrachez-moi donc à
moi-même. Plus de retours d'amour-propre, plus de
désirs inquiets, plus de crainte ni d'espérance pour
mon propre intérêt » [1]. Comprenons donc bien de quoi
il s'agit essentiellement : d'un acte de *désappropria-
tion* par lequel l'homme enfin renonce à se donner
une durée, une destinée ou, comme dit Fénelon, une
« providence propre » [2]. — « Il ne faut non plus se
troubler par la prévoyance de l'avenir que par les
réflexions sur le passé » [3]. Il ne faut ni prévenir ni

1. *Entretiens affectifs*, 9.
2. *Lettres spirituelles*, 235 ; *Œuvres*, t. 8, p. 610.
3. *Ib.*, 188 ; *Œuvres*, t. 8, p. 586.

retenir. « Ne pensez ni au passé qui vous trouble, ni
à l'avenir que vous voudriez assurer pour la consolation de votre amour-propre »[1].

Alors l'homme délivré de son inquiétude sur l'avenir, de ses retours sur le passé, entre dans une région
de paix et de silence, qui est faite d'absence de toute
conscience du temps. Une pause se fait dans le mouvement fébrile et multiple par lequel on tâchait de
vivre à la fois anticipativement et rétrospectivement.
Là rumeur du temps s'apaise. Le flux incertain de
la durée fait place à une espèce de calme où l'on se
saisit « immobile au milieu des vagues »[2], « en suspens, comme si on était en l'air »[3]. Et, dans un
sens, on peut appeler cet état de quiétude un état
intemporel, puisqu'il nous détache complètement du
souci de notre durée. Mais dans un autre sens, il
n'en est pas de plus temporel, puisqu'il nous appelle
à saisir, non point ce qu'il y a d'irréel·dans le temps,
c'est-à-dire le passé et l'avenir mais ce qui s'y trouve
d'authentiquement actuel, ce qui nous est donné au
moment où il nous est donné. Dans l'œuvre directe
de Fénelon, il est peu de passages aussi nombreux que ceux où il recommande d'accueillir
le présent comme le don sans cesse renouvelé de
Dieu. Aussi pour lui la doctrine de la création continuée prend-elle ici une valeur nouvelle (très proche
de la pensée salésienne), où il ne s'agit plus seulement d'affirmer l'incapacité de l'homme à se donner
une vraie durée, mais la générosité de l'acte créateur,
manifeste en chaque moment créé. La créature qui
renonce à s'occuper de son destin, qui se contente
d'« emprunter l'existence »[4], devient donc extraordinairement accordée à ce mouvement créateur et

1. *Lettres spirituelles*, 433 ; *Œuvres*, t. 8, p. 698.
2. *A Mme Guyon*, 30 avril 1689 ; *Correspondance entre
Fénelon et Madame Guyon*, éd. Masson, p. 124.
3. *Ib.*
4. *Traité de l'Existence de Dieu*, p. 2, ch. 2.

conservateur par lequel la vie et le temps se renouvellent perpétuellement en elle. Elle ne vit plus « à
contre-temps »[1], en devançant ou en retardant le
temps de Dieu. Elle vit dans le seul temps qui lui
soit donné, elle est fidèle « à la lumière du moment
présent »[2].

Cette fidélité au seul moment présent est recom-
mandée en cent endroits différents par Fénelon. Elle
s'y trouve toujours appuyée sur les mêmes textes de
l'Écriture :

Nos prévoyances ne servent qu'à nous inquiéter.
Obéissez chaque jour ; l'obéissance de chaque jour est
le véritable pain quotidien. Nous sommes nourris
comme Jésus-Christ de la volonté de son Père, que la
Providence nous apporte dans le moment présent. La
manne céleste est encore la manne ; on ne pouvait en
faire provision ; l'homme inquiet et défiant qui en
prenait pour le lendemain la voyait aussitôt se cor-
rompre[3].

A chaque jour suffit son mal, et l'âme laisse le jour
de demain prendre soin de lui-même[4].

Vivez comme à l'emprunt[5].

Contentons-nous donc de suivre, sans regarder plus
loin, toute la lumière qui nous est donnée de moment
à autre. C'est le pain quotidien ; Dieu ne le donne que
pour chaque jour. C'est encore la manne...[6]

C'est tenter Dieu que de faire provision de manne
pour deux jours ; elle se corrompt. Vous n'avez point
aujourd'hui la grâce de demain ; elle ne viendra qu'avec
demain lui-même. Moment présent, petite éternité
pour nous[7].

1. *Lettres spirituelles*, 333 ; *Œuvres*, t. 8, p. 661.
2. *Œuvres*, t. I, p. 213.
3. *Lettres spirituelles*, 187 ; *Œuvres*, t. 8, p. 585.
4. *Ib.*, 56 ; *Œuvres*, t. 8, p. 518.
5. *Instructions et avis*, 32 ; *Œuvres*, t. 6, p. 142.
6. *Ib.*, 23 ; *Œuvres*, t. 6, p. 145.
7. *Lettres spirituelles*, 158 ; *Œuvres*, t. 8, p. 570.

Combien différente est cette quiétude de l'anxiété janséniste ! Mais pourtant comme elle y ressemble, au moins dans ses prémisses ! Comme elle semble l'état d'un être qui, pour y parvenir, a dû passer par quelque équivalent de l'angoisse cyranienne ! Pour Saint-Cyran comme pour Fénelon, chaque moment de grâce est indépendant de tout autre. Mais, aux yeux du Janséniste, ceci entraîne la plus grande inquiétude qui soit : celle de ne jamais savoir si par delà le moment présent un autre moment ne viendra pas qui ne sera pas de grâce mais de chute. Angoisse de Saint-Cyran, angoisse de Pascal, angoisse de Racine. En chaque moment il faut, avec crainte et tremblement, interroger les conduites du passé et les mystères de l'avenir. Aucune certitude ne se découvre dans cette double étendue temporelle. Aussi le moment de foi janséniste est-il toujours profondément troublé par des sentiments qui le portent vers e dehors, qui l'orientent vers un futur insondable, déjà arrêté dans un passé insondable. Epreuve tragique qui doit être celle de tout chrétien, mais plus particulièrement de celui qui, se préoccupant pardessus tout de son propre salut, passionnément intéressé à savoir ce qui adviendra finalement de lui-même, écartèle son âme tout au long du temps, dans l'inquiète recherche d'une éternité personnellement convoitée. Telle est peut-être l'épreuve vécue par Fénelon lui-même, vécue jusqu'à l'extrême de l'inquiétude, jusqu'à ce point où, désespérant de soi, mourant à soi, renonçant même, s'il est nécessaire, à son avenir éternel, il s'est réduit à n'être plus qu'une sorte de lieu de passage où, de moment en moment, la grâce prend corps. Alors, dans cet « oubli de soi », sorte de creux laissé dans l'âme par la disparition de toute conscience temporelle et personnelle, il n'y a plus que le sentiment d'une présence lumineuse, l'apparition de l'Etre infiniment actuel qui est en nous, en tout, qui nous fait nous et qui fait tout. A la conscience de notre incomplétion dans le moment et de notre dispersion dans le temps succède celle d'une plénitude, d'une simultanéité immense :

Aimer Dieu pour lui-même, c'est l'aimer pour la totalité immense, c'est l'aimer à cause des réalités infinies qu'il y a en lui, quoiqu'on ne puisse jamais les voir dans toute leur étendue... C'est aimer sans mesure l'Être sans bornes. C'est cet amour qui dilate, qui s'élève, qui donne une espèce d'immensité à l'âme.. [1].

Voici donc la temporalité de l'expérience humaine remplacée par l'immensité de la réalité divine. A la place d'un temps vécu parcelle par parcelle s'étend un monde sans divisions et sans parties, le monde de Dieu. Par l'abolition de la conscience du temps humain, Fénelon accède ainsi quelquefois à la conscience d'une étendue supra-humaine :

Il est plus que toujours, car il est ; il est plus que partout, car il est. En lui il n'y a ni présence ni absence locale, puisqu'il n'y a point de lieu ni de bornes [2].

Il arrive donc que la réalité divine se présente à celui qui en rêve sous la forme d'un espace sans couture. Mais le plus souvent, au contraire, l'expérience de Dieu chez Fénelon se situe dans le lieu le plus étroit, et a pour mesure le moment le plus actuel. En ce lieu, en ce moment, celui qui aime de façon désintéressée son Dieu, s'enferme avec délices. Il n'a qu' « oubli de tout ce qui n'est point la chose aimée, [oubli] où toute réflexion s'évanouit, et où l'on ne voit que le moment présent, comme s'il était une espèce d'éternité. On aime sans penser que l'on a aimé, on aime sans prévoir si on aimera, on aime et on ne sait

1. *Entretiens de Fénelon et de M. de Ramsai.*
2. *Traité de l'Existence de Dieu*, p. 2, ch. 5, *Œuvres*, t. 1, p. 84.

qu'aimer... L'âme est rassasiée, perdue, incapable de désirer, et indifférente sur tout ce qui n'est pas le moment présent, au delà duquel il n'y a plus rien pour elle » [1].

Par l'acte du pur amour l'être fénelonien se trouve et s'abolit dans un moment éternel qui « l'affranchit de la loi du temps » [2] et du tourment de ses incertitudes : «Laissons faire Dieu, et ne songeons qu'à mourir sans réserve au moment présent, comme si c'était l'éternité tout entière » [3].

Eternité qui pourtant ne s'exerce que sur un moment éphémère ; « *petite éternité* », au bout de laquelle naît un nouvel instant, une nouvelle petite éternité. Chaîne de grâces éternelles se manifestant dans une chaîne d'instants. Grâces qui toutes découlent de l'éternité, mais dont chacune est destinée à un moment humain particulier, pour lui donner son inflexion propre. C'est Dieu qui nous crée en chaque instant, mais qui crée aussi les modifications de chaque instant. Les créatures «reçoivent à tout moment leur activité comme leur être » [4].

Aussi ne s'agit-il pas seulement pour l'âme chrétienne d'accepte à tout moment la réalité prodigieuse de Dieu et le don général de l'existence, mais encore d'accepter la forme particulière de réalité et d'existence que Dieu lui destine pour ce moment particulier : « Allons selon que Dieu nous mène, au jour la journée, mettant chaque moment à profit, sans regarder plus loin » [5]. Dieu nous mène donc au jour la journée, il ne nous réserve de lui-même que ce qu'il veut nous donner présentement, et nous devons être prêts à recevoir de lui toutes les variations d'être successives qu'il lui convient de nous conférer, moment

1. *Explications des Articles d'Issy*, éd. Chéruel, pp. 20-21.
2. *A Mme de Maintenon*, 1er janvier 1693 ; *Œuvres*, t. 8, p. 497.
3. *Lettres spirituelles*, 169 ; *Œuvres*, t. 8, p. 576.
4. *Entretiens de Fénelon et de M. de Ramsai.*
5. *A Mme de Maintenon*, 23 février 1691 ; *Œuvres*, t. 8, p. 492.

après moment. Aussi ce qui faisait notre faiblesse et notre malheur, fait-il maintenant notre vertu et notre joie. Quand nous ne pensions qu'à nous-mêmes, nous n'éprouvions qu'inquiétude à nous sentir informes, inconsistants, livrés à la défaillance de la durée. Le remède est de vivre cette informité et cette inconsistance jusqu'à l'extrême, de n'opposer plus la moindre résistance à cette fluctuation qui nous transformant de moment en moment, nous dépouille de toutes caractéristiques propres et remplace ce que nous sommes par ce que Dieu nous fait devenir. Toute la vie spirituelle consiste à céder à des impulsions, à épouser des mouvements, à adopter les colorations successives de l'amour. Pour vivre ce nouveau temps en ses métamorphoses, il faut une sorte d'agilité paisible, de souplesse passive. « Comptez que l'essentiel de votre état est une souplesse infinie », disait Mme Guyon à Fénelon [1]. La souplesse devient en effet chez celui-ci le centre mouvant de la vie spirituelle ; c'est comme un acquiescement continu à la modulation changeante que Dieu fait résonner en lui :

Cet état passif ne suppose aucune inspiration extraordinaire ; il ne renferme qu'une paix et une souplesse infinie de l'âme pour *se laisser mouvoir à toutes les impressions de la grâce...* L'âme dans l'amour intéressé, qui est le moins parfait, a encore un reste de crainte intéressée qui la rend moins légère, moins souple et moins mobile, quand le souffle de l'esprit intérieur la pousse. L'*eau* qui est agitée ne peut être claire, ni recevoir l'image des objets voisins ; mais une eau tranquille devient comme la glace pure d'un miroir. Elle reçoit sans altération toutes les images des divers objets, et elle n'en garde aucune. L'âme pure et paisible est de même. Dieu y imprime son image et celle de tous les objets qu'il veut y imprimer : tout s'imprime, tout

1. *Correspondance Fénelon-Guyon*, p. 39.

s'efface. Cette âme n'a aucune forme propre, et elle a également toutes celles que la grâce lui donne. Il ne lui reste rien, et tout s'efface comme dans l'eau... [1]

Ainsi réapparaît le thème de l'eau, consubstantiel à Fénelon, et en lequel se retrouvent symboliquement pour lui tous les traits, tragiques aussi bien qu'heureux, de la nature temporelle de l'homme :

Regardons maintenant ce qu'on appelle l'eau ; c'est un corps liquide, clair et transparent. D'un côté, il coule, il échappe, il s'enfuit ; de l'autre, il prend toutes les formes des corps qui l'environnent, n'en ayant aucune par lui-même... Qui est-ce qui a pris le soin de choisir une si juste configuration de parties, et un degré si précis de mouvement, pour rendre l'eau si fluide, si insinuante, si propre à échapper, si incapable de toute consistance, et néanmoins si forte pour porter et si impétueuse pour entraîner les plus pesantes masses [2] ?

Passage merveilleux où Fénelon nous fait, en décrivant l'eau, le portrait le plus nuancé de sa propre faiblesse et de sa propre force ; bien plus encore ! où la philosophie de l'existence se transpose secrètement en son exact équivalent métaphorique.

La pensée est devenue poésie. Poésie qui est celle même du temps, puisque cette fluidité, cette insinuance, cette inconsistance, ces effacements toujours suivis de reprises, cette informité multiforme enfin sont les caractéristiques mêmes du temps humain. Temps humain qui, à force de docilité et de ductilité, devient une sorte de temps divin, de temps vécu par Dieu à travers l'homme :

O mon Dieu ! ... défaites tout pour tout refaire. Que votre créature soit toute nouvelle, et qu'il ne reste

1. *Maxime des Saints*, art. 30.
2. *Traité de l'Existence de Dieu*, p. I, ch. 2.

aucune trace de l'ancien plan. Ayant alors tout effacé,
tout défiguré, tout réduit à un pur néant, je deviendrai
en vous toutes choses, parce que je ne serai plus en moi
rien de fixe. Je n'aurai aucune consistance, mais je
prendrai dans votre main toutes les formes qui con-
viendront à vos desseins. C'est par l'anéantissement de
mon être propre et borné que j'entrerai dans votre
immensité divine [1].

Abandonnez-vous à cette vicissitude qui donne tant
de secousses à l'âme, et qui, en l'accoutumant à n'avoir
ni état fixe ni consistance, la rend souple et comme liquide pour prendre toutes les formes qu'il plaît à Dieu.
C'est une espèce de fonte du cœur. C'est à force de
changer de formes qu'on n'en a plus à soi. L'eau pure
et claire n'est d'aucune couleur ni d'aucune figure : elle
est toujours de la couleur et de la figure que lui donne
le vase qui la contient. Soyez de même en Dieu [2].

---

1. *Entretiens affectifs*, 2 ; *Œuvres*, t. 6, p. 54.
2. *Lettres spirituelles*, 337 ; *Œuvres*, t. 8, p. 663. — Le
thème de l'eau se retrouve avec les mêmes expressions chez
Mme Guyon. Citons par exemple cet extrait de la lettre 124 des
Lettres chrétiennes et spirituelles (Cologne, 1717, t. 4, p. 308) :
« Il faut que notre âme soit fluide comme l'eau, sans consistance propre, c'est-à-dire sans opinions, sans arrêt à quoi
que ce soit, afin de pouvoir s'écouler en son Dieu. Il faut
de plus qu'elle soit sans couleur, sans odeur, sans rien de
fixe, afin de prendre toutes les impressions de la grâce ».

III

A ce point, la figure de l'être fénelonien est devenue quelque chose de presque insaisissable, une figure sans figure, une sorte de transparence fuyante, à l'intérieur de laquelle se succèdent les jeux prismatiques de la grâce.

Mais dès lors aussi un renversement singulier apparaît dans les relations entre l'âme et Dieu. Au début l'âme se manifestait comme une entité essentiellement changeante et successive en face de l'intemporalité divine. Pire encore, l'âme se révélait comme multipliant follement par son inquiétude la pluralité d'une durée fluctuante en contraste avec la permanence de l'éternité. Mais maintenant les rôles sont inversés. Dans l'âme du quiétiste, ce qui se succède, ce qui se remplace, ce qui varie, enfin tout ce qui y apparaît de temporel, c'est précisément l'action divine. Dieu se révèle maintenant, non seulement comme le générateur de la durée successive, mais comme un Dieu aux opérations elles-mêmes successives ; « enchaînement de grâces, qui entrent, comme les anneaux d'une chaîne, les unes dans les autres »[1]. Et l'homme, d'autre part, reposant au sein de sa quiétude, d'une humeur toujours égale dans les transformations dont il est passivement le sujet, semble avoir atteint à un état aussi différent que possible de la successivité originelle ; un état étrangement permanent, de durée non successive, sur le fond du-

---

1. *Instructions et Avis*, 33 ; *Œuvres*, t. 6, p. 146.

quel viendrait s'appliquer le mouvement des grâces divines. Par un renversement paradoxal, c'est à présent le temps de Dieu qui déferle et qui coule, et c'est le temps de l'homme qui se stabilise :

L'âme se repose quand elle ne veut plus rien par son propre mouvement, qu'elle n'est plus agitée par aucun désir, et qu'elle se délaisse au mouvement divin. Celui qui est dans un vaisseau au milieu du vent et des vagues se repose, parce qu'il ne se donne par lui-même aucun propre mouvement. C'est ainsi que je conçois le repos [1].

On voit où tend enfin la pensée fénelonienne ; à faire que Dieu soulage l'homme du poids du temps ; ou que l'homme ayant déposé par un sacrifice entier le fardeau de son amour-propre et de son inquiétude au pied de Dieu, celui-ci assume cette charge, assume le temps, comme le Christ assume les péchés du monde. Délivré de sa condition temporelle, l'homme pourrait vivre alors dans un état habituel, intemporel, de pur amour. Tendance de bien des mystiques, tendance qu'encourageaient en Fénelon l'influence et l'enseignement de Mme Guyon ; tendance, cependant, à laquelle il s'est efforcé de résister et qu'il a voulu tempérer par les nuances de sa propre théologie. Car il n'a jamais voulu soutenir, après tout, que le mystique puisse atteindre à une authentique permanence. Il ne s'agit pas de supprimer le temps, mais d'en éliminer le mal, de transformer la durée maladivement discontinue du désir intéressé en le temps continu de l'amour. Si un jour, écrivant à Mme de Maintenon, Fénelon s'est laissé aller à dire que, par l'abnégation de la volonté, « nous devenons en quelque sorte comme Dieu, immobiles et éternels »[2], il a le plus

---

1. *A Mme Guyon, Corr. Fénelon-Guyon*, p. 84.
2. *A Mme de Maintenon*, 1er janvier 1693 ; *Œuvres*, t. 8, p. 497.

souvent insisté sur le fait que la permanence du
contemplatif n'est qu'une permanence apparente.
« Cette disposition paisible et permanente n'est tout
au plus qu'un tissu d'actes très fréquents, qui ont peu
d'interruptions et qui n'en ont point de sensibles... » [1].
— « Actes si paisibles et si uniformes, que ces actes
quoique très réels, très successifs et même interrom-
pus, leur paraissent [aux contemplatifs] ou un seul
acte sans interruption, ou un repos continuel » [2].
L'« immobilité de l'âme », même en ces états les plus
parfaits, n'est donc qu'une apparence, une illusion
heureuse. Elle n'est nullement l'extase perpétuelle
dont Bossuet imputait à Fénelon de se faire le défen-
seur. L'homme n'a pas éludé le temps. Celui-ci ne
cesse pas de se composer d'une multiplicité infinie
d'actes successifs. Mais cette succession n'est plus
discontinue et, par conséquent, douloureuse et tragique. Elle n'opère plus « par secousses marquées » [3],
mais avec une sorte de simplicité insidieuse, d'infinie
souplesse transitive où l'on glisse imperceptiblement
du multiforme à l'uniforme. L'être que l'on devient
reste transitoire sans doute, mais en lui tout se calme,
s'insensibilise. De son trajet à travers le temps ne
subsiste plus « aucune trace durable et fixe » [4]. Plus
de souvenirs ni de désirs. « La foi et l'espérance se
concentrent dans l'amour » [5]. Et ainsi l'on procède,
sans plus rien conserver, sans plus rien espérer, à l'intérieur de Dieu, vers Dieu, d'une allure si continue
qu'elle en devient tout insensible :

Un mouvement, pour être sans secousse, n'en est

---

1. *Explications des Articles d'Issy*, p. 48.
2. *Maximes des Saints*, art. 29.
3. *Ib.*, art. 11.
4. *Ib.*, art. 13.
5. *Explications des Articles d'Issy*, p. 62.

pas moins un réel mouvement ; au contraire, il en est plus uni, plus continuel et plus régulier [1].

Fénelon s'efforce donc, non de supprimer le temps, mais d'en unifier l'écoulement, d'en régulariser la pente. Le temps devient une fois de plus quelque chose d'essentiellement liquide. L'être humain s'abandonne à sa « continuelle fluidité » [2] :

Il me semble que je me suis embarqué sur un fleuve rapide qui descend vers le lieu où je dois aller ; je n'ai qu'à ne me laisser pas accrocher ni aux branches des arbres, ni au sable, ni aux rochers qui bordent le rivage. Le cours du fleuve fait le mien, et je n'ai qu'à ne pas m'arrêter [3].

Le courant des eaux est donc assimilé au « courant de la grâce » [4]. Cours de plus en plus uniforme d'un fleuve presque sans paysage, où les rocs, les branches et le sable jouent simplement un rôle d'obstacles. Par la mort continue de soi, l'existence se trouve peu à peu réduite à une apparence irréelle, insipide, incolore, que traverse, sans s'y arrêter, un personnage au pas somnolent. Le chenal divin semble avoir drainé tout ce qui aux alentours pouvait avoir quelque vie ou quelque charme, et par suite il n'y a plus, à perte de vue, qu'une sorte de désert au milieu duquel serpente le filet d'une eau languissante. Lisons ces derniers passages, étrangement modernes, où Fénelon, comme Constant ou Gide, semble tenir le journal de sa fluidité et de son assèchement :

Pour moi, je suis dans une paix sèche, obscure et languissante, sans ennui, sans plaisir, sans pensée

1. *Explication des articles d'Issy*, p. 141.
2. *Traité de l'Existence de Dieu*, p. 2, ch. 5.
3. *Correspondance Fénelon-Mme Guyon*, p. 330.
4. *Ib.*

d'en avoir jamais aucun ; sans aucune vue d'avenir
en ce monde ; avec un présent insipide et souvent
épineux ; avec je ne sais quoi qui me porte, qui m'adou-
cit chaque croix, qui me contente sans goût. C'est un
entraînement journalier, cela a l'air d'un amusement
par légèreté d'esprit et par indolence. Je vois tout ce
que je porte ; mais le monde me paraît comme une
mauvaise comédie, qui va disparaître dans quelques
heures. Je me méprise encore plus que le monde ; je
mets tout au pis-aller ; et c'est dans le fond de ce pis-
aller pour toutes les choses d'ici-bas que je trouve la
paix [1].

Je ne vois rien qui soulage mon cœur ; et si vous me
demandiez ce qu'il souffre, je ne saurais vous l'expliquer. Je ne désire rien ; il n'y a rien que j'espère ni que
j'envisage avec complaisance. Mon état ne me pèse
point, et je suis surmonté des moindres bagatelles.
D'un autre côté, les moindres bagatelles m'amusent ;
mais le cœur demeure sec et languissant. Dans le
moment que j'écris ceci, il me paraît que je mens. Tout
se brouille. Dans ces changements perpétuels, je ne
sais quoi ne change point, ce me semble [2].

Je hais le monde, je le méprise, et il me flatte
néanmoins un peu. Je sens la vieillesse qui avance insensiblement, et je m'accoutume à elle, sans me détacher
de la vie. Je ne trouve en moi rien de réel, ni pour
l'intérieur, ni pour l'extérieur. Quand je m'examine, je
crois rêver : je me vois comme une image dans un
songe [3].

Il n'y a que la mort de l'esprit qui rend indifférent
à la mort du corps, lors même qu'on n'en est pas directement occupé. Sainte Monique disait à son fils Augustin :
« Mon fils, il n'y a plus rien qui me plaise en cette vie ;

1. *Lettres spirituelles*, 256 ; *Œuvres*, t. 8, p. 625.
2. *Ib.*, 290 ; *Œuvres*, t. 8, p. 640.
3. *Œuvres*, t. 7, p. 348.

je ne sais plus ce que je fais ici-bas, ni pourquoi j'y suis, *toute espérance y étant éteinte pour moi* »[1].

Les heures et les jours *coulent* en paix *sèche* [2].

Le temps fénelonien se perd dans les sables, devient du sable. Dieu et le désert finissent par en boire toute l'eau.

---

1. *Lettres spirituelles*, 151 ; *Œuvres*, t. 8, p. 567.
2. *Id.*, 298.

V

CASANOVA

I

Jamais homme n'a jeté sur ce qui s'offre à lui un regard plus franchement avide. Casanova se montre d'emblée ce qu'il ne cessera de s'affirmer par la suite, c'est-à-dire un être dépourvu de toute retenue. Non qu'il soit, comme Don Juan, un esprit fort, un homme sans préjugés, qui ne croit ni à Dieu ni à diable. Non. Casanova a ses superstitions comme tout le monde. Mais, dès l'abord, il évite de contracter aucun engagement, de quelque nature que ce soit. Il ne se soumet à aucune obligation. Il ne s'astreint à aucun métier. Il ne se marie pas. Il n'obéit — au moins pendant longtemps — à l'autorité d'aucun patron. Il n'obtempère ni aux injonctions ni aux prohibitions d'aucune morale. Il ne se trouve même pas sujet à la plus forte de toutes les limitations, qui est la peur. « Mon grand trésor, dit-il à l'une de ses maîtresses, est que je suis mon maître, que je ne dépends de personne, et que je ne crains pas les malheurs »[1]. Cette indépendance radicale, il l'affirmera et la pratiquera en chaque moment de jouissance ou d'action, depuis son début

1. Jacques CASANOVA, *Histoire de ma vie*, édition intégrale, 12 vol., Brockhaus, Wiesbaden et Plon, Paris, 1960, II, p. 30. — Sauf indications contraires, je renvoie à cette édition.

dans la vie : « Parfaite santé à la fleur de mon âge, sans nul devoir, sans avoir besoin de prévoir, pourvu de beaucoup d'or, ne dépendant de personne, heureux au jeu, et favorablement accueilli des femmes qui m'intéressaient, je n'avais pas tort de me dire *saute, marquis* »[1].

Celui qui se dit à lui-même « saute, marquis », s'incite à sauter à pieds joints dans chaque moment qui vient. Rien de moins passif que l'attitude de Casanova dans sa recherche du bonheur. Il n'attend pas la volupté. Il court à sa rencontre. L'absence de liens lui donne la démarche la plus libre et la plus prompte. « Content de n'appartenir à personne, dit-il j'allais eu avant sans m'embarrasser de l'avenir »[2].

Or, ici, ne pas s'embarrasser de l'avenir, c'est d'abord ne s'embarrasser d'aucun passé. Etre libre, être prêt à jouir, c'est n'éprouver l'action sur soi d'aucune antériorité déterminante[3]. Comme tous les grands sensuels nés dans ce siècle sensualiste, Casanova est de ceux qui savent qu'en chaque moment de son existence l'homme n'est précédé ni limité par rien, pas même par cette existence. « J'ai soixante et quatorze ans passés, écrit un personnage de Marivaux ; il y a donc bien longtemps que je vis : bien longtemps, hélas ! je me trompe : à proprement parler, je vis seulement dans cet instant-ci qui passe... Ma vie ne

---

1. VII, p. 20.
2. II, p. 182.
3. Cette liberté, c'est, par excellence, celle dont jouit l'être se dissimulant sous un pseudonyme, agissant sous le masque. L'on sait l'importance des déguisements, parades et pantalonnades masquées dans la vie de Casanova. Lisons ce qu'écrit Jean Starobinski sur la liberté de l'être masqué au XVIIIe siècle : « Délivré de tout ce qui l'enchaîne et le définit par sa naissance, par sa condition, par sa fonction, l'être masqué se réduit à l'image qu'il offre dans l'instant, à la parole qu'il invente sur le champ. Comme l'acteur, l'homme masqué manifeste une essence instantanée. « (Jean STAROBINSKI, *L'invention de la liberté*, Skira, 1964, p. 90).

dure pas, elle commence toujours » [1]. Cette vie qui ne
dure pas et qui sans cesse recommence, n'est-ce pas
la vie de Casanova, comme de tous ceux pour qui
l'existence débute à partir du moment sans cesse
renouvelé, où ils prennent et reprennent conscience
d'être ? Etre sans passé, c'est naître en chaque moment. Tout l'art du xviiie siècle consiste à prendre
conscience de cette nouveauté absolue : « Je tâchais,
écrit Rousseau, de me mettre tout-à-fait dans l'état
d'un homme qui commence à vivre... » [2] — « J'imagine
donc un homme, écrit Buffon, ... qui s'éveillerait tout
neuf pour lui-même et pour tout ce qui l'environne » [3].
Le sensuel est comme le convalescent. « Pour lui,
tout l'univers est nouveau », dit Gresset [4].

C'est l'opinion même de Casanova. « La nouveauté,
dit-il, est le tyran de notre âme » [5]. Tyran qui, à
la différence de tous les autres, n'exige qu'un service
immédiat, qu'une obéissance limitée au moment
actuel. « *Carpe diem*, dit Casanova, est ma devise » [6].
La saisie de la volupté nouvelle, c'est donc, avant
tout, la possession du présent. Présent sans passé,
présent qui n'existe que dans son actualité même [7].
De ce point de vue, encore, Casanova ressemble à
tous les grands voluptueux de son siècle. Dès qu'il
ouvre les yeux, il a le sentiment de s'éveiller à la conscience du bonheur : « Ce matin, à mon réveil, note-t-il
dans ses *Mémoires*, je jette un coup d'œil sur mon
état physique et moral, et je me trouve heureux » [8].
Ouvrir les yeux, se découvrir vivant c'est donc (sauf
dans les périodes de grande catastrophe) se retrouver

1. *Le Spectateur français*, 17e feuille.
2. *Émile et Sophie, ou les solitaires.*
3. *Histoire naturelle*, IV, p. 511.
4. *A ma sœur, sur ma convalescence.*
5. IV, p. 178.
6. XI, p. 208.
7. « Le plaisir dans son actualité, écrit Casanova, est toujours pur. » — II, p. 34.
8. IV, p. 208.

naturellement heureux. Jamais cette conscience
intime du bonheur ne se montre si vive ni si délicieuse
que dans les instants où le voluptueux jouit d'une
nouvelle proie. Sur la joie qu'elle procure tout se concentre. Parlant d'une de ses innombrables conquêtes,
Casanova écrit : « Elle faisait enfin mon bonheur ; et
dans la vie rien n'étant réel que le présent, j'en jouis-
sais, rejetant les images du passé et abhorrant les
ténèbres du toujours affreux avenir » [1].

Telle est donc la *mesure de l'instant parfait* chez
Casanova : c'est un moment de nouveauté pure, où
rien ne compte, ni passé, ni avenir, où le présent se
limite à la somme de joie goûtée à l'intérieur de ses
limites. Moment que rien ne prépare, que rien, non
plus, ne prolonge. Il faut le posséder comme il est,
juste au moment où il est. Point de longs sièges ni de
séductions patiemment agencées. Point, non plus, de
liaison qui se continuerait au delà du terme où elle ne
constitue plus un plaisir. Casanova n'est le héros ni des
Liaisons dangereuses, ni d'*Adolphe*. Conquêtes et
ruptures sont pour lui des actes quasi instantanés.
Le bonheur ne saurait être un état permanent d'existence. C'est une façon d'éprouver instantanément ce
qui, de sa nature même, est chose instantanée.

Parfois, il est vrai, cette instantanéité du bonheur
semble se poursuivre, chez Casanova, au delà des
bornes extrêmement courtes qui lui sont d'ordinaire
assignées. Celui qui dans un certain instant était
heureux, ne cesse pas dans l'instant qui suit, d'être
heureux. Qu'on n'imagine pas cependant cette prolongation du bonheur comme une installation de l'être
dans un état durable. Si avec Henriette, avec Pauline,
Casanova jouit, pendant de longs jours, d'un bonheur
égal à lui-même, il s'avère aussitôt que ce sentiment,
loin d'être un, est composé d'une multiplicité de
joies successives, de l'une à l'autre desquelles les

1. VII, p. 92.

amants procèdent par une série de mouvements de
l'âme qui dénient à ce sentiment son unité. Parlant
d'une de ces périodes de bonheur, « trois semaines,
écrit Casanova, s'écoulèrent ainsi après nos noces
dont tous les moments, toujours avec la même
influence, nous rendirent également heureux. Nous
étions devenus tels que nous ne pouvions plus trouver
la moindre différence de l'un à l'autre ; c'était une
suite jamais discontinue de jouissances, au point
que nous ne pouvions plus désirer ». Et Casanova
ajoute : « Il nous était impossible d'imaginer que nous
aurions pu être plus riches ou plus heureux, excepté
si nous eussions voulu penser à l'avenir ; mais nous
n'avions pas le temps d'y penser. Ce manque de temps
faisait le vrai fond de nos richesses réelles » [1]. Ainsi
chez Casanova heureux, les moments de bonheur,
même identiques les uns aux autres, ne forment pas
une durée authentique ; ils composent tout au plus
« une suite jamais discontinue de jouissances ». Celles-
ci se remplacent les unes et les autres ; de sorte que le
temps heureux est moins un temps qu'un « manque
de temps ». Le temps de la volupté, quelque longtemps
qu'il dure, est toujours sans durée. Il est, en tout cas,
sans avenir comme sans passé. C'est un présent incessamment occupé à se renouveler lui-même. Il n'a pas
d'autre signification. L'être qui jouit instantanément
de la vie, ne demande pas d'accéder à une permanence
de vie. « Je n'ai de ma vie songé à l'avenir » [2], dit
Casanova. Songer à l'avenir, c'est d'ailleurs ce qui lui
est déconseillé par ses amis : « Il n'est pas nécessaire
que tu t'occupes de l'avenir, dit à Casanova son protecteur M. de Bragadin ; pense à t'amuser » [3].

Ne songeant ni à l'avenir ni au passé, le voluptueux
se borne donc à s'occuper du moment même. Mais ce

1. IX, p. 249.
2. Ed. Paulin-Rozez, Flammarion, VI, p. 401.
3. II, p. 198.

serait une erreur de croire que, pour ce qui est de ce
moment, il n'y songe pas, qu'il se contente de le vivre.
En fait, le voluptueux n'est pas un étourdi. Sa jouissance s'accroît avec la perception qu'il en tire. On
imaginerait volontiers Casanova comme un Don
Juan, courant d'une intrigue à l'autre par un mouvement effréné qui ne lui donnerait jamais le temps de
faire un retour sur lui-même. Or c'est le contraire qui
souvent est vrai. Casanova est de ceux qui se ménagent
même au sein du plaisir, une zone de calme et de
détente. Là encore on le reconnaît fidèle représentant
des habitudes morales et mentales de son siècle. « Il
faut un intervalle, un repos aux plaisirs »[1], écrit
Gresset dans une de ses pièces. Et Saint-Lambert :

> Que dans les bras de ce que j'aime
> Des transports de l'emportement
> Je passe à ce calme charmant
> Où l'âme après la jouissance
> Sans tumulte mais sans langueur,
> Dans un voluptueux silence
> Se rend compte de son bonheur [2].

« Le bonheur est réserve à la sensibilité réfléchie »[3],
dira de même, excellemment, Marmontel. « Moments
tranquilles, précise Montesquieu, ou l'âme se rend,
pour ainsi dire compte à elle-même et s'écoute dans le
silence des passions »[4]. — Le xviiie siècle, nous le
savons, est rempli de ces moments d'alanguissement
lucide, où la passion perd de son intensité et où le
tumulte des sens s'apaise. C'est le moment de repos
délicieux dont parle Diderot [5], celui que vit Rousseau

1. *Sidnei*, acte 2, sc. 2.
2. *Le Soir*.
3. *Essai sur le bonheur*, *Œuvres*, X, p. 144.
4. *Lettres persanes*, CXLI.
5. Article « Délicieux » de l'Encyclopédie.

au bord du lac de Bienne [1]. Le plus souvent, il consiste à introduire entre la jouissance actuelle et la conscience de celle-ci une distance, si petite soit-elle, où l'immédiateté du bonheur perd de son urgence et de sa violence. Casanova le sait bien, qui connaît l'instant brûlant de la passion, et l'instant où celle-ci se tempère et se transforme en la conscience paisible du plaisir éprouvé. Ecoutons les réflexions qu'il met dans la bouche de la plus intelligente de ses maîtresses : « En mettant entre les plaisirs le calme qui doit succéder à chacun après la jouissance, nous nous procurons le temps de reconnaître l'état heureux dans leur réalité. L'homme ne peut être heureux que quand il se reconnaît pour tel, et il ne peut se reconnaître que dans le calme » [2]. — Ce calme, Casanova le recommande lui-même à une autre des femmes qu'il a aimées : « Le plaisir, lui dit-il, est une jouissance actuelle des sens. C'est une satisfaction entière qu'on leur accorde dans tout ce qu'ils appétissent ; et lorsque les sens épuisés ou fatigués veulent du repos ou pour reprendre haleine ou pour renaître, le plaisir devient de l'imagination ; elle se plaît à réfléchir au bonheur que sa tranquillité lui procure » [3].

1. *Rêveries*, 5e Promenade.
2. III, p. 57.
3. III, p. 193.

II

Suite alternée de jouissances et de réflexions sur les jouissances, l'expérience de Casanova n'est donc pas composée exclusivement d'extases consécutives. C'est comme une modulation musicale, où ce qui importe, c'est le passage du *presto* à un *tempo* plus lent, à une manière de vivre et de se sentir vivre plus sereine. Les *Mémoires* contiennent plus d'un de ces moments, qui sont comme les *adagio* de la sensibilité. Le philosophe danois Kierkegaard a attiré le premier notre attention sur le caractère musical de l'existence chez le voluptueux [1]. Mouvement fluide, perpétuel glissement où l'être passe d'une façon de vivre à une autre : « Je réfléchissais, écrit Casanova, à l'espèce d'enchantement qui me forçait à redevenir toujours amoureux d'un objet qui, me paraissant nouveau, m'inspirait les mêmes désirs que m'avait inspirés le dernier que j'avais aimé... » [2] Enchantement positif, magie heureuse, dont l'être qui en est le sujet est en même temps le créateur, lorsqu'il situe à chaque instant au devant de lui un objet de désir qui, dans l'instant précédent, lui semblait laissé en arrière, dépassé et épuisé. De sorte que si, dans un sens, il est juste de dire du bonheur, casanovien qu'il est celui d'un être qui ne veut pas s'occuper de l'avenir et qui se concentre en aveugle sur le moment présent, il n'est pas moins vrai de soutenir, dans un autre sens, que c'est un bonheur

1. *Enten-Eller.*
2. XII, p. 69.

sans cesse dépendant d'un nouvel avenir. Car, par
delà le bonheur, qu'y a-t-il sinon la promesse d'un
autre bonheur ? De toutes les attitudes de l'esprit
où Casanova se laisse surprendre, la plus fréquente,
la plus caractéristique peut-être est celle où on le voit,
frémissant, ayant peine à se contenir, au seuil d'une
nouvelle aventure, « empressé, comme il dit, de passer
d'une jouissance à l'autre »[1] :

Mon imagination fit bientôt des siennes ; je me voyais
embarqué dans une nouvelle aventure dont je croyais
pouvoir présager les différentes crises... [2]

Je suis allé me coucher très amoureux et très comblé
de cette belle aventure que je me figurais remplie de
charmes et à laquelle j'étais sûr de suffire me trouvant
bien pourvu d'argent et entièrement maître de moi-
même. Ce qui mettait le comble à ma joie était que
j'étais certain de voir la fin de toute cette intrigue en
deux ou trois jours [3].

L'argent et la jeunesse étant donnés, la proie
convoitée étant à portée, rien n'existe plus aux yeux de
Casanova que ce futur imminent, déjà possédé à
l'avance, et au delà duquel il se retrouvera bientôt
après en avoir dévoré les fruits. Peut-être n'en est-il
pas de meilleur exemple dans les *Mémoires* que la
situation d'esprit qu'il nous décrit, quand, pour la
première fois, il se découvre dans Rome :

Me voilà donc à Rome bien en équipage, assez pourvu
d'argent, bien en bijoux, assez pourvu d'expérience,
avec de bonnes lettres de recommandation, parfaitement libre, et dans un âge où l'homme peut compter
sur la fortune, s'il a un peu de courage et une figure

---

1. I, p. xiii (*Préface*)..
2. Ed. Paulin-Rozez, VI, p. 326.
3. III, p. 21.

qui prévienne en sa faveur ceux qu'il approche. Ce n'est pas de la beauté, mais quelque chose qui vaut mieux que j'avais... Je me sentais fait pour tout. Je savais que Rome était la ville unique, où l'homme partant de rien était souvent monté très haut ; et il n'est pas étonnant que je crusse avoir toutes les qualités requises [1].

Voilà bien, saisi sur le vif, le ton de l'aventurier, c'est-à-dire étymologiquement, de l'être prêt à entreprendre une aventure. Ici, indubitablement, ce n'est plus l'actualité de la jouissance qui domine, c'est sa proximité, sa probabilité et la facilité avec laquelle une volonté insolemment sûre d'elle-même la fera passer de la puissance à l'acte. Quelle n'est pas la fatuité avec laquelle l'aventurier affronte le futur ! Regard direct, jeté en avant, où se rencontrent la convoitise, le calcul, la ruse, une absolue confiance en soi et un courage d'ailleurs admirable. Car le futur dont il s'agit n'est pas toujours composé de plaisirs, mais aussi de risques vaillamment encourus. Témoin le moment où Casanova suppute les dangers et les chances de réussite lors de sa fameuse fuite des Plombs :

C'est ainsi que Dieu me préparait le nécessaire à une fuite qui devait être admirable, sinon prodigieuse. Je m'en avoue vain ; mais ma vanité ne vient pas de ce que j'ai réussi, car le bonheur s'en est beaucoup mêlé ; elle procède de ce que j'ai jugé la chose faisable, et que j'ai eu le courage de l'entreprendre [2].

Toutefois ce qui apparaît ici avec une curieuse netteté, ce n'est pas seulement la foi de Casanova en

1. I, p. 217.
2. IV, 235.

ses propres ressources, mais l'association de cette foi à une croyance toute différente, celle en un « Dieu qui lui préparait le nécessaire ». La foi en soi-même, la foi en Dieu, se combinent et même se confondent, Pourtant, au fond, elles se contredisent. Si, d'un côté, Casanova a la conscience la plus vive de sa liberté d'action, de la faculté qu'il a, en n'importe quelle circonstance, d'agir en pleine indépendance, d'un autre côté il est aussi celui qui dans les conjonctures les plus importantes de son existence s'est toujours senti poussé, plus encore, instantanément déterminé, par un pouvoir distinct de sa volonté propre et auquel il donne parfois le nom de fortune. De sorte que, décidant librement, mais ne décidant que ce que la fortune le pousse à décider, Casanova se sent à la fois le plus libre et le moins libre des hommes.

De ces impulsions déterminantes les exemples abondent dans les *Mémoires* :

Le lecteur qui aime à penser verra dans ces mémoires que n'ayant jamais visé à un point fixe, le seul système que j'eus, si c'en est un, fut celui de me laisser aller où le vent qui soufflait me poussait [1].

Toujours un peu superstitieux, prenant cette invitation pour une voix de Dieu, je me suis vu dans le moment d'accepter par la plus sotte de toutes les raisons : c'est que cette étrange résolution n'aurait eu rien de prémédité [2].

J'avais lu et appris sur le grand livre de l'expérience qu'il ne fallait pas consulter les grandes entreprises mais les exécuter sans contester à la fortune l'empire qu'elle a sur tout ce que les hommes entreprennent [3].

Cent choses j'ai faites en ma vie toutes à regret,

---

1. I, p. viii (*Préface*).
2. II, p. 118.
3. IV, p. 275.

et toutes poussé par une occulte force, à laquelle je me
plaisais à ne pas résister [1].

Parfois à cette force occulte il fait jouer le rôle
d'une divinité stoïque :

Le lendemain à mon réveil, glissant une petite
réflexion sur la chose, j'ai vu qu'y penser pourrait
m'empêcher de me déterminer, et que si je devais me
déterminer, ce devait être en conséquence de n'y avoir
pas pensé. C'était le cas du *sequere Deum* des stoïciens [2].

Sequere Deum ! expression qui a frappé Casanova
dans sa jeunesse, qu'il a toujours retenue, comme il
en a toujours pratiqué la philosophie :

M. Malipiero... me fit alors une leçon que je n'ai
jamais oubliée. Il me dit que le fameux précepte des
stoïciens *sequere Deum* ne voulait dire autre chose
sinon abandonne-toi à ce que le sort te présente...
C'était, me disait-il, le démon de Socrate... [3]

Démon ou dieu qu'on peut voir reparaître dans le
passage suivant :

Entendant parfaitement ce que Socrate appelait
son démon, qui ne le poussait que rarement à quelque
démarche décisive et l'empêchait de s'y déterminer
fort souvent, j'ai facilement cru d'avoir le même Génie..
Sûr que ce Génie ne pouvait être que bon et ami de mon
meilleur bien-être, je me rapportais à lui toutes les fois
que je me trouvais sans une raison suffisante pour ne
pas douter dans mon choix. Je faisais ce qu'il voulait
sans lui en demander raison... [4]

1. IX, p. 128.
2. II, p. 85.
3. I, p. 117.
4. XII, pp. 156-157.

L'on songe à Gœthe, qui lui aussi croyait avoir son démon et lui attribuait certaines impulsions décisives.

De tous les passages où Casanova nous parle de sa divinité démonique, celui où il s'exprime le plus pleinement est le suivant :

Dans les principales vicissitudes de ma vie, des circonstances particulières se combinèrent pour rendre mon pauvre esprit un peu superstitieux. Je m'humilie quand, descendant en moi-même, je reconnais cette vérité. Mais comment m'en défendre ? Il est dans la nature que la fortune fasse d'un homme qui se livre à ses caprices ce qu'un petit enfant fait d'un globe d'ivoire sur un billard, qu'il pousse d'un côté et de l'autre pour se procurer un sujet de rire lorsqu'il le voit tomber dans la blouse ; mais s'il n'est pas naturel, ce me semble, que la fortune fasse de cet homme ce que fait de la bille un joueur expert, qui calcule la force, la vitesse, la distance et l'égalité de la réaction ; il n'est pas naturel, dans ma nature, que je fasse à la fortune l'honneur de la croire savante en géométrie, ni que je suppose à cet être métaphysique les lois physiques auxquelles je découvre sujette toute la nature. Malgré ce raisonnement, ce que j'observe m'étonne. Cette fortune, qu'en qualité de synonyme du hasard je devrais mépriser, se rend respectable comme si elle voulait me paraître une divinité dans les plus décisifs de tous les événements de ma vie. Elle s'est amusée à me faire toujours voir qu'elle n'est pas aveugle comme on le dit ; elle ne m'a jamais abîmé que pour m'élever en proportion, et elle semble ne m'avoir jamais fait monter bien haut que pour se procurer le plaisir de me voir précipiter. Il semble qu'elle n'ait voulu exercer sur moi un empire absolu que pour me convaincre qu'elle raisonne et qu'elle est maîtresse de tout ; pour m'en convaincre, elle employa des moyens frappants tous faits pour me faire agir par force, et pour me faire comprendre que ma volonté, bien loin de me déclarer libre, n'était qu'un instrument dont elle se servait pour faire de moi tout ce qu'elle voulait [1].

Quel que soit le caractère rationnel que Casanova attribue au pouvoir qui exerce alors sur lui son empire et si aveugle que soit d'autre part la docilité avec laquelle il lui confie le soin de guider ses actions, la relation entre ce pouvoir et lui-même n'a toutefois rien de providentiel, ou de proprement fatal. En somme, si, à un moment donné, cet être qui est si libre, aliène brusquement sa liberté, il ne le fait que pour le moment même. Ce n'est pas sa vie, ce sont simplement des morceaux de vie, qu'il livre au démon intermittent qui est le sien. Comment, dès lors, appeler ce pouvoir ? providence ou destin ? Casanova l'appelle le plus souvent fortune. La différence est importante. Le destin est un pouvoir qui s'exerce sur l'entièreté d'une existence. Il est ce qui détermine, ou même ce qui prédétermine, non pas seulement tels ou tels événements parmi beaucoup d'autres, mais le déroulement d'une vie, sa progression dans le temps vers une certaine fin. Or, rien de tout cela ne se voit chez Casanova. L'abandon qu'il fait de sa personne à l'impulsion qui le jette en avant, est sans réserve mais aussi sans lendemain. L'abdication ne vaut que pour le moment où elle a lieu. Aussi n'a-t-elle jamais rien que de provisoire ; et si importantes que soient les conséquences qu'elle entraîne, elle laisse ensuite l'être qui en fut le sujet dans le même état d'indépendance qu'auparavant. Néanmoins la substitution répétée d'une impulsion externe à la volonté propre, a pour effet essentiel d'accroître les vicissitudes, plus encore, la discontinuité générale de l'existence. Un tour de roue de bas en haut, un tour de roue de haut en bas,

1. XI, pp. 35-36.

voilà les seuls mouvements fatals que connaisse Casanova, ceux qui chaque fois se jouent sur une seule
carte. La fortune, destin du joueur, manque absolument de permanence. Les uniques objets qu'elle influence, ne sont jamais que des instants isolés.

Cet isolement des moments vécus est encore ac-
centué chez Casanova par un autre trait de caractère
dont il nous faut parler maintenant. Et cet autre
trait, c'est tout simplement la passion. Passion non
pas prise ici au sens restreint d'un désir poussé jusqu'à l'extrême, mais au sens plus large de n'importe
quel excès de sentiment. Chez Casanova, en effet, ce
n'est pas seulement la passion érotique qui s'élève
aussitôt jusqu'à un degré incroyablement élevé, c'est
la rage, la jalousie, l'appétit de vengeance. A peine
se sent-il insulté, que le voici porté à un paroxysme
de ressentiment. Paroxysme instantané de l'émotion
qui se transforme non moins soudainement en une
furie d'action. Dans les *Mémoires*, de multiples exemples nous attestent la réalité de ce déchaînement
foudroyant de l'être. Casanova, officier à Corfou, est
insulté par un faquin. Il se lève, quitte la compagnie
pour guetter la sortie de son insulteur : « Je sors de
l'hôtel, m'acheminant à l'esplanade pour l'attendre...
Je le vois, je lui cours au-devant et je commence à
lui donner des coups faits pour le tuer... Je ne l'ai
laissé là que quand je l'ai vu tout en sang étendu par
terre. La foule des spectateurs me fit haie, je l'ai passée, allant au café de Spilea pour précipiter ma salive
amère avec une limonade sans sucre » [1]. De même
arrêté sur l'ordre du conseil des Dix, Casanova éprouve
aussitôt pour la caste qui l'opprime de violents sentiments de révolte et de haine, il se transforme en un
septembriseur ! « Je brûlais des désirs de vengeance
que je ne me dissimulais pas. Il me paraissait d'être
à la tête du peuple pour exterminer le gouvernement

1. II, p. 115.

et pour massacrer les aristocrates ; tout devait être pulvérisé » [1]. Troisième exemple, il reçoit d'une femme aimée une lettre l'informant qu'elle rompt et épouse un rival. Du coup, cent projets se forment, aussitôt rejetés que conçus : « Je décidai d'aller à Paris pour tuer ce Blondel que je ne connaissais pas et qui avait osé épouser une fille qui m'appartenait... L'estomac vide m'envoyait à la tête des vapeurs qui m'assoupissaient ; quand je revenais [à moi], je déraisonnais, parlant tout seul dans des accès de colère qui me déchiraient l'âme » [2]. Bref, l'affront reçu doit être immédiatement lavé dans le sang. Comme Julien Sorel ou Fabrice, Casanova a la main près du poignard ou de la poignée de l'épée ; ou encore de cette canne avec laquelle il saccage l'ameublement d'une maîtresse infidèle, surprise en flagrant délit : « Ma juste colère tombe sur les meubles. Les premiers que j'ai mis en pièces furent le beau trumeau et les porcelaines que je leur avais donnés. Leurs paroles m'irritant de plus en plus, j'ai mis en pièces des chaises les frappant contre terre ; puis ramassant ma canne, je leur ai annoncé que j'allais leur casser la tête, si elles ne finissaient de crier » [3].

« Voilà, dira-t-il en un autre endroit de ses *Mémoires*, les terribles moments auxquels l'homme à bonnes fortunes est sujet » [4]. Mais ce qu'il y a de plus remarquable en ces moments, ce ne sont pas les actions frénétiques auxquelles le sujet se trouve porté : c'est l'effet physique, et même physiologique, que l'intensité du sentiment a sur lui. La surprise, la colère, la rage, ont pour conséquence immédiate le déchaînement d'un flot de bile. Une fois, se croyant sur le point d'être enrôlé de force dans l'armée d'un petit

1. IV, p. 208.
2. VI, p. 29.
3. IX, p. 322.
4. IV, p. 19.

prince, Casanova en éprouve, dit-il « un si fort or-
gasme qu'en moins d'une heure il lui parut que tous
les fluides de son individu cherchaient une issue pour
évacuer la place qu'ils occupaient »[1]. Une autre fois,
la conviction d'être contaminé par la malice d'une
femme qui le hait, provoque chez lui une crise de
vomissements[2]. En un mot, l'explosion du sentiment
est aussitôt suivie, chez Casanova, d'un bouleversement total de l'être. Elle a aussi pour effet l'anéantissement de tout ce qui n'est pas l'actualité sous
sa forme la plus directe et la plus brutale. Et cela,
par un changement si prompt qu'entre ce moment
et l'état d'esprit ou du corps, qui précède, aucune
comparaison n'est possible. Un abîme se creuse, un
éclatement de la durée s'accomplit. Et l'emportement qui s'empare alors de celui qui subit cette crise,
est un mouvement si entier et si despotique qu'il devient capable de tout, même d'un crime.

Témoin cette scène de viol :

Dans une position pareille, l'amour se change facilement en rage. Je m'empare d'elle comme si c'eût été
un ballot... Mes mains étant devenues griffes, je compte
sur la plus brutale violence de ma part... L'ayant saisie
d'une de mes mains au cou, je me suis senti puissamment tenté de l'étrangler[3].

Passage de l'amour à la rage, dit Casanova. Passage parfois aussi du désespoir à la joie ou de la honte
à l'insolence. Cela se fait sans transition, par un renversement instantané de l'état d'esprit antécédent.
Encore une fois, les *Mémoires* fourmillent d'exemples
de ces changements à vue :

1. VI, p. 79.
2. VI, p. 156.
3. IX, p. 299.

Le passage de la crainte à une exubérance de contentement inattendu me causa un paroxysme, dont
la plus sotte fièvre n'aurait pas pu, dans son redoublement, me donner un pareil [1].

... Heureuse époque qui me vit sauter du vil métier
de joueur de violon à celui de seigneur [2].

Le moment dans lequel un homme passe de la mort
à la vie ne saurait être qu'un moment de crise [3]. .

Et presque dans les mêmes termes :

N'ayant pu me mener à la mort, [cette crise] me
donna une nouvelle vie. Quel prodigieux changement ! [4]

Si prodigieux que soient de tels changements, ils
n'ont rien d'exceptionnel dans l'ambiance énervée
de l'époque. Ils sont ceux mêmes que décrivent une
certaine catégorie de romans contemporains. Dans
maints d'entre eux, en effet, l'auteur se donne précisément pour tâche de dépeindre les violents remous
de la vie sensible. C'est le cas de *Manon Lescaut*, de
Cleveland : « Je passai tout à coup, dit Des Grieux,
de la tranquillité où je croyais être, dans un transport terrible de fureur [5]. » Et Cleveland : « C'était
dans les horreurs d'une situation si funeste que le ciel
allait faire lever l'aurore de mes plus beaux jours » [6].
Le ton est le même, ou plutôt l'alternance des tons,
le mouvement par lequel le cœur « passe subitement,
comme dit Prévost, d'une certaine situation à celle
qui lui est opposée » [7]. Mais les ouvrages de Prévost

1. III, p. 61.
2. II, p. 198.
3. III, p. 278.
4. IX, p. 334.
5. *Manon Lescaut*, PRÉVOST, *Œuvres choisies*, III, p. 397.
6. *Cleveland*, *Œuvres choisies*, V, p. 343.
7. *Cleveland*, *Œuvres choisies*, V, p. 73.

sont des romans. Chaque fois qu'ils décrivent des expériences vécues, il faut supposer qu'ils en accentuent volontairement les contrastes. Chez Casanova, à l'inverse, s'il y a exagération dans les actes ou dans les gestes, il n'y en a aucune dans les paroles qui les rapportent. Casanova est bien l'homme qui a réellement connu tour à tour les plus violents excès en des sens contraires.

Les mille impulsions de toutes sortes, les caprices de l'imagination ou de la volonté interprétés comme des ordres du ciel, les fureurs de la passion, le changement instantané et radical des humeurs physiques et morales, tout jette à chaque instant Casanova hors de l'instant où il vit et où il voudrait continuer de vivre. Vie donc perpétuellement morcelée, vie qui ne se rejoint jamais elle-même, qui se divise en une multitude de tronçons [1]. Et par là, comme toujours, cette vie marque sa ressemblance avec celle du siècle. Casanova est l'homme de la diversité dans un siècle qui s'est fait précisément un art de la diversité : « Quelle variété dans les événements de la vie, s'écrie tel personnage de Prévost. Quel enchaînement de choses qui ne se ressemblent point et qui ne paraissent pas faites pour se suivre [2] » ! Ce cri est un cri d'étonnement ; il contient cependant autant de joie que d'inquiétude. L'homme, et plus encore, la femme du XVIIIe siècle adorent le papillonnage et font leurs délices de l'instabilité : « Croyez-vous qu'il ne faille pas avoir dans l'esprit bien de la variété, bien de l'étendue, pour être toujours et sans contrainte, du caractère que l'instant où vous vous trouvez, exige de vous » [3].

1. « Sa sensibilité est faite de flambées immédiates et irrépressibles », dit Robert Abirached dans le meilleur livre écrit sur le sujet, *Casanova ou la dissipation*, Grasset, 1961, p. 61.

2. *Histoire d'une Grecque moderne*, *Œuvres choisies*, XI, p. 208.

3. *Les égarements du cœur et de l'esprit*, *Œuvres*, I, p. 283.

Cette réflexion qui est mise dans la bouche d'un personnage féminin de Crébillon, pourrait être faite aussi bien par une créature du monde marivaudien : « Eh bien, ce cœur, dit l'une d'elles, ce cœur qui manque à sa parole, quand il en donne mille, il fait sa charge ; quand il en trahit mille, il la fait encore ; il va comme ses mouvements le mènent, et ne saurait aller autrement »[1].

Bref, les gens du XVIIIe siècle non seulement reconnaissent l'importance du rôle de la diversité dans la vie individuelle et sociale, mais ils en font l'instrument indispensable du bonheur de l'humanité. « Il faut cultiver son jardin », dit l'un d'eux dans une phrase célèbre. Mais comment le cultiver, ce jardin, sinon en en diversifiant les aspects ? Cela est vrai du jardin de l'existence comme de n'importe quel autre. La variété de points de vue que ménagent les parcs anglais, a pour exact équivalent celle selon laquelle se succèdent les plaisirs des hommes, et par laquelle les plus ingénieux espèrent échapper à la monotonie qui menace toute existence. « Le philosophe porte en lui-même une source intarissable de plaisirs diversifiés », dit l'Abbé de Fontenay[2].

Tous ces traits, toute cette discontinuité variée, se retrouvent chez Casanova. De ce point de vue, il est l'homme de son siècle par excellence. Toutefois, alors que chez la plupart des esprits de son temps, la recherche diversifiée du plaisir est un calcul raffiné et une démarche pleine d'élégance, il y a quelque chose de grossier, de heurté, même de spasmodique, dans la façon dont Casanova varie les objets de ses passions. Il faut bien le dire, cette vie révèle à qui la regarde ou s'efforce de la regarder dans son ensemble, une déplorable absence de « fondu ». Vie qui passe incessamment de la mascarade à l'orgie et de l'orgie à la

1. *L'heureux stratagème*, acte I, sc. 4.
2. *Esprit des livres défendus*, 1777, I, p. 102.

catastrophe. Ainsi Casanova porte jusqu'à l'extrême, jusqu'à la caricature, ce qui est peut-être le trait fondamental de l'époque. Incapable de se nouer, de se composer, il offre le spectacle d'une existence à la débandade, où tout dépend d'un plaisir qui dans chaque moment commence, mais qui aussi, dans le même moment, prend fin.

III

Jouissons d'un instant qui passe,
Il va malgré nous s'envoler [1].

D'une ardeur extrême
Le Temps nous poursuit.
Détruit par lui-même,
Par lui reproduit,
Plus léger qu'Éole
Le moment s'envole,
Et naît et s'enfuit [2].

Le printemps s'efface
Et se reproduit,
Mais rien ne remplace
Le plaisir détruit ;
Le volage fuit
Sans laisser de trace [3].

De qui sont ces vers ? Les uns de Gentil-Bernard, les autres de Léonard, certains font partie d'une ode anacréontique anonyme. A vrai dire, leurs auteurs respectifs n'importent guère. Sachons seulement qu'ils ont été écrits au siècle de Casanova. Une même

---

1. *Élite de poésies fugitives*, 3 vol., Londres, 1764, II, p. 237.
2. *Épitre sur l'automne.*
3. *A mes amis, Idylles*, livre 2.

note, grêle et flûtée, s'y élève, On la retrouve invariablement dans la poésie légère de l'époque. Elle rappelle une expérience humaine éternelle, mais vécue peut-être en ce temps-là avec une lucidité plus grande et finalement plus triste : celle de l'évanouissement du plaisir. Une nuance d'anxiété y perce. Comment s'en étonner ? Si l'homme concentre toute son attention et toute son énergie sur l'obtention d'un bonheur instantané, il y a bien des chances qu'il assiste non pas seulement à l'éclosion de ce bonheur, mais à sa volatilisation également instantanée. L'instant est sans durée, mais il a deux versants, dont le second plonge dans l'ombre. Il est à la fois naissance et mort de lui-même. Dans le même éclair de conscience, l'amateur d'instants voluptueux est témoin d'une aurore et d'un crépuscule aussitôt transformé en nuit·

Qui se concentre donc sur l'instant, est condamné à ne plus percevoir que la mort instantanée de l'instant. Cette mésaventure est celle de bien des épicuriens du xviiie siècle. Car il est peu d'époques où l'on ait cherché plus exclusivement la possession du moment présent.

Tous les sages, tous les prophètes du siècle la recommandent.

Traduisant ou parodiant l'Ecclésiaste, Voltaire écrit ce distique :

> Du temps qui périt sans cesse
> Saisissons donc les moments[1].

Un autre poète dira :

> Saisis bien le présent qui glisse sous ta main...[2]

---

1. *Précis de l'Ecclésiaste, Œuvres*, XIV, p. 275.
2. LEMIERRE, *Sur la nouvelle année.*

Ou sur un mode plus léger, plus fugitif :

> Hâtons-nous. Tout nous y convie,
> Saisissons le présent sans soin de l'avenir [1].

Mais dans leur besoin de saisir le présent, c'est en vain que les poètes feignent ou la désinvolture ou l'insouciance. Ils savent combien malaisée est leur tâche : il faut, dit l'un d'eux, « Profiter d'un instant difficile à saisir » [2]. Comme l'écrit Starobinski dans son admirable étude d'ensemble sur le XVIIIe siècle, « aucune possession ne peut être tenue pour définitive, car la possession s'inscrit dans l'instant, et l'instant s'épuise aussitôt » [3].

De cet épuisement et effacement instantané de l'instant (et du plaisir qu'il recèle), nul n'a parlé plus justement que Soeren Kirkegaard. Rappelons-nous sa description du voluptueux. La vie de celui-ci est pareille à une mélodie dont les notes l'une après l'autre s'évanouissent. « Pour Don Juan, voir et aimer quelqu'un sont une même chose. Cela a lieu dans un moment, dans le même moment tout est fini, et la même chose se répète indéfiniment. « Le séducteur » n'a jamais d'existence, il se hâte dans un continuel évanouissement, précisément comme la musique, dont il est juste de dire qu'elle n'est plus dès qu'elle a cessé de se faire entendre, et qu'elle ne renaît que quand elle se fait entendre de nouveau » [4].

Ce qui vaut ici pour Don Juan (et Casanova), vaut pour un autre représentant, — infiniment plus délicat, — de l'existence érotique instantanée, c'est-à-dire pour le poète Keats. Lorsque finalement pour ce dernier, à la place des formes passionnément ad-

---

1. LA MOTTE-HOUDAR, *Le retour du printemps*, ode imitée d'Horace.
2. DESMAHIS, *Épitre à une dévote*.
3. Jean STAROBINSKI, *op. cit.*, p. 10.
4. *Enten-Eller*.

mirées ne se renouvelle plus chaque fois que la conscience de leur disparition, alors le caractère essentiellement éphémère de la beauté sensible devient quelque chose d'insupportablement douloureux qui transforme un chant de volupté en son contraire. Keats, au terme de sa vie, ne pouvait plus se rappeler la figure de celle qu'il aimait, autrement que comme une image « éternellement en train de s'évanouir »[1].

Telle est bien l'aventure terminale — éternellement terminale — du séducteur. Ce n'est pas lui, finalement, qui se dérobe, en volant à d'autres conquêtes ; ce sont ces conquêtes qui, une à une, se dérobent à lui ; de sorte qu'en fin de compte, se retrouvant chaque fois les mains et le cœur vide, il se désespère de voir toujours se poursuivre ce mouvement de fuite et d'escamotage, par lequel les instants heureux se ramènent les uns après les autres à rien.

« En sortant des bras de celles des femmes que j'ai le plus aimées, dit Casanova, j'ai souvent éprouvé un serrement de cœur, et j'étais toujours moins abattu par la fatigue du plaisir que par le sentiment d'une tristesse intime, à la pensée que des biens si chers allaient m'échapper »[2].

1. « The thought of leaving Miss Brawne is beyond every thing horrible — the sense of darkness coming over me — I eternally see her figure eternally vanishing » (*To Charles Brown*, 28 septembre 1820).

2. Ed. Paulin-Rozez, V, p. 392.

IV

Avec cette fuite des êtres, des amours, des plaisirs, il conviendrait de terminer, car en quel point s'arrête l'aventure du voluptueux, sinon en la privation des voluptés dont il fait son affaire exclusive ? Privation qui, cependant, ne se fait pas en une fois, mais à petits coups, à petites doses, par un processus d'échecs multipliés, de dérobades successives, de fuite agile et répétée du bonheur, juste au moment où il semble qu'on aille le toucher du doigt. Ainsi à l'histoire des bonnes fortunes consécutives succède l'histoire des mauvaises fortunes, des fiascos. Cela forme deux façons de vivre, dont la seconde semble avoir pour fin de donner une image inversée de ce qu'avait été la première. Voici l'inconstant délaissé, l'oublieur oublié, le dupeur dupé, l'amateur de plaisirs châtié par l'impossibilité de s'en procurer de nouveaux. Voici surtout l'homme des moments heureux, forcé, bon gré mal gré, de passer par une longue suite de moments tous malheureux. Quel changement radical ! Comme la Providence s'arrange bien, semble-t-il, pour doser joie et malheur, pour équilibrer, à force de chagrins, le poids trop lourd des ivresses passées ! Il suffit de lire l'une après l'autre les deux moitiés en lesquelles se partagent naturellement les *Mémoires*, pour trouver dans le contraste qu'elles offrent un ample sujet de réflexions morales.

Or, ce qui frappe chez Casanova, c'est qu'il est le premier à sentir ce contraste, à faire ces comparaisons ! « Autrefois, écrit-il, j'avais marié nombre de jeunes filles mais elles avaient passé par la gueule du loup, et je leur avais donné mon coup de dent. Mais présentement tous ces jolis morceaux me passaient devant le nez »[1]. — Négligeons la vulgarité de la remarque. Constatons simplement qu'elle distingue entre un *autrefois* et un *présentement*, entre deux modes de vie qui, effectivement, se partagent l'ensemble de l'existence. Cette opposition est toute différente de celle que nous relevions entre deux moments successifs, l'un de joie, l'autre de peine, de l'un à l'autre desquels la sensibilité bascule. Ici deux époques de la vie s'affrontent, et non plus deux instants.

On sent bien que de l'une à l'autre la pensée ne peut se porter sans faire une comparaison défavorable. Le passage de la jeunesse à la vieillesse se solde invariablement par un déficit :

...Quelle différence quand je mesurais mon existence physique et morale de ce premier âge, et que je la comparais à l'actuelle ! Je me trouvais tout à fait un autre...[2]

Il me semblait avoir vieilli... Il m'arrivait de trouver la jouissance de l'amour moindre, moins séduisante que je ne me la figurais avant le fait, et il y avait déjà huit ans que petit à petit ma puissance diminuait[3].

J'avais beau faire, les femmes ne voulaient plus devenir amoureuses de moi[4].

1. Ed. Paulin-Rozez, VI, p. 367.
2. XII, p. 160.
3. XII, p. 106.
4. XII, p. 149.

Que de réflexions quand je me suis vu dans l'endroit
où vingt-sept ans avant ce moment-là je me suis trouvé
avec Donna Lucrezia ! Je voyais l'endroit, et je le
trouvais plus beau, tandis que non seulement je ne me
trouvais pas le même, mais moindre dans toutes mes
facultés... [1]

Parfois l'expérience de la diminution mène à des
remarques plus subtiles ou plus graves ; comme dans
cette comparaison entre deux femmes aimées à des
époques différentes :

Je les ai oubliées ; mais quand je me les rappelle,
je trouve plus forte l'impression que me fit Henriette ;
et la raison en est que mon âme était plus susceptible
à l'âge de vingt-deux ans qu'à celui de trente-sept [2].

En un mot, les impressions étant plus vives dans la
jeunesse, l'esprit en enregistre mieux l'image qu'il ne
le fera par la suite. Ce qui se trouve diminué ici, c'est
la source même des souvenirs. A mesure qu'on vieillit,
ils s'appauvrissent. Constatation douloureuse, dont
celui qui ne goûte plus finalement de bonheur que
dans l'évocation du passé, mesure toute l'importance.

Mais il y a plus ou pire encore. Se comparer avec
celui qu'on était, c'est évaluer l'ampleur d'une dégra-
dation non pas seulement physique mais morale. Un
jour, se trouvant dans une chambre d'hôtel à Genève,
Casanova y retrouve, gravées sur une vitre de fenêtre,
ces paroles qu'une maîtresse y avait inscrites treize
ans auparavant, au moment de le quitter : « Tu ou-
blieras Henriette ». Aussitôt tout un passé enseveli
depuis longtemps dans l'oubli renaît en lui en présence de ce signe mémoratif. Mais quelle conclusion

1. XII, p. 92.
2. IX, p. 254.

en tire-t-il ? La suivante, qui s'applique trop bien à
son cas pour avoir été inventée par lui dans la suite :
« Me comparant avec moi-même, je me trouvais moins
digne de la posséder que dans ce temps-là. Je savais
encore aimer, mais je ne trouvais plus en moi la
délicatesse d'alors, ni les sentiments qui justifient
l'égarement des sens, ni la douceur des mœurs, ni une
certaine probité ; et, ce qui m'épouvantait, je ne me
trouvais pas la même vigueur »[1].

Un esprit qui raisonne sur soi de cette manière
ne se place plus dans l'instantané. Il mesure les rapports contrastants qui unissent et séparent présent et
passé. L'existence humaine n'est plus, pour qui en
prend ainsi conscience, une suite d'épisodes détachés
qui se remplacent les uns les autres, c'est un ensemble
dont il est possible de voir la signification et sur lequel
il sied de porter un jugement. A la place d'un moment
présent toujours répété et toujours détruit, voici que
commence à s'esquisser une ligne de vie, la ligne de *ma*
vie. Sans doute, cette ligne est-elle déclinante. Mais
c'est une ligne, un trait continu d'existence. Là est
peut-être l'apport le plus inattendu et le plus important de Casanova à la littérature des Confessions et
des Mémoires. Il est celui qui, non par quelque repentir de débauché devenu vieux, mais par une réflexion
issue graduellement de la maturation et de l'approfondissement de sa propre expérience, passe d'une
conscience esthétique de l'existence à une conscience
éthique, et arrive ainsi à se voir dans la perspective
de ses fautes et de leurs conséquences, après ne s'être
jamais perçu que dans le sentiment de ses plaisirs
actuels. S'il y a donc une morale dans les *Mémoires* de
Casanova, il ne faut pas l'y chercher sous la forme de
ces soupirs hypocrites que, pour mieux faire passer le
récit de leurs écarts de conduite, les pécheurs repentis

1. VI, p. 222.

ne manquent pas d'y glisser : « Je rejette le triste et avilissant repentir »[1], écrit Casanova devenu vieux. Mais ce qui est ici exceptionnel, c'est qu'en refusant de se repentir, en se contentant de se montrer tel que les faits de sa vie, honnêtement narrés, le révèlent, l'auteur accède, presque sans s'en douter, à une connaissance générale de cette vie même, et par là se hausse jusqu'à un plan intellectuel et moral qui jusqu'alors n'avait été nullement le sien. Retour sur soi, approfondissement de soi, qui n'est pas seulement l'aboutissement de ces *Mémoires*, qui en est la substance même. Car ce n'est pas seulement au terme de son existence et au moment seulement où il prend la plume pour la raconter, que Casanova constate le changement de point de vue sur lui-même qui s'est accompli en lui. Son histoire apparaît comme celle d'un homme qui apprend progressivement à juger son existence (encore qu'il ne fasse pas d'effort pour changer d'existence). Bien plus, cette existence à ses yeux acquiert un ordre. Dans la perspective du jugement porté sur elle, l'existence n'apparaît plus comme un chapelet de moments radicalement discontinus, mais se partage en un petit nombre de périodes dont la charnière est formée par des dates critiques. L'une de celles-ci est la date du commencement de sa liaison à Londres avec la Charpillon ; mais il y en a d'autres :

Ce fut dans ce fatal jour au commencement de septembre 1763 que j'ai commencé à mourir et que j'ai fini de vivre. J'avais trente-huit ans. Si la ligne perpendiculaire d'ascension est égale en longueur à celle de descente, comme elle doit l'être, aujourd'hui, premier jour de novembre 1797, il me semble pouvoir compter sur presque quatre années de vie, qui en conséquence

---

1. Variante de la Préface, éd. Pléiade, I, p. 1220.

de l'axiome : *motus in fine velocior*, passeront bien
vite [1].

Tel m'a rendu l'amour à Londres, *nel mezzo del
camin di nostra vita*, à l'âge de trente-huit ans. Ce fut la
clôture du premier acte de ma vie. Celle du second se
fit à mon départ de Venise l'an 1783. Celle du troisième
arrivera apparemment ici où je m'amuse à écrire ces
mémoires [2].

Vieillir, c'est peut-être déchoir, mais c'est donc
arriver aussi à la conscience de soi. Et c'est, du même
coup, arriver à la conscience de la durée, puisque le
moi finalement possédé par la conscience n'est plus un
moi momentané, mais le moi continu qui se développe
de période en période depuis l'enfance jusqu'à la
vieillesse. Kierkegaard n'avait donc pas tort de dire
que pour le voluptueux menacé de se prendre dans
l'instantanéité de ses expériences, une seule issue était
possible, par où échapper à la conscience désespérée
de l'éparpillement, — et que cette issue était l'accession à une connaissance de soi dans le temps, c'est-à-
dire à la moralité.

Casanova, homme moral, telle est donc la conclusion, somme toute inattendue, d'une étude sur notre
mémorialiste, qui s'est donné pour objet ses rapports
avec l'instant et avec le temps. N'exagérons pas
cependant, sinon l'importance, au moins la profondeur de cette moralité tardive d'un vieillard qui ne se
repent pas, c'est-à-dire qui, loin de condamner son
immoralité antécédente, ne rêve qu'aux moyens d'en
renouveler l'agréable état. Or voici que l'occasion
lui en est donnée par l'acte même de réflexion qu'il
fait sur sa vie en en écrivant les annales. D'un côté
celle-ci lui *apparaît* dans son ensemble. De l'autre,

1. IX, p. 280.
2. IX, p. 315.

elle lui *réapparaît* dans son détail. Revoir sa vie, ce
n'est pas seulement passer en revue la totalité de celle-
ci (pour en tirer la matière d'une méditation morale),
c'est faire un sort à chaque joie retrouvée, revivre
chacune de celles-ci par un acte de la mémoire qui
concerne moins ici les qualités morales de l'être que
ses sensations et émotions :

Me rappelant les plaisirs que j'eus je me les renouvelle... [1]
Le ressouvenir d'une ancienne tendresse vis-à-vis
d'une femme adorable la réveille, les désirs renaissent,
et la force avec laquelle ils se renouvellent est sans
bornes [2].
On dira que je circonstancie ces faits d'une façon
qu'il semble que je m'y complaise en me les rappelant.
On aura deviné. Je conviens que le souvenir de
mes plaisirs passés les renouvelle dans ma vieille
âme [3].

Trois fois donc, en trois endroits très différents des
Mémoires, la même phrase, le même mot réapparaît :
renouveler. C'est le mot même prononcé par la plus
tendre, par la plus fine amie, par cette Henriette, dont
le souvenir s'était précisément renouvelé en l'amant
vieilli le jour où il avait retrouvé le signe gravé par
elle sur un carreau de fenêtre. Dans une lettre d'adieu
laissée par elle se trouvait cette phrase : « Ne
nous oublions jamais et rappelons souvent à notre
esprit nos amours *pour les renouveler dans nos
âmes...* » [4].

1. I, p. xi (*Préface*).
2. VII, p. 233.
3. Variante de la Préface, Pléiade, I, p. 1221.
4. III, p. 77.

La résurrection du passé chez Casanova vieilli n'a donc nullement le caractère d'une reviviscence romantique. Rien qui ressemble ici à la *Tristesse d'Olympio*, au *Lac*, aux souvenirs de Musset, de Nodier, de Nerval. Mais il est un nom que, pour le rapprocher de celui de Casanova, on ne saurait omettre. C'est le nom de l'homme qui a écrit : « Le cœur me bat encore en écrivant ceci trente-six ans après »[1], et : « On dirait que ma mémoire n'est que la mémoire de ma sensibilité »[2]. C'est le nom de Stendhal. De Stendhal et de ses héros. Qu'on se rappelle Julien au moment de mourir : « Les plus doux moments qu'il avait trouvés jadis dans les bois de Vergy revenaient en foule et avec une extrême énergie »[3]. De même Fabrice dans le clocher de l'église de Grianta : « Tous ces souvenirs de choses si simples inondèrent d'émotion l'âme de Fabrice et la remplirent de bonheur »[4].

Certes, les bonheurs de Stendhal ne sont pas les plaisirs de Casanova ; mais l'un et l'autre sont de ceux qui, comme dit ce dernier, écrivent leur histoire « pour s'amuser, pour renouveler les plaisirs qu'ils ont eus en se les rappelant »[5]. Un plaisir passé renaît et, en renaissent, fait renaître autour de lui son environnement de faits, de gestes, d'actions de toutes sortes. Mais principalement, fondamentalement, au moment où il se renouvelle, il reste ce qu'il était, c'est-à-dire un phénomène purement affectif, un bonheur. Et dans cette chasse au bonheur qui fut la grande affaire de Casanova comme de Stendhal, peut-être la découverte essentielle est-elle celle-ci : que, même lorsque ce délicieux gibier est perdu à tout jamais, il est per-

1. *Henri Brulard*, Pléiade, p. 406.
2. *Journal*, 30 mars 1806.
3. *Le Rouge et le Noir*, II, chap. 39.
4. *La Chartreuse de Parme*, chap. 8.
5. Variante de la Préface, Pléiade, I, p. 1216.

mis, grâce au souvenir affectif, de le rattraper et d'en
jouir un nombre indéterminé de fois [1].

1. Cf. ABIRACHED, *op. cit.*, p. 218 : « L'unique souci de
Casanova, lorsqu'il est parvenu au soir de son existence, a été
de renouveler ses plaisirs en se les récitant et, à la lettre, de les
revivre à mesure qu'il se les décrivait ».

VI

JOUBERT

Non pas un innocent, non pas un ange, mais un homme qui a connu l'expérience des passions. De ces impuretés ne subsiste cependant qu'une connaissance. Joubert est l'être qui a le mieux réussi à laver les souillures qui enlaidissent et dénaturent l'âme incarnée. Comment a-t-il fait ? On voit toute l'importance de la question.

L'on pourrait supposer que cette catharsis a pour cause une espèce de sanctification. Le saint est celui qui se détache de son corps, qui s'habitue à ne voir partout que le ciel. « Qu'est-ce que l'homme ? soupire Joubert, — un esprit revêtu d'un corps ». Il serait donc tentant de croire que pour épurer l'âme il suffit de la « dévêtir » et, en la débarrassant de son corps, de la restituer à sa nudité originelle. Solution à laquelle inclinerait volontiers Joubert, qui, avoue-t-il, « se passerait fort bien de corps si on lui laissait toute son âme ». Mais comment se passer de corps, c'est moins facile à réaliser qu'il ne semble. Le corps n'est pas un peplum flottant que d'un geste on dénoue. C'est une tunique de Nessus qui s'attache à qui la revêt et adhère à l'âme en la consumant. L'enlever d'un coup, c'est d'un coup tout arracher et tout détruire. Joubert, esprit douillet, n'est point partisan de ces solutions brutales. Point de suicide, mais un procédé précautionneux et délicat, qui consiste, au lieu de supprimer le corps, à en atténuer graduellement la corporéité, à en faire une substance de plus en plus similaire à la spiritualité qu'il recouvre. Joubert, ne pouvant se passer de son corps, le dématérialise. Caliban se met à ressembler à Ariel. Métamorphose d'ailleurs moins surprenante qu'il y paraît à première vue. Car si nous avons un corps, la nature qui nous en a fait don, veille à en diminuer bientôt la carnalité. Elle met une sourdine à la voix des passions et calme insensiblement les ardeurs trop crues. C'est ce dont Joubert se rend compte, point mécontent de voir la fragilité de son tempérament le faire entrer précocement dans une existence de vieillard. Vieillir est bien, puisque cela consiste à avoir moins de corps, ou un corps moins différent de l'âme. Il suffit de se confier au plus naturel des processus de dépérissement, pour se rapprocher d'une existence purement spirituelle. Il n'y a qu'à se laisser faire. Rien qu'en avançant en âge, on est assuré d'aller dans la bonne direction.

Mais il y a plus. On peut, avec quelque habileté, accoutumer son corps à avoir moins de lourdeur, moins d'épaisseur, moins d'opacité charnelle. On peut le rendre léger comme le corps d'un ange. « Si je m'appesantis, écrit Joubert, tout est perdu »[1]. Il se garde donc de s'appesantir. Sa pensée, sa parole glisse, ou plutôt, comme l'hirondelle, elle rase les eaux, elle s'y trempe du bout des ailes. Il ne s'agit pas de nier le réel (comme le fera Mallarmé), mais de l'alléger, de le décanter, de le spiritualiser. Toute l'entreprise de Joubert n'a pas d'autre mobile. Ignorer le corps serait une sottise. Faisons-en le truchement grâce auquel il devient possible d'aller au-delà.

Faire du corps le véhicule de l'âme, utiliser cet

---

1. *Carnets*, éd. Gallimard, p. 340.

instrument grossier, mais le seul qu'on ait sous la main, pour avancer dans la direction de l'idéal, voilà à quoi se réduit la démarche de Joubert. Car le corps au fond, n'est rien que cela : un moyen de rendre visible, et concrète la perfection abstraite de l'idée. Or, pour ce faire, le corps est un outil moins impropre qu'il ne semble à première vue. Il est, c'est vrai, chose matérielle. Mais la matière, quand on y regarde bien, se montre moins hétérogène à l'esprit qu'on ne serait tenté de le croire. Chaque corps est un ensemble poreux, où il y a un peu de plein et beaucoup de vide. Le monde est une éponge, une goutte d'eau soufflée, un filet à grandes mailles. Bref, dans la matière il n'y a pas beaucoup de matière. De plus, si les corps sont ténus, ce qu'ils nous laissent voir d'eux-mêmes est plus ténu encore. L'image d'eux qu'ils nous communiquent est comme une fumée qui s'en détache pour les représenter à nos sens sous une forme plus subtile. Ma perception de la matière se fait à travers ses effluvions. Ainsi une rose n'est pas une rose ; c'est une chose en ébullition, d'où il sort une vapeur que l'on appelle un parfum ; ainsi encore la présence d'un être aimé est l'émission d'une image qui se fait à travers l'atmosphère et nous le rend tangible ; ainsi le son de la cloche, de la flûte ou de la voix humaine est un peu d'air modulé qui se répand dans l'espace. Chaque corps a un avant-corps, chaque phénomène est la manifestation d'une forme qui a à peine besoin d'un fondement physique. Telle est la façon dont Joubert arrive à dématérialiser le réel. A la place des substances tridimensionnelles que la pensée empirique croit percevoir partout, il retient simplement l'existence d'apparences externes, de pures surfaces. Pourquoi imaginer par en-dessous la présence de quoi que ce soit de dense ou de charnel ? Derrière les apparences qu'y a-t-il, sinon d'autres apparences ? Et ainsi de suite : « Vous avez beau fouiller, vous ne voyez que des enveloppes » [1]. Le monde est un ensemble de pelures d'oignon, de pellicules superposées.

Point donc de profondeur, point de réalités élémentaires et substantielles. Ou à peine, juste ce qu'il faut pour que les formes prennent forme. Joubert ne nie pas l'existence de la matière comme Berkeley, il la réduit au minimum, ne gardant des choses que la figure qu'elles nous offrent. Figures quasi incorporelles, illusions vraies, magie naturelle. Pour pénétrer dans ce paradis platonicien il n'y a pas besoin de mourir. Il suffit de se rendre compte que tout ce qui est autour de nous n'a d'autre consistance que celle que nous voulons lui accorder. D'un coup de baguette, sans changer l'univers, mais le vidant de toute réalité objective, nous pouvons en faire un simple jardin d'images.

Ainsi Joubert se donne un monde aussi peu différent que possible de lui-même qui le pense, un monde naturellement spiritualisé. L'erreur des hommes, et spécifiquement celle de Descartes, est d'avoir attribué à ce monde beaucoup trop de matière, alors qu'il est, plus qu'aux trois quarts, affaire de représentation, de figuration. Il n'y a pas de divorce entre le réel et la pensée, entre le dehors et le dedans. Tout se ramène à un assemblage de formes sensibles qui se disposent à l'extérieur, comme les idées et conceptions de notre vie mentale se disposent sur le fond de notre esprit.

Rien donc, semble-t-il, n'empêche notre existence spirituelle et notre vie externe de se confondre, ou, tout au moins, de s'harmoniser. Rien, sauf un point peut-être, mais d'une grande importance. De la même façon que l'univers extérieur et notre corps même commencent par nous paraître d'un grain trop grossier pour s'allier avec les émanations

1. *Carnets*, éd. Gallimard, p. 253.

de notre vie spirituelle, ainsi notre univers mental et notre âme risquent d'abord de se montrer d'une nature trop raffinée pour se marier aux configurations de notre vie sensible. Ou plutôt leur spiritualité même risque de les dérober à l'opération de nos sens. De tous les penseurs platoniciens Joubert est celui qui, au plus haut degré, a le sentiment de l'extrême difficulté qu'il y a à conférer un aspect perceptible aux réalités purement abstraites de la pensée. D'elles-mêmes, celles-ci ne se figurent pas, ne se représentent pas, se soustraient au contact et au regard. Elles se contentent d'exister dans l'esprit sous l'aspect difficilement représentable de simples concepts. Rien n'égale la transparence et, par conséquent aussi, l'invisibilité, des idées. Il s'agit donc de les rendre visibles, touchables, de les mettre à portée non seulement de nos puissances intellectuelles, mais de nos yeux, de notre ouïe et du reste de nos sens. C'est à cette tâche que Joubert consacre toutes les ressources de son génie. A l'idéalisation du monde matériel va correspondre par un acte de véritable transmutation poétique de la pensée en chose sensible, une semi-matérialisation et sensibilisation du monde idéal. Pour y arriver, Joubert dispose d'un seul instrument, mais d'une efficacité extraordinaire, l'imagination : « J'appelle imagination la faculté de rendre sensible tout ce qui est intellectuel, d'incorporer ce qui est esprit ; et en un mot de mettre au jour, sans le dénaturer, ce qui est de soi-même invisible »[1]. L'art de Joubert est donc essentiellement métaphorique. Il consiste, par l'entremise des images, à « rendre sensible et palpable ce qui est abstrait ».

« L'imagination est une espèce de mémoire à laquelle le réel ou le possible se représente coloré, déterminé... »[2]. Concevons donc la transformation que

1. *Carnets*, éd. Gallimard, p. 493.
2. *Ib.*, p. 205.

fait subir Joubert aux idées comme comparable à
l'altération magique que le crayon de couleur des
enfants fait subir aux figures de leurs albums. Joubert en a pleine conscience. « Mon encre, dit-il, a les
couleurs de l'arc-en-ciel »[1]. Et ailleurs : « Il y a des
vérités qu'on a besoin de colorer pour les rendre visibles »[2]. La coloration est une teinture d'images et de
mots, un traitement chromatique des étendues mentales, grâce auquel celles-ci perdent localement de
leur diaphanéité, mais pour gagner en visibilité et en
splendeur. Néanmoins l'expression métaphorique
ne peut se limiter à être une pure ornementation de
l'idée. Il faut que celle-ci soit mise en valeur et en
relief, dégagée de ce qui l'entoure, c'est-à-dire de
toutes les autres idées et du fond même d'idéalité
où chacune apparaît et avec lequel elle tend à se
confondre ; il faut enfin qu'elle ressorte sur ce fond
et y manifeste par la netteté de ses contours la spéci-
ficité de sa substance. En d'autres termes, rien n'importe plus à Joubert que d'imposer à chaque idée
des frontières bien marquées. L'opération essentielle
de l'esprit consiste à détacher la moindre particule
individuelle de pensée de l'ensemble spirituel où
elle nage et court le risque, comme un insecte au soleil, de perdre toute vie distincte. Or, pour établir
ces frontières, il n'est pas de meilleur moyen que de
mettre, même entre les pensées les plus voisines, le
maximum de distance. Joubert est l'écrivain qui
tient le plus à séparer par des blancs ses cogitations,
à multiplier les hiatus que la main ménage d'instinct
sur le papier entre des textes non continus. Car chaque idée se formule dans un instant déterminé, entre
deux pauses de l'esprit. Ces pauses, il faut donc en
marquer la présence et le rôle ; il faut en souligner la
valeur de détente et de préparation. Comme Montai-

1. *Carnets*, éd. Gallimard, p. 95.
2. *Ib.*, p. 582.

gne, Joubert se reconnaît impropre (mais dans son cas
on devrait ajouter aussi : hostile) au discours continu [1].
— « Le style continu n'est naturel qu'à l'homme
qui écrit pour les autres. Tout est jet et coupure
dans l'âme » [2]. Tout est jet et coupure dans un
style qui mime les jets et coupures de l'âme. Tout
est perpétuellement interrompu par les fatigues du
corps et les besoins de l'esprit. Il en résulte qu'il y a
un style de l'âme, style rythmique, fait de mouvements
et de repos, d'idées et de distance entre les idées. Si
Joubert est un admirable écrivain de maximes, ce
n'est donc pas parce que l'idée chez lui trouve par
un travail d'ajustement interne sa formule définitive, c'est parce qu'elle semble émerger au contraire,
avec le léger appareil de mots extrêmement précis
qui l'expriment, du flux lui-même imprécis, confus
ou invisible de la vie mentale, de sorte que, parfaitement définie, l'idée n'en reste pas moins bordée par
l'indéfinissable. Rien de plus opposé, par exemple, à
la détermination sèche d'une maxime de La Roche-
foucauld, excluant tout ce qui ne fait pas partie du
libellé explicite de son contexte. A l'inverse, chez
Joubert, la configuration à la fois distincte et moel-
leuse de la maxime s'entoure d'espace comme une
île s'entoure d'horizons marins. La maxime est la
seule expression stylistique qui lui convienne, car
elle est la seule à situer la pensée en un moment et en
un lieu exactement déterminés de la vie intérieure, cependant que celle-ci, aux alentours, n'en poursuit pas
moins une activité mytérieuse et illimitée. En un mot,
la maxime joubertienne existe à la fois en soi, dans la
rigueur de son contenu, et dans l'entre-suite qui la lie
à une vaste indétermination environnante. D'un
côté, elle a une valeur d'absolu : « Les plus beaux
sons, les plus beaux mots sont absolus et ont entre

1. *Carnets*, éd. Gallimard, p. 638.
2. *Ib.*, p. 463.

eux les intervalles naturels qu'il faut observer en
les prononçant »[1]. — « Le caractère du poète (comme
aussi bien de cet authentique poète en prose qu'est
Joubert) est d'être bref, c'est-à-dire parfait, *absolu-
tus* comme disaient les Latins »[2]. Perfection donc,
qui, comme celle que concevaient les anciens, n'a
jamais le caractère d'une totalité indéfinie. La perfection est limitation ; elle est, dit Joubert, la formation, soigneusement sphérique, d'une « goutte de lumière ». Chaque goutte s'ajoute à une autre goutte,
sans se mêler avec elle, en sorte que l'ensemble est
comme une constellation de petits astres placés les
uns à côté des autres mais évoluant chacun à l'aise
et observant les intervalles.

Mais dès lors que les intervalles existent et qu'ils
font partie de l'ensemble (que celui-ci soit l'ensemble
des cogitations d'un homme ou l'ensemble des maximes dont il projette de faire un livre), il en résulte
qu'ils ne forment plus simplement des trous dans un
texte, des interruptions dans la continuité de la vie
réflexive. Ce qui donne leur originalité propre aux
maximes de Joubert et les met à part de toutes les
autres, c'est que, loin de se présenter comme une simple pluralité de propositions distinctes, les entités
verbales qui s'y trouvent assemblées, sont, si l'on
peut dire, cimentées et supportées par un espace qui,
tout en les séparant, les unit. A l'instar des poèmes
mallarméens, les maximes joubertiennes sont un
murmure de voix bordé par du silence : « Langue sacrée, écrit Joubert en songeant peut-être à celle même
qu'il voulait parler dans son livre. Langue sacrée.
Et qui doit être hiéroglyphe. Que tous ses mots doivent avoir un caractère d'enfoncement ou de relief,
de ciselure ou de sculpture. Le blanc et le noir, le

1. *Carnets*, éd. Gallimard, p. 66.
2. *Ib.*, p. 132.

vide et le plein y conviennent. Tout y doit être juxta-
posé et uni, mais séparé par des intervalles »[1].

La séparation causée par les intervalles a donc ici
un rôle aussi positif que dans le dessin la distribu-
tion des blancs et des noirs, ou qu'en architecture
la succession des pleins et des vides. Un espace al-
ternativement garni d'éléments qui l'affirment ou
qui « le nient », se révèle comme le lieu où les pensées
ont lieu. Joubert est le premier écrivain qui ait réussi
à faire exister ces choses fuyantes, inlocalisables,
naturellement non-dimensionnelles et non-spatiales,
que sont les pensées humaines, dans une étendue fi-
gurée où elles trouvent leur place, où on peut les repé-
rer à distance, comme on repère des étoiles dans le
ciel, des voiles sur la mer ou des collines à l'horizon.
La pensée devient paysage ; elle s'ordonne et se déroule dans un cadre topographique. D'où, chez Joubert, l'importance infinie que prend, à côté du contenu
de l'idée, l'aspect qu'elle présente relativement à
toutes les autres idées et à l'ensemble mental où
toutes figurent. Chaque idée, en d'autres termes, se
trouve placée dans une perspective. Chaque idée se
profile au bout d'une plaine, sur un fond de ciel. Personne ne met plus de précautions que Joubert à ne
pas trop approcher de ce qui est l'objet même de sa
contemplation, à le maintenir loin de lui afin de
mieux l'avoir sous son regard. Cette observation à
distance peut être réalisée par toute une variété de
procédés. L'un de ceux-ci est l'oubli. Lorsque le feu
des passions se calme, lorsque le temps apporte aux
ardeurs troubles une modération tardive, alors la
perspective change, et ce qui était sentiment devient
idée. L'idée est le résultat de l'opération par laquelle
les événements de notre âme, en se reculant, en se
purifiant au fond de notre mémoire, peu à peu ne

1. *Carnets*, éd. Gallimard, p. 145.

laissent plus percevoir d'eux que ce qu'ils ont d'essentiel. « Quand l'événement est ancien, l'histoire a déposé sa lie [1].» Rien qu'en glissant tout au long de la pente du temps, les expériences du moment présent s'idéalisent. Le mouvement de la durée les met à bonne distance, dans une juste perspective et leur donne pour mesure une instantanéité éternelle.

Rien de plus détestable donc que la hâte. Joubert déteste tout ce qui est précipité. Qui se dépêche vit dans la presse et est toujours bousculé par une foule de phantasmes dont la proximité l'aveugle et l'ahurit. Ralentissons donc, espaçons, autant qu'il est en notre pouvoir, non seulement le flux des événements mais celui des idées, et enfin celui des paroles par lesquelles nous les exprimons. Laissons mûrir les pensées et polissons les mots : « Toute perfection est lente ; tout ce qui est mûr a mûri lentement » [2]. De cette maturation créatrice voyons un exemple vivant dans les maximes. Distinguons-les dans la perspective même de la durée qui a servi à les former. Une maxime de Joubert n'est pas née d'un coup, sans préparation. Elle a pour cause un amour, un deuil, un événement du cœur, vécu d'abord dans son immédiateté ; puis ce germe de pensée s'est enfoui dans le silence, en émergeant par intermittences pour se formuler en versions successives, dans la suite des cahiers où Joubert couchait ses méditations ; de sorte qu'en le suivant à la piste, à travers les pages des maximes et les années, il est possible de voir à l'œuvre une volonté inlassable de perfectionnement et d'épuration qui n'a de cesse qu'elle donne à la pensée son maximum de transparence, et du même coup la rende plus lointaine, plus détachée du foyer d'où elle avait procédé.

Mais la perspective joubertienne n'est pas seule-

1. *Carnets*, éd. Gallimard, p. 91.
2. *Ib.*, p. 376.

ment temporelle. Elle ne s'aide pas seulement des longs portiques dont le passé encadre, en les ennoblissant, nos idées. Point de vertu qui soit prônée par Joubert en termes plus délicats que la pudeur. Car la pudeur est essentiellement retrait, création d'une sphère à part, mise en clôture. Elle est le mouvement de défense par lequel l'être menacé ou débile met entre lui-même et l'ennemi éventuel une distance ; ou, si non une distance, au moins un voile, une gaze translucide mais résistante, comme le tissu dont la nature entoure les chrysalides : « A quoi se connaît la pudeur ? Elle est sensible à notre œil même. Par un lointain inétendu et un magique enfoncement qu'elle prête à toutes nos formes... »[1].

A toutes nos formes, continue Joubert, à notre voix, à nos manières, à notre air, à nos mouvements, et qui leur donne tant de grâce... Qu'est-ce à-dire sinon que la pudeur est un embellissement de l'être par le retrait de ce dernier et par l'agrandissement de l'espace qui le sépare du contemplateur. Ainsi ce qui est plus beau qu'un son, c'est l'écho, dans le lointain, de ce son. Ce qui est plus beau qu'une forme, c'est l'espèce de rondeur qu'elle prend en usant ses angles le long des plaines du temps et de l'espace ; et plus belle qu'une liqueur est la transparence qu'elle acquiert en déposant sa lie. Partout, chez Joubert, les idées reçoivent du vaste lieu mental où elles ont longtemps roulé, un polissage, donc une clarification ultime, qu'elles n'auraient jamais eue, si elles avaient été simplement insérées une fois pour toutes à telle place déterminée dans la trame d'un discours continu. Ici les idées ne sont pas enchaînées les unes aux autres. Elles semblent se mouvoir dans un univers spacieux où rien ne les entrave. Comme il y a des romanciers de la liberté, tel Stendhal, pour qui les

1. Qu'est-ce que la pudeur ?

événements ne sont pas déterminés les uns par les autres, mais de purs fruits du hasard ou de la réaction spontanée de l'être, ainsi Joubert est un moraliste de la liberté, en ce sens que toutes les idées chez lui ont le rare privilège d'échapper à toute systématisation *a priori* et se contentent de révéler leurs mérites en évoluant à leur gré dans un ciel mental. Par là, comme il le sait bien, Joubert se rapproche une fois de plus des platoniciens : « Platon, Xénophon et les autres écrivains de l'école de Socrate. Ils ont les évolutions du vol des oiseaux ; ils font de longs circuits ; ils embrassent beaucoup d'espace [1] ».

Espace embrassé dans un mouvement qui est une sorte de jeu. De la même façon qu'on dit d'un objet non serré qu'il « joue », c'est-à dire qu'il manœuvre librement dans l'espace qui lui est alloué, de la même façon il faut dire des pensées de Joubert qu'elles « jouent » dans l'ensemble spirituel où il les laisse se mouvoir à l'aise ; semblables sur ce point encore aux idées de Platon, dont Joubert dit qu'elles forment une « métaphysique pleine de jeu et d'une sorte de gaieté, où l'esprit nage en quelque sorte et se joue avec la lumière » [2]. Ne concevons donc pas les maximes comme des créatures sédentaires, prisonnières d'un ordre ou chronologique, ou logique. Joubert les a voulues disponibles, toujours prêtes à surgir ou à reculer dans le champ de l'esprit, à se montrer sous tel aspect ou sous tel autre, à créer quelque illusion ou à festonner l'air. Et au demeurant cette dernière fonction, de toutes, est la plus importante, car comme aux navires d'une puissance maritime il incombe de promener de mer en mer le drapeau national, afin de donner ainsi à cette nation une ubiquité universelle, ainsi ce qui importe surtout chez Joubert, c'est que grâce à

1. *Carnets*, p. 833.
2. *Id.*, p. 451.

l'agilité, à la multiplicité, à l'inépuisable vertu de locomobilité des idées, se découvre le champ même où elles se déplacent, l'espace qu'elles couvrent par leurs évolutions et interrelations.

Dernière découverte, mais est-ce bien la dernière et ne faudrait-il pas dire, au contraire, la première ? Découverte d'un espace qui ne peut être connu — ou reconnu — qu'en conséquence de l'action des objets spirituels qui l'ont sillonné en tous sens. Espace donc ultime, en tous cas ultimement appréhendé, — mais cependant aussi espace premier, espace initial, puisque c'est à partir de lui et en lui que les idées ont possibilité « d'être, de vivre et de se mouvoir ». — « Si vous voulez bien penser, bien parler, bien écrire et bien agir, dit Joubert, faites-vous d'abord des *lieux* »[1]. Et ailleurs : « Avant d'employer un beau mot, faites-lui une place »[2]. — « D'abord créer un vide, une place, un lieu... »[3]. En cent endroits différents Joubert réaffirme la nécessité de ménager un espace à la pensée, de créer l'espace de la pensée avant la pensée. Or qu'est-ce que cela veut dire ? Nous avons vu que, pour Joubert, toute pensée déterminée est une *idée*, et que cette idée, afin de se rendre visible, se découpe et prend forme sur le fond indéterminé qui est à la fois sa source, sa base et son cadre. Donc avant la netteté des idées qui s'éclairent dans l'esprit, existe l'indétermination qui est le fond de l'esprit. Indétermination qu'il ne faut pas concevoir comme une privation, comme une absence de qualité, comme un simple vide ; mais au contraire comme une telle profusion de réalité positive qu'il est impossible d'y distinguer aucune détermination spécifique. Tel est, en somme, l'espace pour Joubert, et la raison profonde de sa priorité sur

1. *Carnets*, éd. Gallimard, p. 885.
2. *Ib.*, p. 542.
3. *Ib.*, p. 786.

tout le reste. C'est qu'en un sens il contient *déjà* tout
le reste. L'espace est d'abord une condition fondamentale de la pensée. Sans espace il est impossible
à celle-ci de se déplacer : « Il faut à l'esprit un monde
fantastique où il puisse se mouvoir et se promener »[1].
Comme au temps de la Genèse l'esprit de Dieu se
mouvait sur l'espace où il déployait sa création, ainsi
l'esprit de Joubert se meut fantastiquement dans
l'espace sien où il « déploie ses ailes »[2]. Par delà les
idées, les images, les mots, les maximes, qui sont
l'œuvre formée et formulée de Joubert, il y a tout
simplement un espace joubertien qui est à la fois la
première et la dernière de ses créations. Ou plutôt
espace non créé, espace qui, comme l'espace cosmique,
habitacle de Dieu, est le *sensorium* de la pensée. Qui
veut comprendre et aimer Joubert doit donc aller
au delà de chacune de ses créations particulières, de
chacune des maximes où il a réussi à enfermer, dans
une figure aussi précise et limitée que possible, une
« goutte de lumière ». Et alors, quand il a dépassé ces
vérités particulières, que trouve-t-il ? Rien, — rien
de déterminé, rien qu'un espace apparemment vacant,
qui est l'âme même de celui qui au creux de lui-
même le ménage. Pure vacance et latence, dont
l'étendue s'offre à n'importe quelle conception de
l'esprit, ou recèle invisiblement l'infinité des richesses
de l'esprit ; âme qui est tout espace, ou, pour lui donner
encore un plus beau nom, qui est toute lumière. En effet, dès que l'esprit ne s'attache plus à la chose éclairée,
à ce qui prend distinction et relief du fait d'un certain
éclairage, mais qu'il s'attache à cet éclairage même,
en quelque endroit que celui-ci agisse et manifeste son
active transparence, alors que lui importent les objets
illuminés en présence de la force qui les illumine ?
Devant la priorité de la lumière, tout, même les choses

1. *Carnets*, p. 555.
2. *Ib.*, p. 265.

qui en reçoivent leur reflet, s'efface. Il ne reste plus que de la lumière, lumière initiale et finale. Tout se fond dans une même transparence.

Joubert n'est pas un philosophe, un moraliste, un auteur de maximes : il est, comme parfois Rousseau et souvent Éluard, un merveilleux poète de la lumière.

VII

LES ROMANTIQUES ANGLAIS

I

Le romantisme est, avant tout, une redécouverte des mystères de l'univers, un sentiment intense des merveilles de la nature, une vive conscience des énigmes du moi. Or il n'y a rien de mystérieux, d'étonnant et d'énigmatique comme le temps. Et cela, d'abord, parce qu'il constitue le plus difficile des problèmes ; mais ensuite, parce qu'il est le plus actuel de ceux-ci, celui qui sans cesse se rappelle à notre conscience, celui qui est perpétuellement expérimenté par nous, non pas simplement comme une pensée, mais comme le fond de notre être. Nous ne nous contentons pas de vivre dans le temps, nous vivons le temps, nous sommes ce qu'il est et il est ce que nous sommes.

Qu'y a-t-il donc d'étonnant si, dans leur effort pour exprimer ce qu'ils éprouvaient, les romantiques se sont trouvés fascinés par toute la variété d'expériences spécifiquement temporelles, dont ils se découvraient être les sujets, et spécialement par celles qui, en raison de leur caractère anormal, se manifestaient avec une grande force dans la conscience.

Parmi ces curieux phénomènes de la temporalité se distingue la paramnésie. Elle est définie par Coleridge

dans une lettre à Thelwall, datée de 1796 : « Souvent
pendant une seconde ou deux, la pensée me traversait
comme un éclair, que la compagnie présente, la con-
versation, tout enfin avait déjà eu lieu, exactement
dans les mêmes circonstances ; de façon à donner à la
réalité l'apparence d'une illusion, et au moment présent celle d'un songe du sommeil ».

Coleridge décrit aussi ce phénomène dans les premiers vers d'un sonnet :

Souvent dans mon esprit cette étrange extase se
[déroule
Qui fait du moment actuel (tant que dure son bref vertige)
Le pur semblant de quelque passé inconnu... [1]

L'un des plus remarquables exemples de paramnésie se trouve dans l'une des œuvres en prose de Shelley.
Il y raconte que, se promenant un jour avec un ami
dans les environs d'Oxford, il tourna le coin d'une
allée : « Le spectacle n'offrait qu'un assemblage banal
d'objets sans intérêt... Néanmoins l'effet qu'il pro-
duisit sur moi fut loin de celui auquel j'aurais pu
m'attendre. Je me souvins brusquement d'avoir vu le
même paysage dans un rêve que j'avais eu longtemps
auparavant ». Et le poète d'interrompre ici son récit,
pour ajouter plus tard la notation suivante : « Ici je
dus m'arrêter, accablé que j'étais par un frisson
d'horreur ». — « Je le vois encore, ajoute sa femme,
venir à moi, pâle et agité, pour chercher dans la con-
versation un refuge contre les affreuses émotions qu'il
avait subies » [2]. — La paramnésie est donc un sentiment d'une grande intensité qui combine la conviction d'avoir été témoin ou acteur de quelque événement ou spectacle, avec la certitude contradictoire de

1. *Lettre à John Thelwall*, 17 décembre 1796.
2. *Speculations on Metaphysics*, Prose Works, t. 2, p. 193.

n'y avoir jamais été présent. Son origine est douteuse et a fait hier encore l'objet de débats passionnés parmi les psychologues. Mais ce qui nous importe, ce n'est pas sa source, c'est l'effet qu'il produit. Comme on l'a vu par l'exemple de Shelley, il cause une émotion intense, souvent désagréable, qui semble consister dans la perception d'un changement soudain dans la position relative du passé et du présent, comme si ces deux dimensions du temps qui sont d'ordinaire tenues séparées dans notre esprit, se trouvaient soudain superposées sans rien perdre cependant de leur qualité propre. « Ne plus trouver de contradiction dans l'union de l'ancien et du nouveau, dit Coleridge, contempler l'Ancien des Jours avec des sentiments aussi frais que s'ils jaillissaient sous l'action de son *Fiat* créateur, tel est le propre des esprits qui ont conscience de l'énigme du monde » [1]. Tel est aussi l'état d'esprit de ceux qui savent qu'il y a une énigme du temps. D'ordinaire, le passé est pour nous chose passée, c'est-à-dire réduite à l'irréalité par un présent toujours nouveau, qui nous semble la seule chose réelle. Pourtant la paramnésie a le pouvoir de nous révéler l'existence actuelle d'un passé toujours vivant. Brusquement nous nous trouvons transportés dans un univers qui n'obéit plus à la loi du temps. L'instant écoulé, au lieu de s'évanouir, semble s'être retiré dans un lieu tout proche. L'idée inconcevable que le passé tout entier, loin de s'évanouir à jamais, resterait intact, à portée, nous traverse l'esprit. Pour employer la fameuse expression d'*Hamlet*, c'est comme si le temps était sorti de son ornière ; ou comme si un moi antérieur, jusqu'alors demeuré en retrait dans un coin de la durée, passait soudain au premier plan.

Certes, la paramnésie n'est qu'une illusion. Elle ne ramène pas le passé perdu. Elle donne tout juste à une

---

1. *The Friend*, XV.

perception l'apparence d'un souvenir. Mais le souvenir vrai peut parfois réapparaître avec l'aspect
ambigu du souvenir faux. Il n'est pas difficile de trouver chez les romantiques de nombreux exemples
d'expériences où l'esprit se demande si ce qu'il éprouve
est une sensation ou un souvenir. Sans doute, le
plus souvent, il est aisé de faire la distinction. Les images du passé se reconnaissent pour telles au fait
qu'elles sont floues, qu'elles ont perdu de leur précision. Parfois cependant quelque association d'idées
les fait renaître ; et si elle est puissante, elle peut
restituer au passé sa fraîcheur. Il en va ainsi lorsque
comme René, nous retournons aux lieux de notre
enfance, ou que, comme Saint-Preux nous nous retrouvons dans l'endroit où nous avons éprouvé des
émotions très vives. Alors il semble qu'à notre moi
actuel se substitue un moi révolu, avec tous les sentiments qui avaient été les siens : « En revoyant ces
lieux, écrit l'amant de Julie, j'éprouvai combien la
présence des objets peut ranimer puissamment les
sentiments violents dont on fut agité près d'eux ».

De tous nos sens ceux dont le pouvoir d'association
est le plus grand sont le goût, l'odorat, et, par dessus
tout, l'ouïe. C'est ce que remarque Cowper dans le
poème intitulé *La Tâche*. Nous le citons d'après la
traduction de Sainte-Beuve :

Il y a dans les âmes une sympathie avec les sons, et,
selon que l'esprit est monté à un certain ton, l'oreille
est flattée par des airs tendres ou guerriers, vifs ou
graves. Quelque corde à l'unisson avec ce que nous
entendons, est touchée au dedans de nous, et le cœur
répond. Combien touchante est la musique de ces cloches de village qui, par intervalles, vient frapper l'oreille
en douces cadences, tantôt mourant au loin, tantôt
reprenant avec force et toujours plus haut, claire et

1. *Nouvelle Héloïse*, 4e partie, lettre 17.

sonore, selon que le vent arrive ! Avec une force insinuante, elle *ouvre toutes les cellules où dormait la Mémoire.* Quel que soit le lieu où j'ai entendu une mélodie
pareille, *la scène m'en revient à l'instant, et avec elle tous
ses plaisirs et toutes ses peines.* Si vaste et si rapide est
le coup d'œil de l'esprit, qu'en peu de moments je me
retrace (comme sur une carte le voyageur se retrace les
pays parcourus) tous ces détours de mon chemin à
travers maintes années.

A peu près à la même époque, Mme de Staël fait
des observations similaires : « L'aspect des lieux, des
objets qui nous entouraient, aucune circonstance
accessoire ne se lie aux événements de la vie comme
la musique... Elle rend un moment les plaisirs qu'elle
retrace. C'est plutôt ressentir que se rappeler ». Et
évoquant le fameux épisode des *Confessions,* où
Rousseau, à la vue d'un champ de pervenches, ex-
périmente une émotion indescriptible, car, bien des
années auparavant, cette fleur avait été associée aux
plaisirs de sa jeunesse et à son amour pour Mme de
Warens, Mme de Staël ajoute : « Une seule circonstance semblable lui rendait présents tous ses souvenirs. Sa maîtresse, sa patrie, sa jeunesse, ses amours, il
retrouvait tout, il *ressentait tout à la fois* »[1]. L'un et
l'autre de ces passages, celui de Cowper comme celui
de Mme de Staël, attirent notre attention sur deux
aspects du phénomène de la mémoire. C'est d'abord
qu'à la mémoire des sens se trouve liée la mémoire
des sentiments. Et c'est ensuite que l'acte de mémoire
tend à être total. Il cherche à nous faire revoir en un
même moment les mille aspects confus d'une ancienne expérience. Comme le dit Mme de Staël, tout
est ressenti *à la fois* ; ou, comme l'écrit Cowper, *toutes*
les cellules de l'esprit se rouvrent. Les souvenirs

---

1. *Lettre sur Rousseau,* 1788, Œuvres, Didot, t. I, pp. 17-18.

sont en telle abondance qu'ils débordent sur une aire étendue de la pensée. Le temps se fait espace. « Je me retrace, dit Cowper, *tous* les détours de mon chemin, comme *sur une carte* le voyageur perçoit les pays parcourus ».

De plus le souvenir n'apparaît pas ici comme un pur acte de mémoire. « C'est plutôt ressentir que se rappeler ». Ce dont il s'agit ressemble moins au rappel d'une idée ou d'une image sensible, qu'à la reviviscence d'un état d'âme. Ainsi, pour Wordsworth, la poésie est faite du « débordement spontané de sentiments puissants ». Mais ces sentiments sont des souvenirs. Ressentis jadis en un premier temps et retrouvés dans la tranquillité de la contemplation, ils reprennent leur vivacité première. Ils sont *en même temps* parties intégrantes du passé et du moment actuel, de sorte que, comme la mémoire proustienne (dont par d'autres côtés elle diffère), la mémoire wordsworthienne affecte à la fois présent et passé dans un rapport dont la profondeur est inépuisable. Comme la paramnésie, la mémoire affective situe l'esprit, non dans un temps, mais dans *deux* temps, ou plutôt *entre* les temps, c'est-à-dire dans une intemporalité magique, troublante pour la pensée.

C'est ainsi que Wordsworth parle de « souvenirs confus, qui, quoi qu'ils puissent être, sont la source de tous nos jours et le foyer de toutes nos perceptions, qui nous soutiennent, nous chérissent, et ont le pouvoir de faire de toutes nos tumultueuses années d'existence de simples moments dans l'être de l'éternel silence... [1] ».

Un troisième phénomène est d'une nature quelque peu différente. Il n'est pas causé par la répétition apparente ou réelle du passé dans le présent, mais au contraire par le refoulement du passé hors de l'enceinte du présent. La conscience se trouve alors si

---

1. *Intimation of Immortality.*

exclusivement absorbée en son objet actuel, qu'il n'y
a plus place pour autre chose. Seul le présent est
présent. Tant que dure ce phénomène, c'est comme
s'il n'y avait plus que le moment où l'on vit, et
comme s'il devait durer toujours. Sentiment souvent éprouvé, et même cultivé, à l'époque romantique,
et qu'on relève en particulier chez Goethe et chez
Keats. « Fais comme moi, regarde l'instant en face »,
dit Goethe dans l'*Elégie de Marienbad*. Et Keats
écrit à Bailey : « Rien ne me détache du moment » [1].
L'on sait qu'une des plus délicates analyses de cette
réimplication de l'être dans le moment présent, se
trouve dans un passage des *Rêveries* de Rousseau.
Rappelons-nous les lignes fameuses : « Il est un état où
l'âme trouve une assiette assez solide pour s'y reposer
tout entière et rassembler là tout son être, sans avoir
besoin de rappeler le passé ni d'enjamber sur l'avenir ;
où le temps ne soit rien pour elle, où le présent dure
toujours, sans néanmoins marquer sa durée et sans
aucune trace de succession ».

Est-il surprenant qu'en un temps où la philosophie
régnante faisait apparaître avec une netteté si grande
le caractère transitif de la durée, les romantiques aient
cru échapper au moins provisoirement à la fuite
générale de l'être en fixant leur esprit sur de tels moments privilégiés ? En face des moments perpétuellement charriés par la durée, il y a certains moments
favorables, dit Goethe (*günstige Augenblick*) [2], qui
demeurent en eux-mêmes, intacts, comme s'ils étaient
affranchis du temps ou appartenaient à un autre
temps. Depuis Parménide jusqu'aux scolastiques,
les penseurs religieux ont ainsi distingué entre un
temps humain et un temps *supra* humain. Ce dernier,
appelé éternité, n'est pas simplement une somme infinie de durée. C'est, dit Boèce, « la possession simul-

---

1. *Lettre du 22 novembre* 1817.
2. *Eigentum*, 1813.

tanée et entière d'une vie infinie ». Dieu jouit tout à la
fois de toute son existence. Celle-ci est *tota simul*. En
elle il n'y a ni passé ni futur. Selon encore les termes
de Boèce, « *NUNC FLUENS facit tempus, NUNC
STANS facit aeternitatem* ».

Cette fameuse distinction, inventée par les Eléates
et Platon, élaborée par les néo-platoniciens, chris-
tianisée par Augustin et analysée par tous les Doc-
teurs du Moyen-Age, se retrouve chez presque tous
les poètes avant l'époque romantique. Jean de Meung,
Dante, Pétrarque, Chaucer, Ronsard, Spencer, chan-
tent l'éternité dans les mêmes termes :

> Tu es toute dans toi ta partie et ton tout,
> Sans nul commencement, sans milieu ni bout,
> Invincible, immuable, entière et toute ronde... [1]

Telle est la poésie des poètes médiévaux, telle est
celle des poètes de l'âge baroque ou classique. L'éternité qui y est chantée est l'éternité de Dieu. C'est
une éternité conçue, rêvée par l'homme, mais non
vécue par lui. Éternité donc objective. Or ce que
convoitaient les romantiques, c'était une éternité
personnelle, subjective : une éternité à leur usage
propre. D'où le besoin, chez eux, de faire descendre
l'éternité de son empyrée, pour la situer sur terre
dans leur pensée et dans leur cœur. Paradoxalement
ce qu'ils firent, fut d'incarner l'éternité dans le temps,
dans leur expérience personnelle du temps.

---

1. Ronsard, *Hymne sur l'Éternité.*

II

Ce paradoxe du romantisme apparaît avec netteté chez Coleridge. Toute sa vie, sa pensée fut hantée par la peur de se trouver livrée à une suite ininterrompue d'idées, qu'aucun lien logique n'unirait. « Un courant continu d'associations passives »[1], « une suite d'abstractions toujours en train de s'évanouir »[2], « un énorme conglomérat de choses minuscules »[3], telles sont quelques-unes des expressions dont il se sert pour décrire ce phénomène. Plus remarquable encore est le passage suivant : « Quel essaim d'idées et de sentiments, quelle multitude de minuscules fragments se découvre dans chaque moment de l'existence ! Et si celle-ci était faite tout entière d'un seul de ces moments ? Quelle énigme ce serait, inintelligible, effrayante ! Quel chaos de membres et de troncs, sans queue ni tête, sans commencement ni fin »[4] !

A n'en pas douter, le sentiment d'angoisse ainsi éprouvé par Coleridge est dû à l'influence de l'opium. L'on sait qu'il commença d'en prendre dès sa jeunesse. Longtemps pourtant avant d'être devenu un opiomane, il écrit à Thelwall : « Je ne perçois rien

---

1. Notes sur *l'Histoire de la Philosophie de Tennemann.*
2. *Anima Poetae,* p. 245.
3. *Lettre à Thelwall, automne* 1797.
4. *Anima Poetae,* p. 245.

que par parcelles, et les parcelles sont, si peu de chose ! Cela me crève le cœur de ne pouvoir contempler ni connaître quelque chose de grand, quelque chose d'un et d'indivisible. » C'est pourquoi, par une réaction naturelle contre ce qu'il appelait « le courant vaporeux des formes »[1], son esprit apprit à se reposer de plus en plus dans l'image d'un monde conçu non plus comme une pluralité, mais comme une totalité : un monde un et indivisible, dont les éléments seraient non pas consécutifs les uns aux autres, mais disposés en un tout simultané. Le jour même où il écrivait à Thelwall la lettre citée plus haut, il écrivait à un autre ami, Thomas Poole, en termes presque identiques : « Il y a des gens qui ne voient jamais que des parcelles, et les parcelles sont nécesrement choses petites. L'univers n'est à leurs yeux qu'un assemblage de petites choses. »

Ici il semble attribuer à d'autres le défaut qu'au même moment, dans une autre lettre, il reconnaît comme sien. Pour expliquer cette contradiction, il suffit de rappeler la dualité de sentiments qui caractérise Coleridge. Tantôt, s'abandonnant à la foule des sensations qu'il éprouve, il se sent leur esclave, passivement soumis au pouvoir de dissociation qu'exerce le temps. Et tantôt l'espoir lui vient de fondre un jour, soit par l'exercice de l'imagination poétique, soit par l'action de la pensée réfléchie, toutes ces parcelles en un tout.

Durant toute la première partie de sa carrière, nous savons que Coleridge fut considérablement influencé par le philosophe Hartley. Or celui-ci était un associationniste de l'école de Locke. De là à supposer que le premier système de philosophie pratiqué par Coleridge fut un associationisme radical, certains se sont crus autorisés à le faire. L'hypothèse n'est pas inexacte.

---

1. *Aids to Reflection*, Bell, p. 346.

On sait que l'associationnisme est le système qui réduit la représentation de l'univers à une suite d'idées ou d'images, et par conséquent à une procession changeante de formes se succédant dans le temps. Peu de systèmes accordent à la transitivité de la durée une place plus grande. Par là la pensée de Hartley devait représenter exactement l'image même du monde que se faisait Coleridge, et celle dont, simultanément, il devait avoir le plus horreur. D'autre part Hartley alliait à son associationnisme un mysticisme unitariste situé au pôle opposé et qui se faisait jour dans la dernière partie de son ouvrage. « Puisque Dieu est la source de toutes choses, y écrivait-il, une infinité d'associations s'unissent dans l'idée qu'on peut se faire de lui, et cette idée peut acquérir même une telle force qu'en comparaison toutes les autres, même celles qui se rapportent plus particulièrement à nous, paraissent un pur néant » [1]. En d'autres termes, la pluralité infinie des idées associées qui constitue notre représentation du monde, doit se trouver finalement absorbée dans notre idée (ou vision) de Dieu: « L'amour de l'univers et la crainte qu'il nous inspire, ces deux sentiments fondamentaux étant annihilés, nous tirerons alors notre bonheur, tout limité qu'il sera par notre nature finie, de l'amour de Dieu. Par la suppression de nous-mêmes et du monde, nous vivrons indéfiniment heureux dans l'amour divin » [2].

Dans ce curieux développement d'un système qui commence par le sensualisme et qui aboutit au néoplatonisme, il n'est pas étonnant de voir Coleridge marquer sa préférence pour ce dernier aspect, si différent de la sécheresse de la philosophie en son temps, et si proche, au contraire, de la pensée des pla-

---

1. *Observations on Man*, 1801, t. 2, p. 330.
2. *Ib.*

toniciens de Cambridge dont il allait se faire le disciple.
L'importance de Hartley consiste donc dans le fait
qu'il offre très exactement à Coleridge le moyen de
passer du temporalisme sensualiste, à son contraire,
un idéalisme éternaliste. C'est Hartley lui-même, et
personne d'autre, qui apprend à Coleridge à passer
de l'expérience réelle du temps successif à celle, ima-
ginaire et cependant personnelle d'un temps non-
successif. Dans ses *Rêveries religieuses*, écrites à cette
époque, ce sont précisément ces possibilités mystiques que Coleridge a en vue :

> C'est le sublime de l'homme,
> Notre majesté méridienne de nous savoir
> Parties intégrantes d'un tout inimaginable...

Et plus significativement encore dans un autre
passage du même poème :

> Depuis l'espoir et une foi plus ferme jusqu'à
> [un parfait amour
> Portés et absorbés ; et, centrés en ce lieu,
> N'avoir plus que Dieu à voir, à connaître, à
> [sentir,
> Jusqu'à ce que par l'exclusive conscience de
> [Dieu
> Tout notre être annihilé fera de lui
> Son identité même : Dieu tout dans tout !
> Notre Père et nous n'étant plus qu'un.

A ces derniers vers Coleridge lui-même appose la
note qui suit :
« Voir ceci démontré par Hartley, tome I, p. 114 et
tome 5, p. 329. » Les deux passages de Hartley ainsi désignés se trouvent dans les *Observations sur l'Homme*.
Voici ce qu'on y trouve : Puisque Dieu est la source
de tout bien et associé à tous nos plaisirs, il en résulte

que l'idée que nous nous faisons de lui se trouve liée à toutes nos idées de bonheur, et doit finir par les remplacer toutes, de sorte qu'en fin de compte « Dieu deviendra *tout en tout* ».

La conception spinoziste du « tout en tout », n'est donc plus pour Coleridge, comme pour Hartley un point d'arrivée, elle est un point de départ. L'interdépendance des choses et la possibilité de les comprendre comme un tout où convergent et se fondent les aspects divers qu'elles présentent, deviennent les principes essentiels de la philosophie coleridgienne.

Et, en premier lieu, de sa philosophie de la vie : « J'oserai définir absolument la vie, écrit-il, comme principe d'unité dans la multéité... La vie est une force qui unit tout en un tout » [1].

Sa philosophie de l'art : « Qu'est-ce que la beauté ? C'est, abstraitement parlant, l'unité de la multiplicité, la fusion du multiple en l'un. » Et en termes plus subjectifs : « Le sens de la beauté se montre dans l'intuition simultanée de la relation qui unit les parties entre elles, et de la relation qui unit les parties au tout » [2].

Par suite, la fameuse conception coleridgienne de la critique apparaît comme une simple application du principe esthétique selon lequel l'artiste créateur synthétise les parties en un tout : « Le poète diffuse un ton et un esprit d'unité, qui amalgame et, pour ainsi dire, fond ensemble, les différents éléments d'une œuvre, grâce à ce pouvoir magique et synthétisant qui a pour nom l'imagination » [3].

L'on voit l'immense importance accordée par Coleridge à l'imagination, et l'on peut mesurer la portée exacte des épithètes qu'il applique à celle-ci. L'ima-

---

1. *Theory of Life*, p. 385.
2. *Miscellanies*, p. 51.
3. *Biographia Literaria*, chap. 14.

gination est pour lui *créatrice, génératrice, modificatrice, formatrice*. Deux adjectifs lui conviennent particulièrement, que Coleridge a lui-même forgés : l'imagination est *esemplastique* (ou formant les choses en un) et *coadunative* (c'est-à-dire assembleuse), l'un et l'autre de ces termes exprimant la faculté essentielle de l'esprit, qui est de saisir l'unité dans la pluralité, par opposition à l'activité inférieure de pure agrégation, auquel Coleridge réserve le nom de « fantaisie ».

Aux yeux de Coleridge, la faculté coadunative, ou imagination, permet à l'esprit d'échapper à certains des effets du temps, et, en particulier, à la successivité radicale et à la pulvérisation, qui est un des caractères les plus néfastes de la vie temporelle. Elle réduit le successif à l'instantané, où, pour employer encore une autre expression de Coleridge « elle combine une multitude de conjonctures en un seul moment de conscience ».

N'y a-t-il pas là quelque analogie avec la définition de l'éternité formulée par Boèce ? Une imagination qui condense une foule d'images ou de pensées successives dans un seul moment de conscience n'est pas sans ressembler à la saisie par Dieu de la totalité des moments de sa vie en n'importe quel moment de celle-ci. Cette ressemblance n'est pas fortuite. Dans une lettre à Thomas Clarkson, datée du 13 octobre 1806, c'est-à-dire de la période la plus féconde de sa maturité, après avoir défini l'éternité divine dans les termes mêmes des scolastiques, comme « l'incommunicable attribut, et, pourrions-nous dire encore, synonyme de Dieu, possession simultanée de tout indifféremment », Coleridge poursuit ses remarques en reconnaissant dans l'âme humaine une « conscience réflexe » qui serait comme la première approximation ou comme l'ombre de la permanence divine. Et il continue en disant : « Le premier effet de l'action divine en nous est de lier le passé et le futur au présent, et, en conséquence, de nous donner quelque lueur de l'état dans lequel le passé, le présent et le futur se trouvent unifiés dans l'adorable JE SUIS. » L'on peut donc supposer qu'aux yeux de Coleridge, entre la succession sans fin des moments, qui est l'expérience ordinaire de l'humanité, et la saisie simultanée de ces moments dans la conscience de Dieu, il devait exister un état de conscience intermédiaire, une quasi-simultanéité, non différente de la conception de l'*aevum* qu'on trouve dans la pensée thomiste, dans laquelle, par l'exercice de sa faculté imaginative, l'esprit humain est considéré comme susceptible de fondre au moins une partie de son passé et de son présent avec certaines prémonitions de son avenir. C'est de cette façon que fonctionnerait la faculté poétique. Et il n'est pas inconcevable qu'après notre mort cette capacité de saisir le temps dans la synthèse des trois dimensions qui le composent, ne finisse par exercer son action sur la totalité de l'existence. « L'idée d'une telle conscience, dit Coleridge, suppose, après le sommeil de la mort, le ressouvenir de toutes les circonstances matérielles qui ont à tout le moins précédé immédiatement celle-ci. »

Ainsi arrivons-nous à une des croyances les plus essentielles de Coleridge (et de la plupart des autres romantiques), la croyance en la préservation intégrale du passé et dans les merveilleuses possibilités de le faire revivre. Rien ne meurt, affirme Nerval. Rien ne se perd, affirment Restif, George Sand, Hugo ou Gautier. Toute notre existence, et, en particulier, notre enfance, avec ses perceptions, ses images, ses émotions, et quelque idée que nous ayons pu avoir, se conserve intacte dans notre esprit, mais il ne nous est permis d'en avoir que des réminiscences décousues. A supposer d'ailleurs que nous puissions être confrontés tout d'un coup par cette prodigieuse masse de détails ainsi emmagasinés, nous ne saurions en embrasser l'ensemble. Stupéfiés, terrassés par le spectacle de cette immensité intérieure, nous ne pourrions qu'en détourner les yeux ou nous trouver saisis par le délire. Et le délire n'est rien d'autre, dans l'opinion de Coleridge, qu'une mémoire sans contrôle, un temps devenu fou.

Le dernier passage de Coleridge qu'il importe de considérer en ces matières se trouve dans *Biographia Literaria*. Ayant commencé par critiquer dans les premiers chapitres les théories associationnistes émises par Locke et Hartley, arguant que si elles étaient vraies, l'entièreté de notre vie mentale serait divisée en une multitude de fragments par le mouvement despotique faisant se succéder sans trêve toutes nos impressions aussi bien externes qu'internes, Coleridge cite l'exemple d'une jeune femme illettrée, qui, étant sous l'empire d'une fièvre nerveuse, se mit à réciter, durant ses transports, des passages entiers en latin, en grec et en hébreu. Après investigation il fut découvert que, bien des années auparavant, elle avait été fille de cuisine chez un vieux pasteur protestant, dont c'était la coutume de se promener de long en large dans un couloir de son logis ouvrant sur la cuisine, en se récitant à lui-même à voix haute de longs passages de ses auteurs favoris.

« Ce fait, dit Coleridge, nous aide à considérer comme probable l'idée que toutes pensées sont en elles-mêmes impérissables, et que si notre faculté intellectuelle pouvait être rendue plus compréhensive, il nous suffirait d'une organisation différente et différemment proportionnée, telle qu'un *corps céleste* à la place du *corps terrestre*, pour porter devant chaque âme humaine l'expérience collective de son existence passée tout entière. Et tel est peut-être le terrible *Livre du Jugement, dans les mystérieux hiéroglyphes duquel chaque mot que nous avons prononcé, si futile soit-il, se trouve consigné.* En vérité, la nature de l'esprit est telle, qu'il est moins difficile de conce-

voir la disparition du ciel et de la terre, que celle
d'une seule action, d'une seule pensée dans la chaîne
vivante des causes, aux mailles de laquelle, cons-
ciemment ou inconsciemment, notre libre arbitre,
notre moi absolu, est associé et présent. »

Ce passage est d'une grande importance. D'abord
il contient un exposé saisissant des croyances les
plus chères à Coleridge ; ensuite il nous donne le
moyen de découvrir les sources de celles-ci. Certes,
à n'en pas douter, ces croyances devaient être basées
sur des expériences ou inclinations personnelles.
Pour Coleridge, le passé n'est jamais mort. Dans sa
tragédie *Remords*, il parle de « l'impérissable mémoire
du fait accompli ». La tragédie en question n'est
qu'un long développement sur ce thème. Deux poèmes célèbres reflètent la même idée.

Dans *Le vieux Nocher* nous lisons :

> L'affre dernière, le dernier blasphème
> Ne se sont jamais éteints,

Dans *Christabel* :

> Mais ni chaud ni froid ni foudre
> N'effaceront jamais, je pense,
> La marque de ce qui a été.

Dans l'élaboration de ses croyances personnelles,
Coleridge ne se fit pas faute de s'inspirer de doctrines
philosophiques et mystiques. Il tira l'idée du *Totum
Simul* des Platoniciens de Cambridge ou de Berkeley.
Il trouva dans Kant l'idée de l'idéalité du temps, et
dans Schelling celle de l'imagination comme faculté
permettant de transcender la durée. Mais de tels
concepts étaient proprement métaphysiques et peu
désignés par leur nature même pour refléter les sen-

timents qu'il éprouvait en tant que poète. Probablement le rapport le plus précis entre l'expérience poétique de Coleridge et ses spéculations abstraites, se trouve lié de quelque façon à l'œuvre de Swedenborg. L'on sait combien Coleridge fut impressionné par le mystique suédois, qu'il déclare « au-dessus de toute louange », « doué d'un génie philosophique indicatif et complexe », possédé par « une folie véritablement céleste et provenant d'un esprit authentiquement divin »[1].

L'on se rappelle que dans le passage de *Biographia Literaria* cité plus haut, Coleridge suggère qu'il suffirait d'avoir un corps *céleste*, au lieu du corps *terrestre*, pour percevoir simultanément toute sa vie antérieure. Or la distinction entre corps céleste et corps terrestre. est un sujet favori de Swedenborg. Rien de plus swedenborgien, par exemple, que l'idée d'une mémoire interne, ou spirituelle, réservée aux êtres célestes, pourvus d'un corps céleste. Dans *Arcana Coelestia* Swedenborg écrit : « La mémoire interne est de telle sorte qu'on y trouve inscrites toutes les particularités de notre esprit, oui, même les choses les plus insignifiantes qu'on ait pensées, dites ou faites, et cela avec les détails les plus infimes, depuis la première enfance jusqu'à l'âge le plus avancé. L'homme a en lui la mémoire de toutes ces choses quand il entre dans l'au-delà »[2].

Voilà qui ressemble assez aux propos tenus par Coleridge dans *Biographia Literaria*. Mais il y a plus. Immédiatement après le texte correspondant de Coleridge vient la phrase suivante : « Et tel est peut-être le terrible *Livre du Jugement* dans les mystérieux hiéroglyphes duquel chaque mot que nous avons prononcé, si futile soit-il, se trouve consigné ». Or, dans

1. *Note in Swedenborg's De Cultu et Amore Dei.*
2. *Arcana Coelestia*, London 1803, Nº 2474.

le passage de Swedenborg, écrit un demi-siècle plus tôt, on lit : « Tel est le Livre de la Vie, ouvert dans une autre vie, et selon lequel l'homme est jugé ». Selon toute probabilité, le Livre du Jugement de Coleridge est le même que le Livre de la Vie de Swedenborg.

III

Coleridge n'est pas le seul poète anglais chez qui se
rencontrent ces croyances. On les relève chez bien des
romantiques, et, en particulier, chez William Blake.
Ce dernier était un disciple (non toujours fidèle, il est
vrai) de Swedenborg. Comme celui-ci, il rêvait de
posséder la totalité du temps dans chaque expérience
spécifique. L'acte poétique par excellence était aussi
pour lui une sorte de *Totum Simul* :

> Ecoute la voix du barde
> Qui présent, passé et futur perçoit,

lisons-nous dans l'introduction aux *Chants de l'expérience*. Dans *Jérusalem*, Blake conçoit une cité éthé-
réenne où il voit déployé

Tout ce qui a existé dans l'espace de six mille ans,
Permanent, non perdu, non enfui ni perdu, et cha-
                [que minuscule action,
Chaque mot, chaque œuvre et chaque vœu qui fut
                [jamais, tous demeurant fixes,
Car chaque chose est là, et pas un soupir, pas un
                [soupir ni une larme,
Pas un cheveu ni un grain de poussière ne peuvent
                [disparaître.

On lit de même dans un autre poème, *Milton* :

> Pas un moment
> Du temps n'est perdu, ni un seul élément de l'espace
> [instable,
> Tous demeurent tels qu'ils sont...
> Ni moi ni les miens ne les oublions ; nous les gar-
> [dons d'un bout à l'autre de la durée
> Ainsi les générations humaines sont entraînées par le
> [courant du temps,
> Mais laissent les traits de leur destin imprimés imua-
> [blement pour toujours

Il peut sembler singulier de passer sans transition de Blake à Byron. Peu de poètes sont plus dissemblables. Mais si nous ouvrons les *Mélodies Hébraïques* de Byron, écrites peu de temps après les grands poèmes de Blake. nous découvrons certains points d'analogie entre ces poètes. Parlant du destin eschatologique de l'âme, Byron écrit :

> Éternelle, infinie, impérissable,
> Pensée invisible et qui voit tout,
> Tout ce qui sur terre et au ciel existe,
> Elle le contemple, elle se le rappelle,
> Et les traces les plus légères que la mémoire conserve
> Obscurément des jours passés,
> *D'un seul vaste coup d'œil l'âme l'embrasse*
> *Et tout ce qui fut, d'un coup apparaît.*

Chez Byron, cependant, comme on pouvait s'y attendre, le rêve d'éternité trahit parfois une précipitation impatiente : « Oh ! laisse-moi, s'écrie Caïn dans un de ses poèmes, laisse-moi dans le malheur ou la joie, peu importe, apprendre à *anticiper mon immortalité* ». Pour Caïn la perspective de l'éternité est une « intoxication » qui l'enivre et qui attise son envie. Le rêve de l'éternité prend donc chez Byron un caractère *revendicatoire*, qui le distingue de celui qu'on trouve

chez un Blake ou un Coleridge. La source livresque
de ce rêve n'a rien pourtant de caïniste. En 1793
Samuel Rogers publie un poème intitulé *Les plaisirs
de la mémoire*, dont la lecture plaît tellement à Byron
qu'il écrit en l'honneur de son auteur un éloge en vers
ayant pour titre *Écrit sur une page blanche des Plaisirs
de la mémoire*. Il y suppose Rogers mort et la déesse
Mnémosyne s'apprêtant à rendre à sa gloire posthume

L'hommage rendu par le poète à son sanctuaire,
De sorte que les siècles qui viendront
Lieront son nom immortellement à celui de Rogers[1].

L'on peut douter que cet hommage funèbre fût
entièrement agréable à celui qui en était l'objet
anticipé. L'incident prouve cependant que le poème
de Rogers avait frappé l'imagination de Byron. Or,
dans les *Plaisirs de la mémoire*, l'épisode central a pour
sujet les âmes des défunts qui, devenus anges, se rappellent la totalité de leur vie :

Tout ce que jusqu'alors leurs pensées ravies connais-
                                                     [saient,
Non rappelé à l'esprit en lente succession,
Mais comme un paysage s'offre à l'œil du jour,
Se présentait *d'un coup* à leur regard enchanté.

Comparons ces derniers vers à ceux de Byron dans
les *Mélodies Hébraïques*. Du même « vaste coup d'œil »
les âmes y embrassent une totalité personnelle. La
ressemblance est grande. On peut considérer comme
probable l'emprunt par Byron de son *Totum Simul*
à Rogers. Mais où, maintenant, Rogers emprunta-t-il
le sien ? A cette question il est facile de répondre, car,

---

1. *The Pleasures of Memory*, 1793, pp. 62-64. Cf. aussi note,
p. 90.

en note, au bas d'une page, Rogers a la bonté de nous informer de la source à laquelle il est allé puiser. — Voici cette note : « Les diverses classes d'anges ont probablement une vue plus étendue que la nôtre, et certaines mêmes peuvent être douées de la capacité de maintenir ensemble, constamment, devant leur esprit, *comme en un même tableau*, toutes leurs connaissances antérieures - simultanément ». C'est là une citation. Elle est tirée, non, comme on aurait pu le supposer, de quelque scolastique, mais du philosophe John Locke dans ses *Essais sur l'entendement humain* (livre 2, chapitre 10).

Pour donner un tour théologique ou philosophique à sa conception de l'éternité, un autre poète de l'époque, Shelley, n'a pas consulté, lui non plus, les scolastiques, l'*Arcana Coelestia* ni les néo-platoniciens. La source dont il s'est servi est celle à laquelle il s'est abreuvé le plus souvent dans sa jeunesse, c'est-à-dire le philosophe Godwin. En sa qualité d'athée avoué, le jeune Shelley ne pouvait naturellement pas soutenir l'idée d'un Dieu éternel. D'autre part, lui aussi éprouvait les insuffisances de l'existence temporelle, et rêvait d'y échapper. Aussi n'est-ce pas à la divinité mais à la poésie elle-même qu'il s'adresse, pour obtenir d'elle un moyen de se soustraire aux déficiences du temps : « Le temps est évanescent, écrit-il, mais la poésie arrête les apparitions fugitives qui hantent les interlunations de l'existence ». — « Le poète participe à l'éternel, à l'infini, à l'un ; dans la sphère de ce qu'il conçoit, ni le temps, ni l'espace, ni le nombre n'existent ». Mais de quelle nature est cette éternité spécifiquement poétique, qui ne peut être rattachée à la divinité, puisque celle-ci n'existe pas ? La réponse de Shelley est obscure : « La poésie éveille l'esprit et l'étend en faisant de lui le réceptacle de mille combinaisons nouvelles de pensées... Elle agrandit la circonférence de l'imagination ». Telles sont les paroles de Shelley dans sa *Défense de la poésie*. A

première vue, nous n'y percevons pas clairement le
rapport entre l'éternité et ce que Shelley appelle la
circonférence de l'esprit. Cependant, si nous rappro-
chons de ce texte, écrit en 1820, certain passage de
La Reine Mab (qui date de 1813, — les sept années
qui séparent ces deux textes, formant presque la
totalité de l'existence de Shelley adulte), nous serons
peut-être en demeure de distinguer ce qu'il cherche
à exprimer. Le passage de la *Reine Mab* est malheureusement entortillé. Tel qu'il est, le voici :

A celui qui d'espoir en espoir poursuit la joie
Issue de l'inépuisable science du bien humain,
Qui se fait jour dans l'esprit vertueux, les pensées
Qui s'élèvent dans l'infinité du temps confèrent
Une éternité enclose en elle-même, qui se rit
De la décrépitude inoffensive des âges,
Et l'homme, autrefois simple passager d'un drame
                                        [labile
Rapide comme une vision vite dissipée, se tient
                                        [maintenant
Immortel sur la terre.

   De cette phrase il est possible de tirer un certain
nombre de points : 1) Une certaine espèce d'éternité
peut être appréhendée sur la terre par l'être vertueux ;
2) Cette éternité, contraire au temps labile, est enclose
en elle-même ; 3) Celui qui en jouit se tient immobile
au sein du temps qui fuit. *Man stands*, l'homme se
tient debout sans bouger. Le verbe *To stand* nous
rappelle une des expressions les plus répandues em-
ployées par Boèce pour caractériser la nature essentiellement stable du *Totum Simul* divin. C'est, disait-
il, un *Nunc Stans*, un Maintenant qui ne s'écoule
pas. Telle est la notion de l'éternité, conçue cette fois
non sous son aspect de totalisation des temps en un
même moment, mais sous celle d'une immobilisation
du moment à contre-courant du temps. Le *Nunc*

Stans, ou moment non coulant, est un moment éternel. « Le plus grand bienfait dont je remercie les dieux, écrivait Goethe à Charlotte Kestner, c'est la faculté de pouvoir par la rapidité et la diversité des pensées, diviser le jour en des millions de parties et en faire une petite éternité ». Imaginons donc un moment qui a des millions de parties. Ou mieux, concevons une intelligence si agile ou si fine qu'elle distingue des millions de parties à l'intérieur de chaque moment. Aux yeux de Shelley, ou du moins, du penseur vertueux dont il nous fait le portrait, la richesse intrinsèque du moment peut donc devenir véritablement infinie. « Si l'esprit de l'homme, écrit-il dans une note précieuse, grâce à quelque amélioration future de sa sensibilité, devenait conscient d'un nombre infini d'idées dans une minute, cette minute deviendrait une éternité ». Et Shelley d'ajouter : « Voir Godwin, *Justice politique*, tome I, p. 411, et Condorcet, Époque 4 ». Suivant les indications du poète, nous trouvons dans Godwin la remarque que voici : « Nous avons une multitude de perceptions successives différentes en n'importe quel moment de notre existence ». Nul doute que Shelley n'ait trouvé ici la notion d'une pluralité infinie d'idées dans un seul moment d'existence, mais, pour Godwin, ces idées sont successives, et, par conséquent, ne sont rigoureusement assimilables ni à l'intemporalité ni à l'éternité. Aussi Shelley, en reprenant Godwin, laisse-t-il tomber la notion, pourtant essentielle, de succession. Plus encore, comme nous l'avons vu, il remplace la successivité par son contraire, le *Nunc Stans*.

D'ailleurs Godwin, comme Locke, ne s'occupe que de la succession des idées dans une conscience humaine ordinaire. Shelley, à l'inverse, rêve d'une superhumanité, atteignant dans le futur à une activité perceptrice si intense, que les conditions du temps en seraient radicalement changées. Ceci implique l'hypothèse d'une progressive éducation de l'esprit. Selon les indications de Shelley, la source de cette idée se trouve dans Condorcet. A l'Époque IV de son *Esquisse d'un tableau historique de l'esprit humain*, Condorcet, en effet, prévoit le moment où l'homme, grâce au développement des méthodes scientifiques et au perfectionnement de son intelligence propre, pourra condenser dans un minimum de durée un maximum d'idées : « Ce qu'avec une même force d'attention on peut apprendre dans le même espace de temps, s'accroîtra nécessairement ». L'on distingue là une de ces croyances rationalistes, associées souvent à des préoccupations pédagogiques, toujours si fréquentes au xviiie siècle ; tout comme le passage de Godwin, cité précédemment, développe un *topos* du sensualisme courant. Il n'est donc pas négligeable de remarquer que par la combinaison de deux systèmes d'idées aussi éloignés l'un que l'autre du mysticisme romantique, Shelley réussit à se donner une doctrine de l'éternité terrestre et humaine assez similaire à celle à laquelle un Coleridge ou un Blake étaient arrivés de leur côté par une voie tout à fait différente.

Il y aurait quelque intérêt à décrire de même les différents itinéraires suivis par les autres grands écrivains de l'époque romantique ou victorienne, un Wordsworth, un Keats, un Browning, un Carlyle, dans leur quête d'une éternité humaine et même personnelle. Chez tous, sous une forme ou sous l'autre, un temps ou un moment intemporel apparaîtrait comme le terme de leur rêverie. Mais il faut nous tourner encore vers les deux écrivains que nous avons choisis comme derniers exemples de l'éternalisme romantique, De Quincey et Baudelaire.

IV

Chez De Quincey et chez Baudelaire le thème de l'éternité humaine trouve sa plus forte expression. Dans l'œuvre de ces deux auteurs, il est lié si étroitement d'une part aux émotions les plus profondes et d'autre part à une si admirable rhétorique, qu'il se découvre égal en densité et en majesté au thème plus ancien de l'éternité divine. En ce qui concerne certains des poètes considérés précédemment, un Byron, par exemple, l'on ne peut se défaire entièrement de l'idée que le rêve de l'éternité est chez eux une expérience fortuite, voire une espèce de jeu. En ce qui regarde d'autres, un Shelley nommément, l'éternité est moins pour eux une expérience qu'une spéculation de l'esprit. Chez Coleridge, en revanche, il n'y a pas de doute que le sentiment est à la fois vécu et pensé ; mais vie et pensée ne sont pas toujours synchronisées. Enfin Blake est exceptionnel. Il a l'anormalité du pur mystique. C'est seulement chez De Quincey et Baudelaire que l'expérience (vécue ou rêvée) de l'éternité se présente sous la forme d'une parfaite fusion du sentiment et de la pensée, et, en même temps, comme une réussite (une réussite entraînant d'ailleurs un échec équivalent) de l'esprit humain.

Certes, cela ne signifie pas que De Quincey et Baudelaire soient uniques et exempts de toute influence. Chez l'un comme chez l'autre se remarque la trace de certains prédécesseurs. Mais le *Totum Simul* n'est jamais chez eux un état théorique, une situation

a priori. La simultanéité des objets de la conscience
leur apparaît comme une expérience bouleversante,
dont l'authenticité est garantie par une évidence toute
interne. Cette évidence est celle procurée par les
excitants. L'on sait que De Quincey et Baudelaire ont
été tous deux quoique à des degrès différents, des opio-
manes. Or l'un des effets de la drogue sur l'esprit, est
l'altération de l'espace et du temps. « Le sens de l'espace et, à la fin, le sens du temps, nous déclare
De Quincey, furent puissamment affectés... L'espace
enfla et devint une étendue véritablement infinie. Ceci,
pourtant, ne me troubla pas autant que la vaste
expansion de la durée. Il me semblait parfois avoir
vécu près de cent ans en une nuit ». Baudelaire dira de
même dans les *Fleurs du Mal* :

> L'opium agrandit ce qui n'a pas de bornes,
>   Allonge l'illimité,·
> Approfondit le temps, creuse la volupté.

Si en des circonstances exceptionnelles le temps
semble démesurément agrandi, d'autre part, dans
les circonstances de la vie normale il paraît intolérablement abrégé. « Combien incalculablement étroit,
dit De Quincey, est le vrai et actuel présent ». Et
Baudelaire, oppose deux temps dont l'un est indi-
ciblement bref, l'autre interminable.

Fuyant le malheur de la condition temporelle, les
deux poètes cherchent à se créer une éternité artificielle. Pour y arriver, ils gonflent la sphère du temps
ordinaire. Or, pour la gonfler, qu'y a-t-il de mieux
que l'élément infiniment amplificateur des souvenirs ?
L'éternisation du moment présent est, avant tout,
un phénomène de mémoire. Le moment semble approcher de l'éternité quand il se distend à craquer
sous l'impulsion centrifuge des souvenirs. L'évocation de ceux-ci devient un art. « Je sais l'art d'évo-
quer les minutes heureuses », dit Baudelaire. Lors-

qu'il affirme qu'il y a des heures « où le temps et
l'étendue sont plus profonds, et où le sentiment de
l'existence est immensément augmenté », il pense
spécialement aux minutes du passé, qui, par une
mathématique étrange, s'ajoutant aux minutes du
présent, en multiplie indéfiniment la profondeur.
L'éternité est profondeur. Elle est une profondeur
de temps vécu que le moment présent découvre au
fond de ses perspectives. Les moments éternels sont
donc ceux où, comme l'avaient déjà vu un Coleridge,
un Wordsworth ou un Blake, une foule de souvenirs
se laissent appréhender tous ensemble. Ainsi voyons-
nous décrite par De Quincey l'expérience d'une
femme en train de se noyer : « Elle vit dans un moment toute sa vie, dans ses plus petits incidents,
déployée devant elle, simultanément, comme dans
un miroir ». L'aperception panoramique de l'existence entière à l'article de la mort est un phénomène
depuis longtemps connu des psychologues. Bergson
en a maintes fois parlé (Cf. *L'Espace proustien*, ap-
pendice). De Quincey, cependant, fut l'un des premiers à voir l'analogie entre la simultanéité expérimentée par le mourant au dernier moment de sa vie,
et celle vécue par Dieu dans son éternité. Dans *Sus-
piria de profundis*, sorte de suite des *Confessions*,
publiée un quart de siècle plus tard, De Quincey,
approfondissant une fois de plus l'expérience de la
noyade, écrit : « En un moment, en un clin d'œil,
chaque action, chaque intention de sa vie antérieure,
recommencèrent , se disposant non en une succession,
mais comme les parties d'une coexistence ». Le terme
de coexistence est significatif. Il est employé par les
scolastiques pour décrire précisément la durée de
l'Être éternel. Celle-ci, quoique appréhendée toute
à la fois par son divin bénéficiaire, *coexiste* avec les
diverses durées qui sont celles de ses créatures. Plus
encore, l'existence de Dieu n'a pas de parties, mais

dans sa connaissance qui embrasse tous les temps,
toutes les parties de ceux-ci *coexistent.*

De Quincey avait très nettement conscience des
implications métaphysiques de son simultanéisme.
D'ailleurs il s'inspire d'auteurs chez qui, comme nous
l'avons déjà constaté, ces implications sont évidentes.
Dans le passage des *Confessions* précédemment cité,
après avoir développé l'idée de simultanéité, il ajoute:
« D'après certaines expériences de l'opium que j'ai
eues, je croirais volontiers ce fait que j'ai déjà vu
affirmer deux fois dans des livres modernes, accom-
pagné par la remarque dont je ne mets pas en doute
la vérité, que *le terrible livre de comptes* dont parlent
les Ecritures, est, en fait, l'esprit lui-même de chaque
individu... L'oubli est chose impossible ».

Ce terrible livre de comptes dont nous parle De
Quincey nous est déjà familier. Nous nous rappelons
la phrase de Coleridge : « C'est peut-être là le terrible
Livre du Jugement dans les mystérieux hiéroglyphes
duquel chaque parole, même la plus futile, est consi-
gnée » ; et le texte de Swedenborg : « C'est le Livre
de la Vie, selon lequel chacun est jugé ». Il n'y a pas
de doute que « les deux livres » dans lesquels, au dire
de De Quincey, il aurait trouvé affirmée la doctrine
de l'impérissabilité du passé et de la simultanéité
des souvenirs, sont *Biographia Literaria* et *Arcana
Coelestia.* Nous savons que les relations de De Quincey
et de Coleridge ont toujours été celles du disciple
vis-à-vis du maître ; et nous savons aussi, d'autre part,
que De Quincey fut initié très jeune (par un pasteur
appelé Clowes) au swedenborgianisme. Dans ses réminiscences, De Quincey nous raconte que « plus
d'une fois en tournant distraitement les pages d'un
livre de Swedenborg, il y avait trouvé des passages
fort curieux et écrits avec bonheur ». En 1824, moins
de trois ans après la publication des *Confessions du
mangeur d'opium*, De Quincey fait paraître dans le
London Magazine une traduction partielle de l'opus-

cule de Kant, *Les Visions d'un prophète* (1763), sous
le titre *Abrégé du swedenborgianisme par Emmanuel
Kant*. L'essai de Kant est en réalité une attaque
contre Swedenborg, mais c'est en même temps un
excellent sommaire du système swedenborgien. On
y relève entre autres, traduit par De Quincey, le texte
suivant : « Pour Swedenborg, tout ce qui s'est dissipé
dans la mémoire externe s'est conservé dans la mémoire interne... Après la mort, le souvenir de tout ce
qui avait passé par l'esprit du défunt et dont il n'avait
plus même mémoire, *forme le livre entier de sa vie* ».
Il est vrai que De Quincey ne publia sa traduction de
Kant que trois ans après les *Confessions*, mais en
considération de la ressemblance entre les deux passages, il n'est pas téméraire de supposer que l'essai
de Kant était connu de De Quincey au moment où
il écrivait ses *Confessions*.

De la même manière que De Quincey s'est servi de
Coleridge, de Swedenborg et de Kant, Baudelaire
s'est servi de De Quincey. Les *Confessions* de ce dernier avaient déjà été traduites une première fois en
1828 par Musset, traduction qui ne fut pas sans in-
fluencer grandement le développement du romantisme français. Ce fait a été démontré par Randolph
Hughes dans un excellent essai [1]. Peut-être cependant n'a-t-il pas suffisamment insisté sur l importance
du facteur temps chez De Quincey, aussi bien
que chez ses imitateurs français, spécialement Balzac,
Gautier et Nerval. L'on se rappelle l'admirable phrase
de De Quincey à propos du grossissement du temps
chez l'opiomane. Ainsi la *Peau de chagrin* apparaît
comme une immense multiplication de la durée dans
un cerveau enfiévré. D'autre part, pour De Quincey
(comme pour Coleridge) toute expérience humaine
est ineffaçable. De la même façon, Gautier écrira :
« Rien ne meurt. Tout existe toujours ». Ainsi Ner-

___

1. *Mercure de France*, 1er août 1939.

val « Rien ne meurt de ce qui a frappé l'intelligence. L'éternité conserve dans son sein une sorte d'histoire universelle visible par les yeux de l'âme, synchronisme divin qui nous ferait participer un jour à la science de celui qui voit d'un seul coup d'œil tout l'avenir et tout le passé ».

Parmi les continuateurs de De Quincey, Baudelaire a une place à part. Il ne se contente pas de lire la traduction de Musset. Il lit De Quincey dans le texte et s'efforce de donner lui-même une version non intégrale, mais remarquablement fidèle, des *Confessions*. Cette version se trouve dans les *Paradis artificiels*. C'est autre chose qu'une traduction, à la fois moins et plus. C'est un commentaire accompagnant et résumant le texte original ; et de plus, et surtout, c'est une appropriation par Baudelaire, du chef-d'œuvre de De Quincey, la substitution ou l'adjonction des expériences personnelles de l'un aux expériences personnelles de l'autre.

Dans les *Paradis artificiels* nous trouvons l'admirable texte dequinceyen que voici :

Souvent des êtres, surpris par un accident subit, suffoqués brusquement par l'eau, et en danger de mort, ont vu s'allumer dans leur cerveau tout le théâtre de leur vie passée. Le temps a été annihilé, et quelques secondes ont suffi à contenir une quantité de sentiments et d'images équivalente à des années. Et ce qu'il y a de plus singulier dans cette expérience, que le hasard a amenée plus d'une fois, ce n'est pas la simultanéité de tant d'éléments qui furent successifs, c'est la réapparition de tout ce que l'être lui-même ne connaissait plus, mais qu'il est cependant forcé de reconnaître comme lui étant propre. L'oubli n'est donc que momentané [1].

1. *Paradis artificiels*, éd. Pichois, pp. 212-213.

Ceci est presque littéralement du De Quincey, mais immédiatement après, Baudelaire ajoute, parlant cette fois en son nom propre :

Si dans cette croyance il y a quelque chose d'infiniment consolant, dans le cas où notre esprit se tourne vers cette partie de nous-mêmes que nous pouvons considérer avec complaisance, n'y a-t-il pas aussi quelque chose d'infiniment terrible dans le cas futur, inévitable, où notre esprit se tournera vers cette partie de nous-mêmes que nous ne pouvons affronter qu'avec horreur ? Dans le spirituel non plus que dans le matériel, rien ne se perd ».

De la même façon, dans un passage antécédent des *Paradis artificiels*, Baudelaire avait fait au texte commenté de De Quincey l'adjonction suivante :

... L'homme qui se noie revoit, dans la minute suprême de l'agonie, toute sa vie comme dans un miroir ; de même que le damné lit, en une seconde, le terrible compte-rendu de toutes ses pensées terrestres [1] !

Dans ces deux additions (à la fin de la seconde desquelles l'on retrouve, sous le nom de « compte-rendu », le « terrible Livre de comptes » de De Quincey, Coleridge et Swedenborg), Baudelaire trahit son sentiment le plus intime. La promesse d'une résurrection intégrale du passé est pour lui un motif moins d'espérance que de terreur. A la différence de De Quincey, plutôt rongé par des regrets que par des remords, Baudelaire craint plus que tout la mémoire indélébile du mal. Poète de l'irréparabilité, l'éternité à laquelle il songe, n'est pas toujours une éternité

---

1. *Paradis artificiels*, p. 180.

paradisiaque. C'est aussi, souvent, une éternité infernale.

Mais Baudelaire est aussi celui qui, de tous les poètes, donne le plus délibérément à la résurrection totale de l'être le statut d'une entreprise artistique et mnémotechnique. Ce n'est pas sans raison que le plus grand maître de la réminiscence en notre époque a déclaré reconnaître en Baudelaire l'un des plus importants de ses prédécesseurs. Et, en effet, en Proust on peut trouver le couronnement de tous les efforts faits par les auteurs antécédents pour faire de l'éternité non plus une propriété privée de la divinité, mais un lieu terrestre, un parc ouvert aux enfants des hommes. L'énorme roman de Proust n'est rien d'autre en son fond qu'une manière d'étaler la totalité de l'existence sur un fond panoramique. Totalité et simultanéité, les deux traits distinctifs de l'éternité divine de Boèce et des scolastiques, se retrouvent dans la restauration par le souvenir proustien du « temps perdu ». A la suite de Baudelaire et de tant d'autres, Proust apparaît comme le dernier anneau d'une chaîne, chaîne des esprits qui à travers les temps rêvent d'échapper au temps.

VIII

MADAME DE STAËL

I

La gloire, l'amour, ne distinguons pas d'abord ces aspects fabuleux du bonheur chez celle qui sera un jour Mme de Staël. Au début de son existence, chez la jeune fille, chez la toute jeune femme, manifestement ils se confondent. Non pas peut-être en eux-mêmes, mais dans la situation qu'ils occupent à l'horizon de la pensée. Souhaiter la gloire, l'amour, c'est devancer l'être qu'on est, c'est vivre en espérance : « La gloire seule nous affranchit du temps », dira un jour Mme de Staël [1]. Mais elle dira aussi à celui qu'elle a peut-être le plus aimé après son père : « J'ai placé sur vous toutes mes espérances, tout mon avenir » [2]. — C'est comme cela qu'il faut nous représenter d'abord Germaine de Staël : projetant son imagination, son ardeur de vie, son ambition, sa puissance d'aimer, en un temps qui n'est pas encore et qu'elle appelle de tous ses vœux. Ne sont-elles pas émouvantes, ces lignes écrites par elle à une époque où, jeune fille, elle rêve le mariage : « Quel délice d'avoir pour époux celui dont le pas, dont la voix ferait tressaillir mon cœur... Quels transports en

1. *Sapho*, acte V, sc. I, Oeuvres, Didot, III, p. 506.
2. *A Ribbing*, 6 jànvier 1795.

voyant lever le soleil qui commencerait le jour que
je passerais avec ce que j'aime ! » [1]

En premier lieu donc, il faut nous figurer un être
qui n'a pas encore vécu, qui n'a presque pas de passé,
et qui, ouvrant les yeux, s'éveillant à une existence
encore future, attend ce qui va venir. Anticipant sur
le bonheur, une jeune femme cherche au-delà de
l'heure présente la tendresse d'un seul être, l'admi-
ration de tous. En cette aurore de sa vie à qui fait-elle
songer par la franche orientation prospective que
prend tout de suite son esprit ? A Vauvenargues assurément, de qui, sans le vouloir, elle retrouve jusqu'au ton quand elle écrit : « C'est... une jouissance
enivrante que de remplir l'univers de son nom, d'*exister tellement au-delà de soi*, qu'il soit possible de se
faire illusion et sur l'espace et sur la durée de la vie... [2]».

Exister au-delà de soi, voilà donc ce à quoi Germaine de Staël aspire, c'est-à-dire exister au-delà
du présent pour en précipiter le cours, pour l'ame-
ner à céder plus tôt sa place à l'avenir. La pensée ici
n'est pas seulement dirigée vers le futur ; celui-ci
n'est pas simplement le terme assigné à toute activité
mentale, le but visé, le moment d'accomplissement
rêvé. Il faut encore que ce moment soit aussi imminent que possible, et que par un acte spécial la pensée impatiente en accélère l'apparition. Cette hâte de
vivre est ce qui marque le plus précocement le caractère de Mme de Staël.

Voici, par exemple, comment, à l'âge de vingt
et un ans elle s'excuse d'avoir *déjà* écrit tout un livre :

Peut-être ceux dont l'indulgence daignera présager
quelque talent en moi, me reprocheront-ils de *m'être
hâtée* de traiter un sujet au-dessus même des forces

---

1. Revue d'Occident, Cahiers Staëliens, oct. 1932, cité par
S. Balayé, *Lettres à Ribbing*. Introduction, p. 13.
2. *De l'influence des passions*, Œuvres, I, p. 116.

que je pouvais espérer un jour. Mais... qui peut oser
prévoir les progrès de son esprit ? *Comment consentir
à s'attendre* et renvoyer à l'époque d'un avenir incertain l'expression d'un sentiment qui nous presse[1] ?

Comment consentir à s'attendre ? Comment se
résigner à l'ordre des temps, qui fait précéder l'avenir par un présent supporté avec tant d'impatience ?
Dans l'avidité avec laquelle l'esprit se jette sur une
proie qui ne lui est pas encore offerte, on peut voir
le geste de l'enfant gâtée, habituée à obtenir sur-le-
champ ce qu'elle veut. On doit y voir surtout l'acte
d'une personne qui, par une nécessité de sa nature,
ne peut tolérer aucune distance de temps entre ce
qu'elle souhaite et ce qu'elle possède, et pour qui,
par conséquent, la durée se révèle comme une ennemie toute particulière. Simultanément Mme de Staël
idolâtre le futur, parce qu'en sa garde se trouve l'objet qu'elle convoite, et elle le déteste parce qu'il le
garde trop longtemps. D'un côté, elle vit uniquc-
ment dans le futur ; et de l'autre, elle l'abolit, ce futur, elle le détruit furieusement par la hâte même
avec laquelle elle veut y substituer l'actuel.
Cela se montre clairement dans un passage du
traité *De l'influence des passions*, où elle dépeint la
violente distorsion du temps causée dans l'être passionné, c'est-à-dire en elle-même, par le mouvement
de la passion :

...La passion ardente, effrénée, ne sait pas supporter
un obstacle, consentir à la moindre privation, *dédaigne
tout ce qui est avenir*, et, *poursuivant chaque instant
comme le seul*, ne se réveille qu'au but ou dans l'abîme.
Inexplicable phénomène que cette existence spirituelle
de l'homme, qui en la comparant à la matière, dont

1. *Lettres sur les écrits et le caractère de J.-J. Rousseau,*
Œuvres, I, p. 1.

tous les attributs sont complets et d'accord, semble
*n'être encore qu'à la veille de sa création, au chaos qui
la précède* ! [1]

Admirable passage, où Mme de Staël non seulement décrit avec la plus grande précision le tourment qui est le sien, mais, pour le décrire, se sert des
termes mêmes par lesquels Hegel ou Sartre représen-
teront la dialectique tragique de toute durée humaine : désir à la recherche de son objet, vide tâchant
de se métamorphoser en plénitude. Nulle part peut-
être, même pas dans l'âme monstrueusement impatiente de son contemporain Chateaubriand, on ne
peut trouver l'équivalent exact de cette torture de
l'esprit, où le moindre retard imprévu, la moindre
perturbation dans l'horaire des sentiments, dévoile
un gouffre où l'angoisse tournoie. Point de milieu
pour Germaine de Staël entre un présent comblé,
auquel l'avenir s'empresse d'apporter ses joies tant
désirées, et un présent déshérité, où l'absence de ce
qui était espéré balaye tout le reste et fait table rase,
afin que dans l'âme ainsi brusquement dénudée s'affaire « l'action infatigable de la peine » [2]. D'où, chez
Mme de Staël, le besoin de vivre à tout prix dans un
présent détaché du temps, qui n'existerait qu'en
lui-même, sans dépendre des bienfaits ou des carences
redoutables du futur. Parlant de ce moment, qui est
celui d'une passion ignorante de tout ce qui n'est pas
son actualité même, Mme de Staël l'appelle « interruption momentanée de la durée successive » [3] — et ailleurs : « mouvement qui sépare [les êtres] des souvenirs et de la prévoyance, [et qui] donne à l'existence
quelque chose d'instantané » [4]. De même, bien des

1. *De l'influence des passions*, Œuvres, I, p. 173.
2. *De la littérature*, Œuvres, I, p. 310.
3. *De l'influence des passions*, Œuvres, I, p. 139.
4. *Ib.*

années plus tard, dans *Corinne*, Mme de Staël fera dire aux amoureux par des parents qui les blâment : « Vous vivez tout entiers dans le moment présent ; vous y êtes consignés par une passion dominante »[1].

Toutefois, chez Mme de Staël, la suppression de toute conscience de l'avenir, la concentration de l'esprit sur le moment présent, aboutissent, en raison même de l'exiguïté du champ où la passion s'exerce, à un effet diamétralement contraire au bonheur recherché. Qui s'enferme dans l'instant et, par la condensation du sentiment, arrive à porter celui-ci à un degré d'incandescence extrême, voit en quelque sorte l'instant exploser dans sa main. L'intensification prodigieuse des sentiments, l'avidité avec laquelle l'esprit se porte au-delà de la jouissance, la rapidité enfin que mettent les expériences sensibles à se succéder les unes aux autres, tout cela a pour effet non l'immobilisation du temps en un moment éternel, rêvée par l'être passionné, mais au contraire l'accélération sans frein de la durée. Comme l'a bien vu Kierkegaard, toute conscience aiguë de la joie actuelle a pour conséquence une conscience non moins aiguë de la disparition de cette joie : « Rien de plus pénible que l'instant qui succède à l'émotion »[2], écrit Mme de Staël. Et dans un autre texte : « Les jouissances [n'existent] que l'instant qu'il nous faut pour sentir qu'elles passent et pour arroser de larmes leurs traces que l'abîme des jours doit aussi dévorer »[3].

Alors apparaît dans toute sa vérité dramatique la situation de l'être qui, voulant conférer à l'émotion sous l'empire de laquelle il se trouve, quelque chose d'intemporel et d'absolu, ne réussit au contraire qu'à accentuer le caractère successif de sa vie émotionnelle. La hâte de vivre et de jouir devient à la

1. *Corinne*, Œuvres, I, p. 769.
2. *De l'influence des passions*, Œuvres, I, p. 139.
3. *De l'Allemagne*, Œuvres, II, p. 250.

fois perception de l'évanouissement de toute joie
déjà passée, et conscience de la suspension intolérable de toute joie non encore advenue. D'un côté, le
temps précipite son cours, l'esprit accroît hors de
toute proportion la vitesse avec laquelle il passe d'une
pensée ou d'une image à l'autre, une sorte de bous-
culade fait choir dans le passé les expériences épuisées
du bonheur ; et de l'autre, le temps désiré n'arrive
pas, il se traîne, va de remise en remise, les heures et
les jours deviennent d'une longueur démesurée. Toute
la conscience de vivre se ramène alors au supplice de
l'attente :

[J'ai] un caractère que l'absence dévore et dont
l'inquiétude est plus fatale à moi qu'à vous [1].

C'est de la folie que cette inquiétude, mais vous
n'avez aucune idée d'une maladie plus cruelle ; elle
rend impossible l'absence [2].

... Vous ne souffrez pas de mon supplice, et vous
n'arrivez pas avec une impatience qui ne supporte pas
un retard d'un instant [3].

Du supplice de l'absence, un exemple est celui de
la lettre escomptée, qu'aucun facteur n'apporte.
Sur cette torture de l'esprit Marcel Proust a écrit des
pages admirables. C'est le supplice de Marcel attendant un mot de Gilberte ; c'est celui de Germaine
espérant une missive de Narbonne, de Ribbing ou
d'O'Donnell, comme c'est celui — Simone Balayé l'a
fait justement remarquer [4] — de Corinne attendant
des nouvelles d'Oswald. Thème qui, tout au long de
la vie de Mme de Staël, se réitère, avec des corres-
pondants différents mais en s'accompagnant de
souffrances et de plaintes identiques :

1. *A Ribbing*, 25 novembre 1794.
2. *A Narbonne*, 2 juin 1793.
3. *Ib.*, 15 décembre 1793.
4. *Lettres à Ribbing*, p. 200.

On n'ouvre pas ma porte que je ne tressaille. Une heure avant l'époque du courrier un tremblement me saisit, tel qu'il faut m'enfermer pour ne pas me donner en spectacle [1].

Hier j'attendais une lettre de vous, elle n'est pas venue et j'ai été une heure dans des convulsions folles et cruelles [2].

Ainsi la précipitation avec laquelle l'être passionné s'efforce d'attirer dans le présent les joies de l'avenir, a pour conséquence de dépeupler celui-ci et d'en faire le lieu de l'absence. Alors devant le regard il n'y a plus qu'un vide. L'on se trouve « avoir perdu non pas encore les charmes de la jeunesse, mais cette espérance vive, indéfinie, entraînant avec elle tous ceux qui s'unissent confusément aux nombreuses chances d'un long avenir » [3]. — « Tout n'est plus avenir dans [notre] destinée » [4]. — « [L'on] recommence l'existence avec l'espoir en moins » [5]. — « L'on existe sans qu'il puisse s'offrir dans l'avenir une chance de retrouver le passé » [6].

Or, s'il est une situation qui plus que toute autre est insupportable à Mme de Staël, c'est une situation sans issue, une imagination sans direction, un avenir barré. Elle peut dire d'elle-même ce qu'elle fait dire à Delphine : « Un trouble extraordinaire obscurcit ma pensée quand on lui ravit tout avenir, quand on la renferme dans cette vie » [7].

Sans doute cette phrase vise ici explicitement l'avenir surnaturel, le salut. Néanmoins, dans le cas de Mme de Staël, il s'applique aussi bien à l'avenir

1. *A Ribbing*, 10 mars 1796.
2. *A Narbonne*, 2 octobre 1792.
3. *Delphine*, Œuvres, I, p. 575.
4. *De l'influence des passions.*
5. *Ib.*
6. *Ib.*, p. 134.
7. *Delphine*, Œuvres, I, p. 475.

terrestre, à la promesse d'une présence chérie. Dès que
celle-ci se dérobe, dès qu'à l'espoir de la présence
succède la certitude de l'absence, cette absence apparaît comme une perte absolue. L'absence c'est la mort.
Toute absence, si brève qu'elle soit, équivaut à la
plus définitive des disparitions. En face, soudain, il y a
l'abîme. Par delà, rien ne subsiste, sinon une absence
de temps qui coïncide avec la négation de l'existence.
La rupture avec l'être aimé n'est donc pas différente
de la mort de cet être. D'où l'aspect déchirant qu'elle
présente. Que Delphine se découvre quittée par
Léonce vivant, ou Germaine par Necker mort, c'est la
même douleur et la même révolte. Il semble que soient
retirés pour toujours à la pensée son espace, sa direction, sa profondeur d'avenir. En avant de soi, il n'y
a plus moyen, semble-t-il, de progresser, d'anticiper,
d'entrevoir, sous quelque forme que ce soit, une
ouverture. Il n'y a plus d'avenir. On dirait que le
phénomène de l'absence a pour conséquence de clore
le temps et de lui enlever ainsi sa qualité essentielle.

C'est en raison de cette disparition totale de
tout avenir, de toute direction prospective, que
Mme de Staël éprouve le désir d'emprunter la seule
voie qui dans l'étendue du temps lui soit encore
ouverte, la voie du passé.

II

« Dans ce *désert de l'absence*, écrit Mme de Staël à
Ribbing, j'ai besoin de *m'entourer de tous les
souvenirs* »[1].

L'on serait tenté de s'imaginer ce retour au passé
comme semblable à tant d'autres itinéraires spirituels
de la même époque. Pour combien de romantiques, en
effet, au déclin d'une passion ou de leur existence, le
culte du passé n'apparaît-il pas comme l'unique consolation ? N'est-ce pas le cas pour Chateaubriand,
Ballanche, Senancour, Benjamin Constant lui-même,
et pour leur maître à tous, Jean-Jacques Rousseau ?
sorte de transfert de l'esprit, passant de l'espoir à la
résignation et des plaisirs anticipés aux plaisirs remé-
morés, « le passé prenant dans la pensée la place qu'occupait l'avenir »[2], comme le dit fort exactement
Mme de Staël elle-même. Et il y a peut-être, en effet,
quelque chose qui ressemble chez elle à une évolution
de ce genre. Cela se trahit par un net changement dans
sa conduite avec ses amants. Sur le chemin qu'elle et
eux suivent de concert, c'est elle d'abord, nous l'avons
vu, qui marche la première. Elle les appelle, elle les
incite à la rejoindre, à hâter le pas. L'amour se confond alors chez elle avec une volonté d'affranchisse-
ment qui supporte mal les limites. Aimer, c'est s'engager librement sur les routes de l'avenir. Mais ensuite
vient inévitablement un moment où, chez Mme de
Staël, le courant de la passion se trouve, non certes

1. *A Ribbing*, 27 octobre 1794.
2. *De l'influence des passions*, Œuvres, I, p. 121.

ralenti, mais renversé. Il ne s'agit plus pour elle de vivre sa passion comme une aventure, il s'agit d'en protéger les acquêts. Plus rien n'importe, sinon une chose : garder ce qui menace d'être perdu. « Il n'y a point de souvenirs profonds, écrit Mme de Staël à un amant, si l'on ne croit pas aux *droits du passé sur l'avenir* »[1]. A partir du moment où elle prend conscience de ces « droits », ce n'est plus en termes d'avenir et de liberté que Mme de Staël pense à l'affection qui l'unit à tel être aimé ; c'est en termes d'obligations, de souvenirs ineffaçables, de liens devenus sacrés. Ce n'est plus l'avenir, c'est donc le passé de sa liaison qui lui apparaît maintenant comme la chose essentielle, trésor·pour la préservation duquel il lui faudra mener un obstiné et cruel combat d'arrière-garde, même et surtout contre celui avec qui s'étaient noués ces liens qu'elle se refuse ensuite à dénouer. A Narbonne qui songe à reprendre sa liberté, elle écrit : « Vous parlez d'indépendance ; est-ce que le passé n'est pas un lien ? [2] »

A cette question, assurément, elle attend une réponse affirmative. Oui, sera censé répondre l'amant, le passé est un lien, et qui m'attache à vous pour toujours. Toute la conduite de Mme de Staël s'enferme finalement dans une sorte de conservatisme émotionnel, dans une fidélité quasi désespérée aux sentiments révolus. Tout conserver, ne permettre aucune évasion, aucune diminution, aucun reniement. Seul importe encore le passé de l'amour. Et pourtant à la différence de ses grands contemporains, dans la façon même dont elle appréhende le passé, il est difficile de discerner une détente, une impression de douceur et d'apaisement. Au contraire ! Citons les textes. Ils nous feront aussitôt percevoir le redoublement de douleur que cause invariablement à Mme de

1. *De l'influence des passions*, p. 157.
2. *A Narbonne*, 13 mars 1794.

Staël tout rapport avec le passé retrouvé, c'est-à-dire tout souvenir :

> Que de souvenirs douloureux se sont emparés de moi, mon Adolphe, en revenant dans ces lieux dont les environs sont encore tout remplis de ta présence !... Est-il vrai qu'il a existé un temps où je te voyais tous les jours, où tu me serrais contre ton cœur ? [1]
> Que deviendrai-je si six ans de ma vie ne laissent plus pour traces que mes déchirements ? [2]

Peu importe que l'une de ces phrases s'adresse à Ribbing, l'autre à Narbonne. Ce qui compte, c'est que, dans un cas comme dans l'autre, le souvenir qui prédomine est celui d'une privation ou d'une souffrance. Pour cet être qui ne voudrait rien perdre, ce qui en définitive se conserve, c'est ce qui, pour la paix de l'âme, ferait mieux au contraire d'être oublié et perdu. Les traces qui survivent de six ans d'existence risquent d'être uniquement des traces de déchirements. Pire encore, chez cet être organisé, semble-t-il, presque exclusivement pour la conservation de la souffrance, il est une autre voie par laquelle le passé arrive à se manifester comme facteur de douleur. Chez Mme de Staël, ce n'est pas seulement le passé malheureux qui survit par le souvenir, c'est le souvenir heureux qui en réapparaissant devient, comme dans le vers fameux de Dante, une source de douleur. On a pu le remarquer déjà à propos des lieux où, comme Saint-Preux, elle fut jadis heureuse, et où elle retourne après un temps de séparation. Or ce qu'elle éprouve en les revoyant, ce n'est pas le bonheur qui fut le sien quand elle s'y trouvait jadis, c'est au contraire la peine qu'elle ressent en mesurant la joie passée à la situation présente. Il en va de même dans *Delphine*. En enten-

---

1. *A Ribbing*, 9 octobre 1794.
2. *A Narbonne*, 15 février 1794.

dant sonner la pendule, l'héroïne se rappelle que
c'était l'heure de la soirée où son amant avait coutume
de venir la voir : « Tout à coup j'ai entendu sonner
sept heures ; ce moment, jadis si doux pour moi, ce
moment qui m'annonçait sa présence, passe maintenant comme tous les autres, sans espoir et sans avenir.
— A cette idée, les sentiments pénibles de mon cœur
se sont ranimés plus vivement que jamais... » [1] Bref,
le souvenir ne procure nullement à l'esprit la douce
illusion d'une présence retrouvée. Il dénonce au
contraire une absence, accuse un vide. L'évocation du
passé a pour contre-pied la conviction de l'impossibilité de le faire renaître. Tout se passe comme si l'activité de la mémoire avait naturellement pour effet sur
l'esprit de Mme de Staël, d'y créer une comparaison
déficitaire, où ce qui est perdu se présenterait nécessairement comme perdu et comme supérieur en même
temps à ce qui reste. Cela est vrai même pour l'amant
d'hier par comparaison avec l'amant d'aujourd'hui.
Tel est le sujet de l'*Histoire de Pauline*, dont Mme de
Staël tire la conclusion en ces termes : « Si [une femme]
a déjà connu l'amour, elle *compare sans cesse ce qu'elle
a éprouvé avec ce qu'elle ressent*, et les souvenirs prêtent
un grand charme aux sentiments, ils sont plus tou-
chants dans l'éloignement du passé » [2].

Ceci ne contredit aucunement la thèse qui vient
d'être soutenue. Chez Mme de Staël, le souvenir peut
avoir un aspect charmant quand l'esprit le localise en
son temps, mais il a pour immédiate contrepartie de
rendre moins charmant le sentiment du présent auquel
il se confronte. Aussi les amants de Mme de Staël
n'ont-ils pas de pires rivaux que ceux qu'ils ont rem-
placés. C'est que le passé a pour mission d'accuser la
carence ou la déficience du présent, sans pourtant être
capable d'en prendre la place. Il n'y a donc aucune

1. *Delphine*, Œuvres, I, p. 563.
2. *Histoire de Pauline*, Œuvres, I, p. 95.

chance que le souvenir chez Mme de Staël s'épanouisse
sous la forme d'une pure reviviscence. Sauf dans un
cas particulier, qu'il faudrait traiter à part, et qui est
celui des réminiscences littéraires, renouveau généreux des admirations jadis ressenties, le souvenir n'est
jamais chez elle, comme chez Proust, la manifestation
libre, heureuse, d'un ancien sentiment revenu au jour,
hors de toute contingence, planant entre le passé et
le présent, et ineffablement ressaisi dans son essence.

Un exemple le prouvera, tiré de *Delphine*. Exemple
d'autant plus probant que le texte où il se trouve commence par décrire un phénomène aussi proche que
possible de ceux déclenchés chez Proust — ou chez
Baudelaire — par les parfums ou par les sons :

Je m'arrêtai près des orangers que vous m'avez
envoyés de Provence ; leurs parfums délicieux me
rappelèrent le pays de ma naissance, où ces arbres du
Midi croissent abondamment au milieu de nos jardins.
Dans cet instant, un de ces orgues que j'ai si souvent
entendus dans le Languedoc passa sur le chemin, et
joua des airs qui m'ont fait danser quand j'étais enfant.
Je voulais m'éloigner, un charme irrésistible me retint ;
je me retraçai tous les souvenirs de mes premières
années, votre affection pour moi, la bienveillante
protection dont votre frère cherchait à m'environner,
la douce idée que je me faisais dans ce temps, de mon
sort et de la société...

Arrêtons en cet endroit la citation, elle aura l'air de
ressembler à s'y méprendre à tant de passages de
Proust, de Baudelaire, de Rousseau, où porté par le
souvenir, le charme du passé vainc l'atonie de
l'existence actuelle. Le parfum des orangers, le son
de l'orgue, les airs de danse associent leurs magies
pour produire cette joie particulière qui — nous le
savons par Proust, — accompagne les phénomènes du
temps retrouvé. Mais justement le passage ne s'arrête

pas là, la pensée staëlienne ne peut se résigner à accueillir attentivement et docilement le miracle. Et à la différence de celle de Proust, sa réaction, très violente, a pour effet de détruire complètement le charme :

Hélas ! en *comparant* ces délicieuses illusions avec la disposition naturelle de mon âme, j'éprouvai des convulsions de larmes ; je me jetai sur la terre avec des sanglots qui semblaient devoir m'étouffer [1].

Ainsi, presque sans transition, par un mouvement de l'esprit qui fait succéder au réveil du souvenir une comparaison avec celui-ci, le personnage staëlien passe de l'émotion la plus douce à la pire douleur. Cette altération du souvenir n'a sans doute rien d'exceptionnel. C'est un sentiment que tout le monde a éprouvé et qui a pour nom, tout simplement le regret. Nul cependant ne l'a éprouvé aussi fréquemment et avec une intensité d'émotion aussi déchirante que Mme de Staël.

Aucun terme ne revient aussi souvent sous sa plume.

« Il est des âmes, écrit-elle, dans lesquelles règne le passé ; il en est que les regrets déchirent comme une active mort, et sur lesquelles le souvenir s'acharne comme un vautour » [2].

C'est ce regret qui la force à écrire à Narbonne : « Vous avez raison de penser que je vous aime encore, peut-être autant que jamais. L'agitation, l'inquiétude font trop sentir ce qu'on a perdu ; je vous regrette plus que la France, plus que toutes les illusions de ma vie ; je vous regrette avec des torrents de larmes » [3].

En ce regret, puissance à la fois de vie et de mort, de

1. *Delphine*, Œuvres, I, pp. 399-400.
2. *De l'Allemagne*, Œuvres, II, p. 240.
3. *A Narbonne*, 12 mars 1794.

vie funèbre et douloureuse, voyons le don particulier
de Mme de Staël : le don de souffrir. Don plus féminin que masculin, et tel qu'en en faisant pleinement
usage, elle a la conviction de suivre sa vocation de
femme. « Le cœur des femmes est inépuisable en
regrets »[1], dit-elle dans *De l'influence des passions* ;
et dans *Corinne* : « Ah ! ne faut-il pas pardonner au
cœur des femmes les regrets déchirants qui s'attachent
à ces jours où elles étaient aimées, où leur existence
était si nécessaire à l'existence d'un autre... Quel isolement doit succéder à ces temps de délices ! »[2]

Aux temps de délices succèdent brusquement les
temps de l'isolement et du regret. Si intense qu'il soit,
le souvenir staëlien n'a d'autre pouvoir que d'opposer
les temps les uns aux autres, que de rendre plus
torturante l'absence des uns dans la présence des
autres. Ne voyons même pas ici quelque plainte
continue, du type de celle dont Ossian enseigna le
long gémissement à deux ou trois générations de
romantiques. Car le regret staëlien ne ressemble pas,
sinon de très loin, à cette modulation plaintive et
résignée. Il est non une acceptation de l'inévitable,
mais une protestation contre l'inévitable. Il est une
protestation proprement déraisonnable contre la
malice de la durée et contre le destin des hommes et
des femmes. Mais, comme Job, en protestant il prend
mieux conscience de ce contre quoi il proteste.

Cela commence souvent par un réveil douloureux,
sorte de *Cogito*, où l'être qui surgit du sommeil
appréhende pour ainsi dire à neuf la situation insou-
tenable qui est la sienne :

S'éveiller sans espoir, traîner chaque minute d'un
long jour comme un fardeau pénible...[3]

---

1. *De l'influence des passions*, Œuvres, I, p. 138.
2. *Corinne*, Œuvres, I, p. 750.
3. *Delphine*, Œuvres, I, p. 396.

Le réveil ! le réveil ; quel moment pour les malheureux ! Lorsque les images confuses de votre situation vous reviennent, on essaye de retenir le sommeil, on retarde le retour à l'existence ; mais bientôt les efforts sont vains, *et votre destinée tout entière vous apparaît de nouveau* [1].

Tout objet retrouvé devient l'occasion non seulement d'une réminiscence désolée, mais du sentiment aigu d'une perte déterminée :

Chaque objet nouveau réveille en moi le même souvenir et la même douleur [2].

Sur ce point particulier encore, l'expérience staëlienne précède et prépare les révélations de Proust. L'on connaît les pages si douloureusement lucides où l'auteur de la *Recherche* décrit la conscience de la mort de l'être aimé comme ravivée un nombre indéfini de fois par le contact avec les objets familiers qui, en rappelant au survivant les liens particuliers qu'ils avaient avec cet être, lui rappellent en même temps et pourtant chaque fois d'une façon différente, que cet être est mort. En sorte que cette mort, il va en endurer la révélation renouvelée en toute une série d'occasions. Telle est exactement l'expérience de Mme de Staël. Sa douleur non seulement ne s'épuise jamais, mais elle trouve en chaque instant, en chaque endroit, en chaque objet, une cause de renouvellement total. Rien d'étonnant donc si, pour elle, en fin de compte, la conscience de toute la vie antérieure se confond avec celle d'une souffrance continuellement ravivée.

L'on se rappelle les soupirs et les cris de Delphine :

Hélas, d'où sont-ils revenus dans mon esprit, ces

1. *Delphine*, p. 560.
2. *Id.*, p. 570.

souvenirs, ces tableaux du bonheur ? M'ont-ils fait
illusion un instant ? ... Non, la souffrance restait au
fond de mon âme, sa cruelle serre ne lâchait pas prise !
Les souvenirs de la vertu font jouir encore le cœur qui
se les retrace ; les souvenirs des passions ne renouvellent que la douleur [1].

Ah ! le passé ! quels liens de douleur nous attachent
à lui [2].

Mais les témoignages les plus émouvants de ce
prodigieux génie de dolorification, se trouvent dans
les lettres d'amour, long cri de souffrance, dont l'aspect le plus déchirant est précisément constitué par le
souvenir. C'est ce que nous montrent, entre cent
exemples, les extraits suivants d'une lettre à Narbonne :

... En traçant cette ligne j'ai senti un tel déchire-
ment, j'ai cru tellement n'être plus moi que je ne puis
nier encore la toute-puissance des souvenirs sur mon
cœur — des souvenirs ! Car depuis quatre mois je ne
vous reconnais plus, je ne sais plus même où peut s'at-
tacher mon estime et je ne sens l'amour que par le
désespoir [3].

Le réveil douloureux de l'être aboutit donc d'une
part à une protestation désespérée, et, de l'autre, à
la connaissance de soi en tant que lié à un destin.
Emotion et réflexion se mêlent ici inextricablement,
comme il en va toujours chez Mme de Staël. Ils ne se
trouvent jamais plus étroitement associés que dans
l'expérience et la notion de l'*Irréparable*. Longtemps
avant Baudelaire, Mme de Staël en a donné l'expression, tantôt sous la forme directe et nue du cri de

1. *Ib.*, p. 456.
2. *Ib.*, p. 555
3. *A Narbonne,* 15 décembre 1793.

douleur, tantôt sous une forme plus élaborée mais profondément authentique, où la spontanéité de l'accent n'est pas démentie par l'usage de la rhétorique.

Il en est ainsi dans les lignes si belles consacrées par elle à la mort de son père :

Ah ! si l'on pouvait, pendant la vie de ce qu'on aime, se faire une idée de l'état où vous jettera sa perte, comme on saurait mieux rendre heureux, comme on sentirait plus le prix de chaque heure, de chaque minute ! C'est en vain qu'on se rappelle d'avoir passionnément aimé ; il semble qu'on est bien loin d'avoir joui autant qu'on souffre [1].

A un degré plus haut, le même ton se retrouve dans une page du livre *De l'Allemagne* :

On finirait par mourir de pitié si l'on se bornait en tout à la terrible idée de l'irréparable : aucun animal ne périt sans qu'on puisse le regretter, aucun arbre ne tombe sans que l'idée qu'on ne le verra plus dans sa beauté excite en nous une réflexion douloureuse... Si le temps n'avait pour antidote l'éternité, on s'attacherait à chaque moment pour le retenir, à chaque son pour le fixer, à chaque regard pour en prolonger l'éclat... [2]

L'irréparable, l'irréversibilité du temps, la nostalgie inutile, l'acharnement à retenir ce qui ne peut être retenu, la conscience de la durée se révélant comme conscience de toutes les privations successives infligées par la durée, voilà ce que ce dernier texte nous révèle ; et tous les traits qu'on y relève semblent viser à exaspérer la douleur, comme si les ressources du génie n'avaient d'autre fin que de nous

---

1. *Du caractère de M. Necker*, Œuvres, II, p. 287.
2. *De l'Allemagne*, Œuvres, II, p. 250.

faire évaluer les ressources de la souffrance. Souffrance causée *par* le temps, souffrance éprouvée *dans* le temps. L'orientation vers le passé comme celle vers l'avenir, le souvenir comme l'espoir, n'ont pas ici d'autre aboutissement, semble-t-il, qu'un sentiment désespéré de l'absence ou qu'un sentiment non moins désespéré de regret. Pourtant ne pouvons-nous pas relever en fin de compte chez Mme de Staël, non, certes, les signes d'une réconciliation heureuse avec le temps et avec la vie, mais au moins ceux d'une attitude moins crispée en son désespoir ? En effet, — il faut le dire pour finir, — elle n'a jamais manqué de courage pour regarder en face sa situation d'être humain et de femme. Et cela implique déjà, sinon un sentiment de résignation, une ferme volonté de véracité et un grand pouvoir d'endurance. De plus, Mme de Staël n'est pas sans avoir entrevu et même parcouru diverses voies conduisant toutes à une manière d'apaisement : la foi religieuse en un destin surnaturel, — la foi humaine en la perfectibilité de l'homme, — la foi mythique en une grande source d'inspiration mnémonique, en un âge d'or. Ne nous attardons pas à la doctrine de la perfectibilité, acceptée et non inventée par elle, et qui contentait peut-être, plus encore que sa soif de bonheur, son besoin d'espoir. Ne tâchons pas non plus de trop préciser quelle fut sa croyance religieuse, dont la partie la plus sincère devait être aussi sans doute la moins définissable, celle qui dans l'indétermination même d'un infini originel et terminal, trouvait les ressources d'un grand souvenir et les germes de grandes espérances. « On dirait, écrit-elle, que nous éprouvons à la fois le *regret* de quelques beaux dons qui nous étaient accordés gratuitement, et l'*espérance* de quelques biens que nous pouvons acquérir par nos efforts »[1]. Ces paroles conviennent à un être qui s'est résumé avec une parfaite exactitude

1. *Ib.*, p. 233.

en disant : « *Moi, je n éprouve que des regrets et de l'espérance* » [1]. Au niveau le plus bas, à celui de l'émotion brute, ces sentiments n'ont que trop tendance à se manifester sous la forme de diverses frénésies. Il y a un désespoir qui sort de l'espoir, comme il y a un supplice qu'engendre le regret. « Mais comme le dit encore Mme de Staël, le malheur n'est presque jamais une chose absolue. Ses *rapports avec nos souvenirs ou nos espérances* en composent souvent la plus grande partie » [2]. Or ces rapports sont variables, et une des leçons apprises et enseignées par Mme de Staël, c'est que le pouvoir de l'esprit peut altérer, sinon la souffrance elle-même dont ils sont cause, au moins le sens que cette souffrance prend dans notre esprit.

1. *A Ribbing*, 19 mai 1794.
2. *Réflexions sur le suicide*, Œuvres, I, p. 179.

IX

LAMARTINE

La poésie lamartinienne est une poésie de l'évanouissement. Elle nous fait assister à l'acte même par lequel les images que nous tirons du monde sensible, se dépouillent de leurs formes et de leurs attaches. A distance, dans l'air, dans l'absence de tout lieu, dans l'effacement de tout contour, elles se dissolvent ; l'œil les perd de vue, et la poésie qui les chante est un adieu qui leur est adressé.

Adieu qui n'est pas sans être ambigu, car on ne sait dans quelle direction s'oriente la pensée de celui qui les voit disparaître. Souvent elle s'élève à leur suite et s'efforce de les accompagner non seulement dans leur retrait, mais encore dans le mouvement de dissolution vaporeuse qui semble être le terme de leur course. A l'inverse, souvent aussi, une telle expérience a pour effet, chez qui l'éprouve, le besoin de se rattacher passionnément aux formes qui se désagrègent, aux réalités mortelles en voie de se transformer en idéal. Il semble donc que, pour le poète, chanter la disparition des figures aimées, c'est leur dire adieu de deux façons, d'une part en les regardant partir, en mesurant de l'œil la distance grandissante qui les entraîne vers un lointain où elles se vaporisent ; et d'autre part, en restant soi-même sur terre et en fixant les yeux sur la place laissée en creux par les chers objets disparus.

On meurt beaucoup dans la poésie de Lamartine. Animés ou inertes, presque tous les objets qui s'y remarquent, n'ont pas d'autre destination que la mort. Mort par évaporation, par pâlissement, par ralentissement, par essoufflement, par dilution dans l'espace. Tout meurt, chez Lamartine, au sens où tout prend congé du monde des vivants. Cependant, qu'une chose ou un être se retire, il faut bien qu'à sa place il laisse un vide. Ce vide n'est plus une vapeur, un idéal, une forme insubstantielle. C'est l'objet même, mais en creux, saisi dans son absence. Constater cette absence, là, précisément à l'endroit qu'il occupait, voilà qui est fort différent du mouvement par lequel la pensée accompagne la fuite à l'horizon de ce qu'elle contemple. Ici, sur terre, il y a une place laissée vacante, une ombre bien visible, que dessine avec un relief souvent insupportable le contour des choses environnantes. C'est ce que Lamartine découvre chaque fois qu'un deuil le frappe. Un deuil n'est pas associé seulement au ciel mais à mille réalités tangibles. Le poète a beau idéaliser ce qui le délaisse, il est contraint de reconnaître le caractère terrestre de ce dont il endure la perte. Sa poésie devient une poésie du souvenir et du regret.

Ce sentiment du regret, de plus en plus fréquent dans l'œuvre lamartinienne, ne se confond nullement avec la puissance d'idéalisation qui s'y exerce. Il met celui qui l'éprouve face à face avec des choses et des êtres réels, même si ces êtres sont défunts et si ces choses ne sont plus. Par un phénomène étrange et cependant explicable, plus la pensée se concentre sur l'image des morts, plus celle-ci redevient intense et vive. Le regret est tout le contraire d'un évanouissement de l'objet dans l'espace. C'est une re-création de celui-ci, accompagnée de la conscience douloureuse d'une privation :

Le souvenir des morts revient dans la mémoire...
On sonde avec tristesse au fond de sa pensée
La place vide encor que leur mort a laissée[1].

Je ne vois en ces lieux que ceux qui n'y sont pas !
Pourquoi ramènes-tu mes regrets sur leur trace ?
Des bonheurs disparus se rappeler la place,
C'est rouvrir des cercueils pour revoir des trépas[2].

Qui ne sent ici un ton profondément différent de
celui qu'on remarque chez Lamartine chaque fois
qu'il décrit le glissement des êtres et des choses vers
la mort et vers l'oubli ? Ici ce qui est mort se remet
à vivre. Ce qui est oublié est remémoré. L'absence
devient présence, l'être évanoui redevient visible ;
et par un renversement de situation qui est une des
caractéristiques de la poésie de Lamartine, celle-ci
qui n'est jamais si indéfinissable que lorsqu'elle parle
des vivants, acquiert une netteté exceptionnelle du
fait qu'elle se met à parler des morts.

De ce phénomène nous comprenons aisément la
raison. L'imagination de Lamartine est naturellement centrifuge. Rêver, c'est, pour elle, quitter le
lieu où elle est, s'envoler vers un lieu périphérique,
qui n'a ni forme ni contour, qui est le lieu de tous les
possibles, qui est l'espace ; mais que, pour une raison
ou l'autre, la pensée de Lamartine se trouve ramenée
à la terre, c'est-à-dire à l'endroit où les morts ont
vécu et où le poète a vécu avec eux, alors cet endroit
devient un centre d'images précises. Toutes les formes sensibles associées à ces lieux se lèvent ensemble ;
et le poète de l'immatérialité la plus vague devient
alors le chantre de la réalité et du souvenir.

La première conséquence d'un tel afflux nouveau
de richesses, c'est que cette poésie qui a commencé

1. *Bénédiction de Dieu dans la solitude, Harmonies*, Pléiade,
p. 309.
2. *La Vigne et la Maison*, Pléiade, p. 1488.

par être une poésie de la privation et du regret, se
mue très rapidement en son contraire, c'est-à-dire
en une poésie de la repossession et de la joie. Prendre
conscience de ce que l'on a perdu, c'est d'abord, pour
Lamartine, éprouver toute la douleur de la séparation la plus déchirante. Néanmoins cette douleur ne
dure pas ; non que celui qui la ressent, soit incapable de la garder longtemps à son point d'acuité la
plus grande. Mais, chez Lamartine, la souffrance
causée par l'absence de l'être aimé a précisément
pour effet de faire renaître en l'âme la présence de
cet être. Ajoutez à cela l'influence toute-puissante
des lieux où l'être disparu a vécu. On a comparé ce
phénomène à la résurrection du souvenir proustien.
Il faudrait le rapprocher surtout des passages de
Rousseau, de Chateaubriand, de Nerval, où quelque
signe mémoratif, une vieille chanson, un parfum,
une fleur, le chant d'une grive, permettent au poète de
retrouver les images et les sentiments de la jeunesse.
De même, un simple son suffit pour réveiller en Lamartine non seulement toute une brassée de souvenirs auditifs, mais l'état d'âme qui avait été jadis le
sien en les percevant :

Ainsi quand nous cherchons en vain dans nos pensées
D'un air qui nous charmait les traces effacées,
    Si quelque souffle harmonieux
Effleurant au hasard la harpe détendue,
En tire seulement une note perdue,
    Des larmes roulent dans nos yeux ;
D'un seul son retrouvé l'air entier se réveille,
Il rajeunit notre âme, et remplit notre oreille
    D'un souvenir mélodieux [1].

Ce qui frappe dans un tel passage, et quelle que
soit la nature des souvenirs qu'il décrit, c'est la dé-

<hr>

1. *Le Retour, Harmonies,* Pléiade, p. 403.

pendance de ceux-ci à l'égard de ce qui leur sert de
cause occasionnelle. Le son est ici le point de départ
de tout le réveil du passé. Ailleurs ce peut être un
parfum, une chanson, un objet familier qui tombe
sous le regard. Mais le plus souvent, ce réveil est
tout simplement déterminé par le retour du poète
à ce qu'il a appelé avec un peu d'inexactitude la terre
natale. Des poèmes tels que *Milly, Souvenir d'enfance,
La Vigne et la Maison,* narrent en vers ce thème du
retour ; d'autres textes le détaillent plus longuement
en prose. Pour Lamartine, c'est presque immanquablement le contact retrouvé avec le sol où il a vécu,
qui constitue le principe générateur, à partir duquel,
dans toute son ampleur, le phénomène mnémonique
se déroule. C'est parce qu'il se retrouve en des lieux
qui avaient été ceux de sa jeunesse, que Lamartine
redevient susceptible de retrouver l'ensemble de
sensations et de sentiments qui avaient été ceux de
cette jeunesse.

Aussi, dans la langue de Lamartine, y a-t-il peu
de termes plus chargés de sens et de force que le verbe
retrouver ou *se retrouver* :

Un nouvel homme en moi renaît et recommence...
C'est que j'ai *retrouvé* dans mon vallon champêtre
Les soupirs de ma source et l'ombre de mon hêtre [1].

Tout m'y parle une langue aux intimes accents
Dont les mots entendus dans l'âme et dans les sens
Sont des bruits, des parfums, des foudres, des orages,
Des rochers, des torrents, et ces douces images
Et ces vieux souvenirs dorment au fond de nous,
Qu'un site nous conserve et qu'il nous rend plus doux.
Là mon cœur en tout lieu *se retrouve* lui-même [2].

Le même sentiment s'exprime dans ces deux

1. *Bénédiction de Dieu dans la solitude,* p. 307.
2. *Milly, Harmonies,* Pléiade, p. 395.

lettres à Virieu, écrites à plus de vingt années de
distance l'une de l'autre, mais l'une et l'autre sur
le coup de l'émotion causée par le retour au pays
d'enfance :

Combien l'on *retrouve* de sentiments que l'on croyait
à jamais perdus ! combien l'âme reprend de ton et le
cœur de puissance ! combien l'imagination s'agrandit
et se réchauffe ! J'en suis plein, je viens de *retrouver*
tout cela... Tout ce que nous avons senti si fort dans
notre bon temps, je le sens depuis trois jours ; je me
reconnais, et je *retrouve* autour de moi mille sensations
oubliées [1].

Ah ! combien je comprend ce délicieux recueillement
de la vie qui *se retrouve* elle-même dans les lieux témoins
de ses premières années heureuses et qui croit se ranimer en ranimant les mille souvenirs dont ces lieux sont
pleins ! [2].

En somme, pour Lamartine, le verbe *retrouver* a
un peu le même sens que chez Proust. Retrouver,
c'est se retrouver. Cela implique non pas seulement
une reconquête du temps perdu, mais une redécouverte de soi-même, plus encore, une véritable résurrection de l'être que l'on était, avec les sensations et
les sentiments qui avaient été les siens. Se souvenir,
c'est revivre. Rien ne bouleverse plus Lamartine que
la conscience de cette continuité affective et sensible
qui se révèle à lui parfois sous l'aspect d'une mémoire
sans faille :

Il n'y a pas un arbre, un œillet, une mousse de ce
jardin, qui ne soit incrusté dans notre âme, comme s'il
en faisait partie ! Ce coin de terre nous semble immense,

---

1. *A Aymon de Virieu*, Milly, 30 novembre 1814.
2. *A Aymon de Virieu*, Monceau, 29 septembre 1837.

tant il contient pour nous de choses et de mémoires
dans un si étroit espace [1].

J'entends encore, après vingt ans écoulés depuis
cette heure, le bruit des feuilles sèches qui criaient
en se froissant sous nos pas [2].

Dans la fidélité, dans l'ineffaçabilité de la mémoire
se manifeste donc un des traits essentiels de la vie
sensible chez Lamartine, et un des plus contraires
d'ailleurs à ses tendances habituelles, puisque la mémoire des sens préserve l'aspect des choses dans son
détail, dans sa structure apparente, au lieu de l'abandonner docilement aux forces de désagrégation qui,
chez Lamartine, affectent universellement les objets.
A l'imagination dissolvante s'oppose donc, chez le
poète, la mémoire préservatrice. Mais ce n'est pas
assez dire. Le rôle de la mémoire ne se borne pas à
garder intactes les images du passé. A côté du souvenir des lieux, des figures, des sons, des odeurs, il
y a chez Lamartine, au plus haut degré, le souvenir
des sentiments éprouvés par lui à l'occasion de ces
expériences sensibles. Se retrouver dans les lieux du
passé, c'est assurément d'abord en faire revivre dans
la pensée tous les aspects externes ; mais c'est encore
ressentir à nouveau en leur présence ce qui avait été
pour la première fois ressenti. En d'autres termes, à
la résurrection des images sensibles proprement dites,
se trouve invariablement associé chez le poète un
phénomène mnémonique d'un type différent, mais
complémentaire, qui est la mémoire des émotions,
ou, comme l'appellent souvent les psychologues, le
souvenir affectif.

Le plus souvent, ces deux phénomènes ont lieu,
chez Lamartine, dans la plus étroite conjonction et
harmonie. Impossible d'imaginer chez l'auteur du

1. *Confidences*, Hachette, p. 76.
2. *Raphaël*, XX.

Vallon ou du *Lac* une image visuelle ou auditive, restituée par la mémoire, qui ne soit pas accompagnée par quelque réponse de l'âme, par quelque émotion que suscite l'image sensible. Il est vrai, cependant, qu'ici pourrait se poser un curieux problème. Lorsque l'image sensible émerge de l'oubli, point de doute : elle vient du passé, elle est dans le présent le reflet fidèle de celui-ci, et rien de plus. Mais l'émotion qu'à son tour elle rappelle et déchaîne, est-ce aussi un reflet du passé, ou est-ce une émotion présente, causée par l'apparition d'une sensation passée ? On sent la différence. Au fond, quand Lamartine, comme il dit, sent son cœur battre à nouveau devant certains lieux ou certains objets, le battement de cœur qu'il ressent est-il simplement l'écho d'un battement de cœur ancien, ou est-il un événement affectif nouveau, qui ressemble à l'émotion ancienne ? Pour Lamartine, à tort ou à raison, la réponse ne comporte pas le moindre doute. Le battement de cœur qui le fait trembler est à la fois nouveau et ancien. L'émotion dont il est la proie n'est pas seulement similaire à celle que jadis il a éprouvée. Et ce n'est même pas assez dire que de prétendre qu'elle en est la reprise et la duplication. Car, aux yeux de Lamartine, il n'y a pas deux émotions, dont l'une appartient au passé et l'autre à la vie présente. Il n'y en a qu'une qui, dans l'intervalle, n'a jamais cessé de faire battre le cœur de celui qui l'a éprouvée. Une même émotion se continue sans interruption dans l'âme de celui qui en est le sujet tout au long de la durée. Alors que la mémoire des sens procède par l'alternance de périodes d'oubli et de périodes de réveil, la mémoire affective (à supposer que ce soit réellement une mémoire) continue incessamment de faire résonner dans la profondeur de l'être la vibration qui un jour y était née. Telle est la conviction profonde de Lamartine. Sur ce point il n'a jamais varié. Pour lui, la réapparition des images a lieu par poussées intermittentes, à l'occasion de

tel ou tel événement (une rencontre, un deuil, le retour au pays), et cela en dépit du fait que l'em-
preinte laissée par les sensations est ineffaçable et
leur préservation absolue ; tandis qu'il n'y a jamais
de reprise de l'activité affective, étant donné qu'elle
ne s'arrête jamais, que toutes les émotions qui la
composent sont continuellement en exercice, de sorte
que l'être qui en est le sujet ne cesse d'être sous l'empire de l'ensemble de ses sentiments, vibrant à la
fois au fond de lui.

Il n'y a donc pas *une*, mais *deux* espèces de mémoire — ou si le terme de mémoire apparaît comme
inapproprié, relativement à une faculté qui ne comporte ni conservation, ni renaissance, — il y a deux
façons distinctes et profondément différentes l'une
de l'autre, de retrouver en soi le passé. C'est ce que
Lamartine affirme en des textes curieusement proches
des distinctions faites récemment par les psychologues entre la mémoire des sens et la mémoire affective.

Le premier de ces textes se trouve dans *Raphaël* :

O hommes ! ne vous inquiétez pas de vos sentiments,
et ne craignez pas que le temps les emporte. Il n'y a ni
aujourd'hui ni *demain* dans les retentissements puissants de la mémoire, il n'y a que *toujours*. Celui qui ne
sent plus n'a jamais senti ! Il y a deux mémoires : la
mémoire des sens qui s'use avec les sens et qui laisse
perdre les choses périssables ; et la mémoire de l'âme
pour qui le temps n'existe pas, qui revit à la fois à tous
les points du passé et du présent de son existence [1].

Le second est dans *Geneviève* :

J'ai reçu du ciel une mémoire des lieux, des visages,
des accents de voix, pour laquelle le temps n'existe pas.
Vingt ans pour moi, c'est une nuit. Cette mémoire est

---

1. *Raphaël*, XXXIX.

celle des choses extérieures. Mais pour les impressions,
pour les attachements, les sentiments, les coups et les
contre-coups reçus une fois au cœur, je n'ai pas besoin
de mémoire, cela ne cesse pas de retentir en moi.
Cela n'a pas été, cela est ; cela n'est pas un
temps dans ma nature, tout y est présent. Une secousse donnée à ma faculté de sentir, se perpétue,
se répercute et se renouvelle à tout jamais sans s'affaiblir. Le balancier de mon souvenir, sans avoir besoin
d'être remonté, a toujours la même oscillation [1].

Ces deux textes ne concordent pas absolument.
Dans le premier, la mémoire des sens est présentée
comme imparfaite et susceptible de laisser échapper
certaines images. Dans le second, elle est considérée
comme ineffaçable. D'autre part, ce que Lamartine
appelle dans le premier texte « mémoire de l'âme »,
n'est plus, à ses yeux, dans le texte de *Geneviève*, une
activité mnémonique proprement dite, puisque, dit-
il, « cela ne cesse pas de retentir en moi ». Ces différences étant notées, les deux textes marquent leur accord
sur l'essentiel : 1) L'un et l'autre affirment la différence entre deux façons de revivre le passé, l'une,
intermittente, l'autre constante, mais agencées de
telle sorte que parfois la première rejoint la seconde,
lorsque l'image sensible réveillée revient s'associer
au sentiment qui n'a jamais cessé d'affecter celui
qui en est le sujet ; 2) L'un et l'autre textes affirment
aussi le caractère véritablement *total* de la seconde des
deux mémoires, étant donné que, grâce à celle-ci,
aucune des émotions éprouvées à quelque moment
que ce soit par un être ne cessant d'être présente dans
la conscience de cet être, il en résulte que toutes se
continuent à la fois en cet être et que celui-ci est
toujours *contemporain de toutes ses émotions*.

1. *Geneviève, Œuvres*, 1863, t. 36, p. 200.

Cette affirmation de Lamartine n'est pas dépourvue d'une certaine logique. Les souvenirs de nos sensations ne se réveillent en nous que de façon intermittente et exceptionnelle. Il y a quelque confusion, mais pas bien grave, s'ils sont d'époques différentes, à les laisser s'enchevêtrer. Mais les sentiments jadis éprouvés sont encore les sentiments aujourd'hui éprouvés. Tous les sentiments de tous les temps d'une même vie *confluent* à n'importe quel moment de cette vie. A la différence de la vie sensible, la vie affective est toujours totale. Ou, en d'autres termes, elle est toujours simultanément présente à celui en qui elle s'accomplit.

Or cette notion de présence simultanée doit nous rappeler maintenant une conception théologique que Lamartine connaissait bien, qu'il avait probablement acquise au Collège de Belley ou dans ses lectures de Fénelon. C'est la fameuse définition de l'éternité par Boèce qui, comme on le sait, a servi de *topos* à toute la pensée, chrétienne depuis saint Augustin jusqu'à la Contre-Réforme. L'éternité divine est la possession simultanée par Dieu de sa vie entière : *tota simul vitae possessio*. Il n'y a pas, chez Dieu, de mémoire. Il y a une connaissance directe, actuelle, de tout ce qui est futur comme de tout ce qui est passé. Bref, pour Dieu, il n'y a ni futur ni passé, il n'y a jamais que le moment présent.

Cette conception théologique d'un moment éternel unique contenant la totalité des temps, ou plutôt abolissant le temps et le remplaçant par la simultanéité des époques, est perpétuellement rappelée par Lamartine :

Devant l'éternité tout siècle est du même âge [1].

L'être de Jéhovah n'a ni siècle ni jours,
Son jour est éternel et s'appelle toujours [2].

Tous les jours sont à Toi … [3]

1. *Milly*, p. 399.
2. *Chute d'un Ange*, Pléiade, p. 945.
3. *Consolation*, *Nouvelles Méditations*, Pléiade, p. 154.

Et jamais tu ne sépares
Le passé de l'avenir[1].

Il n'y a pas de doute qu'en tous ces textes, implicitement ou explicitement, Lamartine se réfère à la doctrine suivant laquelle Dieu possède à la fois toute son existence. Or, aux yeux de Lamartine, l'homme, lui aussi, possède à la fois, sinon son existence, au moins tous les sentiments qui constituent la partie la plus profonde, la plus riche, la partie véritablement essentielle de celle-ci. Entre ces deux simultanéités Lamartine établit une relation. Sans doute, la simultanéité de la vie affective chez l'homme a quelque chose d'imparfait. On peut la comparer à la rumeur produite par mille bruits divers. Lorsqu'elle n'est pas soutenue, précisée et encadrée par les images de la mémoire des sens, la vie affective ne peut apparaître dans la conscience que comme un mouvement indistinct où il est difficile de reconnaître, mêlés les uns aux autres, les apports fournis par des moments déterminés. Il arrive cependant parfois à la pensée humaine de se hausser jusqu'à une vue lucide et discriminée des différents moments de sa durée : « Le passé, le présent, l'avenir, ne sont qu'un pour Dieu. L'homme est Dieu par la pensée. Il voit, il sent, il vit à tous les points de son existence à la fois »[2]. *Totum simul* proprement humain, qui est comme le gage qu'un jour l'âme humaine se trouvera capable de vivre la totalité de son expérience temporelle dans toute sa richesse affective aussi bien que conceptuelle. Au sein de l'éternité simultanée de Dieu, l'homme, après sa mort, bénéficiera d'une éternité humaine non moins simultanée. Il se retrouvera contemporain de tous les temps de son existence, et, par conséquent, uni à tous les êtres dont l'existence s'est trouvée liée à la sienne

1. *Pensée des morts*, *Harmonies*, Pléiade, p. 341.
2. *Méditations*, Préface de 1849.

par des sentiments impérissables. La liaison du *Totum
Simul* divin et du *Totum Simul* humain est affirmée
un peu partout par Lamartine, et en particulier
dans les deux textes que nous allons citer encore,
et qui serviront de conclusion à cette brève étude sur
le thème de la totalité du souvenir chez notre auteur :

> Viens! où l'éternité réside,
> On retrouve jusqu'au passé !
> Là, sont nos rêves pleins de charmes,
> Et nos adieux trempés de larmes,
> Nos vœux et nos soupirs perdus !
> Là, refleuriront nos jeunesses ;
> Et les objets de nos tristesses
> A nos regrets seront rendus! [1]

Et les vers merveilleux de *La Vigne et la Maison*, où
s'exprime avec une parfaite justesse le principe de la
simultanéité finale de tous les événements successifs
de notre vie intérieure :

> Toi qui fis la mémoire, est-ce pour qu'on oublie?
> Non, c'est pour rendre au temps à la fin tous ses jours,
> Pour faire confluer, là-bas, en un seul cours,
> Le passé, l'avenir, ces deux moitiés de vie
> Dont l'une dit jamais et l'autre dit toujours.
> Ce passé, doux Éden dont notre âme est sortie,
> De notre éternité ne fait-il pas partie ?
> Où le temps a cessé tout n'est-il pas présent?
> Dans l'immuable sein qui contiendra nos âmes
> Ne rejoindrons-nous pas tout ce que nous aimâmes
> Au foyer qui n'a plus d'absent ? [2]

1. *Le Passé, Nouvelles Méditations*, Pléiade, p. 133.
2. *La Vigne et la Maison*, Pléiade, p. 1493.

X

STENDHAL

I

A Smolensk, le 24 août 1812, c'est-à-dire à moins de quinze jours de la bataille de la Moskowa, Stendhal écrit ceci à un ami :

Comme l'homme change ! Cette soif de voir que j'avais autrefois s'est tout à fait éteinte ; depuis que j'ai vu Milan et l'Italie, tout ce que je vois me rebute par la grossièreté... Je n'ai eu un peu de plaisir qu'en me faisant faire de la musique sur un petit piano discord, par un être qui sent la musique comme moi la messe. *L'ambition ne fait plus rien sur moi* ; le plus beau cordon ne me semblerait pas un dédommagement de la boue où je suis enfoncé [1].

A ce moment précis où nous choisissons de découvrir Stendhal, nous l'apercevons frisant la trentaine, à peu près au milieu de son existence, mais sans intérêt pour son existence, au sein de la prodigieuse épopée impériale, mais ennuyé et dégoûté par l'épopée impériale, incapable de se rattacher ni au dehors, ni au passé, ni à l'avenir. Telle est bien, en effet, semble-t-il,

---

1. *Lettre à Félix Faure*, 24 août 1812.

l'expérience de l'ambitieux qui renonce à l'ambition.
D'abord si, comme il le constate, l'ambition ne fait
maintenant plus rien sur lui, elle ne fait donc plus
sur lui l'effet qu'elle lui faisait dans son existence
antérieure. Renoncer au sentiment qui avait présidé
à ses désirs, à ses actions, à sa conduite de vie, c'est renoncer à rattacher le moment où l'on vit à tous les
moments antécédents, dont précisément ce sentiment
avait constitué l'essence et le mobile. Et c'est aussi
renoncer à la prévision des moments suivants, qui
jusqu'alors avait été l'objet presque exclusif et
comme le terme postérieur de la pensée. Bref, l'être
qui renonce à une vie d'ambitieux, renonce à prendre
conscience de sa vie sous la forme du passé comme
sous celle du futur. Et, du coup, sa vie devient une
vie sans passé ni futur. C'est une vie réduite au présent,
une vie toujours momentanée.

Est-ce à dire qu'en cet instant Stendhal se trouve
accomplir un acte de renonciation comparable aux
grandes conversions de la vie religieuse, dont on sait
qu'elles se font souvent dans un moment de rupture
avec le passé et de fondement d'une nouvelle existence ? Evidemment non. Ce serait grossièrement
méconnaître la signification d'un moment qui, chez
Stendhal, n'a d'autre importance que de révéler une
séparation avec le passé depuis longtemps sans doute
consommée, et un désintéressement à l'égard du futur
qui a graduellement remplacé calculs et projets. Non,
ce dont Stendhal simplement témoigne dans sa lettre
du 24 août 1812, c'est de la répulsion que maintenant
il éprouve à faire du moment présent le passage d'une
existence ambitieuse à un avenir déterminé par cette
ambition. D'où une grande indifférence non seulement
à l'égard des deux directions du temps, mais envers
les conjonctures de l'actualité même. Le présent de
Stendhal est détaché. Il flotte. Stendhal ne sait qu'en
faire. Si la réalité ambiante le dégoûte, c'est qu'elle
l'ennuie. Témoin et acteur d'une des plus grandes

aventures militaires qui soient, à la veille d'une des
grandes batailles de l'histoire, Stendhal trouve le
présent vide, exactement comme un Lucien Leuwen
en garnison à Nancy. Il éprouve le besoin de se distraire en se faisant jouer de la musique et en rêvant
de l'Italie. « Je me figure, écrit-il dans la même lettre
les hauteurs que — (composant des ouvrages, entendant Cimarosa, et aimant Angela sous un beau climat),
— mon âme habite, comme des collines délicieuse ».
Amoureux lointain et transi, mélomane pathétique,
Stendhal se compose comme il peut, au milieu de la
laideur et de la boue, un moment de jouissance absolument désintéressée.

Combien différent se révèle-t-il ici du jeune Julien
Sorel, non pas du Julien Sorel du dénouement, mais
de celui du commencement et du cours du récit !
Voici comment Julien se décrit lui-même à Mme de
Rênal, tel qu'il était à cette époque :

Autrefois,... quand j'aurais pu être heureux pendant
nos promenades dans le bois de Vergy, une ambition
fougueuse entraînait mon âme dans les pays imagi-
naires. Au lieu de serrer contre mon cœur ce bras charmant qui était si près de mes lèvres, *l'avenir m'enle-
vait à toi* ; j'étais aux innombrables combats que
j'aurais à soutenir pour bâtir une fortune colossale...

Et Julien d'ajouter :

... Je serais mort sans connaître le bonheur... [1]

Confesser qu'on était incapable de connaître le
bonheur, c'est donc avouer, du même coup et pour
la même raison, qu'on était incapable de goûter le
moment présent. Conscience du présent et conscience

1. *Le Rouge et le Noir*, l. 2, chap. 45.

du bonheur sont invariablement confondues dans la pensée de Stendhal. Quand l'être stendhalien se sent heureux, c'est qu'il sent coïncider avec le moment où il vit. C'est ce que fait naturellement, non pas Julien, mais celle à laquelle il se croit d'abord si supérieur par son refus d'être heureux, Mme de Rênal :

...Toutes les nuances de son bonheur étaient neuves pour elle. Aucune triste vérité ne venait la glacer, pas même *le spectre de l'avenir* [1].

Pourtant, chez Julien, dans cette volonté incessante de dépasser le moment, de se projeter dans l'avenir, il y a parfois une sorte de relâchement, de détente, la conscience d'un bonheur fugitif, perçu pour ainsi dire par mégarde :

Dans ses moments d'oubli d'ambition, Julien admirait avec transport jusqu'aux chapeaux, jusqu'aux robes de Mme de Rênal. Il ne pouvait se rassasier du plaisir de sentir leur parfum [2].

Ainsi Stendhal nous laisse pressentir chez cet être tendu vers le futur et aussi peu disposé que possible à profiter des jouissances du moment sensible, une disposition inverse, qui d'abord ne se manifestera que fortuitement, de loin en loin, dans des moments qualifiés par lui de moments de faiblesse, et qui pourtant annonce un bouleversement, un renversement absolu de l'orientation spirituelle de l'être, en conséquence duquel ce qui était exceptionnel deviendra naturel, et ce qui était la norme disparaîtra sans retour. Si nous nous transportons, en effet, à la fin du livre, c'est-à-dire à l'époque de la prison, des méditations termina-

---

1. *Le Rouge et le Noir*, l. I, chap. 13.
2. *Ib.*, l. I, chap. 16.

les, des amours dernières, nous voyons surgir à la place de l'ancien Julien, un Julien détendu, simple, spontané, heureux, susceptible de savourer le moment tel qu'il est. Or si Julien a subi une métamorphose aussi complète, c'est qu'il a enfin, et définitivement, renoncé à l'ambition et à l'avenir. Transformation qui, avant que de le conduire au bonheur, ne laisse pas d'être douloureuse :

Chacune des espérances de l'*ambition* dut être arrachée successivement de son cœur par ce grand mot : Je mourrai [1].

C'est donc dans la conscience de sa mort prochaine, c'est-à-dire dans la certitude d'être maintenant sans avenir, de n'avoir d'autre existence que celle du moment immédiat, que Julien trouve la force de renoncer à ce qui avait été précisément le principe de sa vie. Faisant mourir son ambition, vivant par anticipation sa propre mort, il jouit mieux de ce qui lui reste de vie actuelle :

...Il vivait d'amour et *sans presque songer à l'avenir* [2]. *L'ambition* était morte dans son cœur [3].

Il y a donc une analogie remarquable entre l'humeur de Julien à la veille de l'échafaud et l'humeur de Stendhal pendant la campagne de Russie. L'un et l'autre se sentent délivrés du souci de prévoir l'avenir. A partir du moment où ils se décident à ne vivre que pour le moment, une nouvelle sorte d'existence commence pour eux, qui est une vie sans passé et sans futur, une vie toujours au moment présent, une vie qui se vit au jour le jour. C'est l'expression même dont se sert Sten-

1. *Le Rouge et le Noir*, l. 2, chap. 36.
2. *Ib.*, l. 2, chap. 45.
3. *Ib.*, l. 2, chap. 39.

dhal pour la décrire. C'était celle même dont se servait
déjà Montaigne : « Je vis du jour à la journée ; ... mes
desseins se terminent là ». Avant l'extraordinaire métamorphose qui fait de lui, à quelques jours de l'échafaud, un être enfin digne de Stendhal (et de Montaigne), Julien Sorel est précisément décrit comme
quelqu'un qui « était à mille lieues de l'idée de renoncer à toute feinte, à tout projet, et de vivre au
jour le jour ». Alors on lui disait : «... Vous avez naturellement (une) mine froide et à mille lieues de la
sensation présente... » Au contraire, au moment de la
fin, Julien dira de lui-même :

J'ai été ambitieux, je ne veux point me blâmer ;
alors j'ai agi suivant les convenances du temps. *Maintenant je vis au jour le jour* [1].

Or, encore une fois, ce sont les paroles mêmes que
Stendhal dit de lui-même :

J'ai toujours vécu et je vis encore *au jour le jour* et
sans songer nullement à ce que je ferai demain [2].

*
* *

Vivre au jour le jour, renoncer à l'avenir, à l'ambition, c'est donc renoncer à tout projet, et, généralement, au projet même de vivre. La vie est maintenant sans projet, sans plan, sans intention préméditée.
Elle s'improvise au fur et à mesure.

Non plus l'itinéraire soigneusement tracé à l'avance
par celui qui se donne un programme, mais une avan-
cée sans dessein, qui s'abandonne et se fie aux sur-
prises des rencontres. C'est quelque chose comme un
voyage sans destination précise, un de ces voyages

---

1. *Le Rouge et le Noir*, l. 2, chap. 45.
2. *Souvenirs d'égotisme*, chap. 2.

comme Stendhal se plaît à en décrire, dans *Rome, Naples et Florence*, dans les *Promenades dans Rome*, dans les *Mémoires d'un Touriste* :

Ce matin, le ciel chargé de nuages nous permettait de courir les rues de Rome, sans être exposés à un soleil brûlant et dangereux. Nos compagnes de voyage ont voulu revoir le Forum, *sans projet ni science, et uniquement en suivant l'impulsion du moment* [1].

Or, parmi les voyages qu'on peut faire, il n'en est pas de plus fascinant et de plus imprévisible que les voyages mentaux, les sortes de voyage que nous font faire les livres que l'on compose.

Stendhal les écrit, exactement comme on se promène, c'est-à-dire sans projet ni science : « Faire le plan d'avance me glace », écrit-il en marge du brouillon de son *Lucien Leuwen*.

Et il fait cette intéressante remarque générale :

Ce qui fait que les femmes, quand elles se font auteurs, atteignent bien rarement au sublime, ce qui donne de la grâce à leurs moindres billets, c'est que jamais elles n'osent être franches qu'à demi : être franches serait pour elles comme sortir sans fichu. Rien de plus fréquent pour un homme que d'écrire absolument sous la dictée de son imagination, et *sans savoir où il va* [2].

Mais aller de l'avant sans savoir où l'on va, ce n'est pas là simplement pour Stendhal une manière d'écrire, c'est une façon de vivre, et même la seule bonne : « Dans les choses de la vie où je sens ma force, remarque-t-il, je suis disposé à ne point prendre de parti d'avance ».

1. *Promenades dans Rome*, 1ʳᵉ éd., t. 2, p. 17.
2. *De l'Amour*, chap. 26.

Tout bon personnage stendhalien se comporte de la même manière : « ... J'obéis, dit Lucien, à des idées qui me viennent tout à coup et que je ne puis prévoir une minute à l'avance... »

De tous les personnages stendhaliens, Lucien, en effet, est celui qui a le plus confiance en ses forces, qui se méfie le moins de lui-même et du monde. Il est toujours prêt à accueillir les dons, bons ou mauvais, du sort. Par là, il est le contraire même de Julien Sorel, qui est l'être qui se défie. Or, se défier, c'est avoir conscience de son vrai manque de force, de sa faiblesse secrète. « C'est dans les choses où je suis faible, écrit Stendhal, que je n'ai jamais fait assez de résolutions d'avance ».

Les fameuses résolutions prises par Julien Sorel (il faut que dans une minute je prenne cette main, je la serre...) sont donc, non des témoignages d'énergie, mais des aveux de faiblesse. L'être qui suppute l'avenir, c'est celui qui ne trouve pas au fond de soi les ressources nécessaires pour faire front gaiement à l'imprévisibilité du moment présent.

Au contraire, l'être fort est celui qui suit l'impulsion de son âme, et plus cette impulsion est forte, plus sa réaction est intense. Au lieu d'un avenir calculé, que l'action réfléchie d'un Valmont prédétermine et actualise, voici un futur inattendu qui sur-le-champ éveille une réponse fulgurante. Point donc chez Stendhal de futur prévu et réalisé par la volonté de l'homme ; point non plus de destin prédéterminé, dont l'homme se découvrirait le prisonnier à l'avance et auquel il ne lui resterait d'autre recours que de se soumettre, comme dans les romans de Balzac et même de Flaubert. Mais un moment toujours surprenant par la promptitude de son apparition comme par la nouveauté de son contexte ; un moment sans rapport causal avec ce qui précède, sans prévision, sans préparation, et auquel l'esprit se trouve aussitôt contraint d'improviser, tant bien que mal une réponse ; bref, un moment, où éclate la conjonction du hasard et d'une pensée qui aussitôt s'en empare, l'interprète et l'adapte :

Je prends *au hasard* ce que le sort place sur ma route [1].

Entre Julien et moi il n'y a point de signature de contrat, point de notaire, tout est héroïque, tout sera fils du *hasard* [2].

[A la cour de Henri III, se dit Mathilde de la Môle], la vie d'un homme était *une suite de hasards* [3].

Il se sentait entraîné, il ne raisonnait plus, il était au comble du bonheur. Ce fut un de ces instants rapides que le *hasard* accorde quelquefois, comme compensation de tant de maux, aux âmes faites pour sentir avec énergie [4].

Un instant rapide, où l'on sent avec énergie, voilà donc à quoi se ramène la temporalité stendhalienne. Des événements qui débouchent les uns après les autres en plein milieu de la conscience ; et parfois, la chance aidant, si l'âme a la promptitude nécessaire, le don d'improviser, l'audace requise pour choisir telle ligne de conduite, une merveilleuse convenance qui s'établit instantanément entre le caprice du destin et l'énergie passionnée de la pensée.

Cela est vrai partout, mais plus spécialement, pense Stendhal, en cette terre favorisée, où la plante humaine est plus vigoureuse que partout ailleurs, c'est-à-dire l'Italie :

1. *Souvenirs d'égotisme*, chap. 9.
2. *Le Rouge et le Noir*, l. 2, chap. 12.
3. *Ib.*, l. 2, chap. 14.
4. *Armance*, chap. 16.

Le bonheur de l'Italie est d'être laissée à l'*inspiration du moment*[1].

...L'Italie, où l'emportement de la *sensation actuelle* et la force de caractère qui en est la suite, ne sont pas rares...[2]

...L'Italie, pays de la *sensation*...[3]

Alors que le *Rouge et le Noir* est le roman de l'ambition, c'est-à-dire de la pensée anticipatrice, inquiète, exclusivement tournée vers le futur, négligeant la sensation actuelle et consommant ainsi son propre malheur, la *Chartreuse de Parme* est le roman du mouvement par lequel les âmes se livrent d'un coup au sentiment qui les possède, en sorte qu'elles sont admirablement aptes à « jouir du moment présent ». Fabrice en est un exemple évident. Mais plus que tout autre personnage de cet ouvrage, voire même de tous les romans stendhaliens, la Sanseverina incarne ce type :

Sa beauté est son moindre charme ; où trouver ailleurs cette âme toujours sincère, qui jamais n'agit avec prudence, qui *se livre tout entière à l'impression du moment*, qui ne demande qu'à être entraînée par quelque objet nouveau ?[4]

Mosca ne dit pas autre chose de celle qu'il aime :

Je connais Gina, c'est une femme de premier mouvement ; sa conduite est imprévue même pour elle[5].

Imprévue, fantaisiste, docile à toutes les suggestions du moment actuel et s'y abandonnant avec une

1. *De l'Amour*, chap. 43.
2. *Rome, Naples et Florence, Lévy*, p. 103.
3. *Ib.*, p. 164.
4. *La Chartreuse de Parme*, chap. 6.
5. *Ib.*, chap. 7.

absence totale d'arrière-pensée, telle est Gina Sanseverina. Elle est l'incarnation même du sensualisme
passionné dont, pour Stendhal, l'Italie est la mère
patrie. Rien de plus délicieux qu'un être comme la
duchesse. Pourtant, à la longue, sa conduite n'est pas
sans présenter de singuliers inconvénients, sinon pour
elle, à tout le moins pour ceux qui lui sont proches.
Son amant, le comte Mosca, en fait la réflexion :

> Toujours au moment de l'*action*, il lui vient une
> nouvelle idée qu'elle suit avec transport, comme étant
> ce qu'il y a de mieux au monde et qui gâte tout [1].

Combien de fois, en effet, ne voit-on pas, au cours
du récit, l'impulsive duchesse ruiner par ses transports les sages arrangements de son amant ? Mais il
y a aussi autre chose. La Sanseverina n'est pas seulement déraisonnable et fantastiquement capricieuse,
elle est, comme le dit Stendhal, « *esclave de la sensation présente* » [2].

Esclave ! L'être primesautier n'est donc pas un être
libre, c'est au contraire un être tyrannisé par l'émotion
dont il est le sujet. Sur ce point, Stendhal réitère les
déclarations les plus explicites : Les Italiens, dit-il,
sont « un peuple passionné, *esclave de la sensation du
moment* » [3]. — « Un jeune Italien, riche, à vingt-cinq
ans, quand il a perdu toute timidité, est l'*esclave de la
sensation actuelle*. Il en est entièrement rempli » [4].

Mais c'est surtout, aux yeux de Stendhal, l'Italien
du Midi, le Napolitain, qui tombe le plus entièrement
sous le joug de la sensation : « ... La *sensation présente*
ce *tyran* de l'homme du Midi » [5]. — « La *sensation
actuelle* est tout pour un Napolitain » [6].

1. *Ib.*
2. *Ib.*, chap. 16.
3. *Rome, Naples et Florence*, p. 101.
4. *Ib.*, p. 51.
5. *Ib.*, p. 86.
6. *Promenades dans Rome*, t. 2, p. 239.

Esclave de l'instantané, mais d'un instantané qui varie sans cesse et qui n'a jamais le temps de donner aux sentiments racine ou profondeur, le Napolitain a des passions, mais ce sont des passions volatiles. Défaut le plus grave, son expérience sensible manque d'intensité. Ce n'est pas un vrai passionné, une âme forte.

A proprement parler, la plupart des Napolitains n'ont pas de passions profondes, mais obéissent en aveugles à la *sensation du moment* [1].
Les grandes et profondes passions habitent à Rome...
Pour le Napolitain, il est l'esclave de la *sensation du moment* [2].

Nonchalant, vif, superficiel, sans cesse distrait de lui-même et de son caprice passé par quelque fantaisie nouvelle, Lucien Leuwen, avant qu'il rencontre Mme de Chasteller, qu'est-il sinon une espèce de Napolitain de Paris ? La sensation présente est toujours bien accueillie par lui. Elle a le mérite de le désennuyer (L'ennui est une maladie de l'âme, dit Stendhal. Quel en est le principe ? L'absence de sensations assez vives pour nous occuper) [3]. — Grâce donc à la sensation, Lucien échappe à l'ennui qui le guette. Mais il n'y échappe que pour le moment où il l'éprouve, et il lui faut sans cesse se donner de nouvelles sensations pour échapper à l'absence de toute sensation. Il est vrai que l'apparition de Mme de Chasteller changera tout cela. Elle deviendra miraculeusement pour Lucien la source d'un intérêt qui se renouvelle sans cesse. Mais c'est que Mme de Chasteller fera passer son amant de l'état de dilettante et d'amateur de sensations à celui d'amoureux passionné.

1. *Promenades dans Rome*, tome 2, p. 239.
2. *Id.*, t. 1, p. 123.
3. *Mélanges de littérature* II, Divan, p. 29.

Il y a donc autre chose que la « sensation du moment ». Il y a la capacité de se saisir du moment pour manifester sa passion avec énergie. L'être véritablement passionné n'est pas simplement « l'esclave de sa sensation » ; celle-ci est l'expression d'une émotion qu'il est impossible de distinguer de celui qui l'éprouve. L'être passionné ne vit pas sous l'empire d'une force indépendante de lui-même. Il *est* véritablement son sentiment. Comment pourrait-il jamais s'en dissocier, puisque le sentiment qu'il a de lui-même ne fait qu'un avec l'énergie qui l'enflamme ? En quelque direction qu'elle l'entraîne, est-ce vers le crime, est-ce vers l'extase amoureuse, l'énergie n'est jamais chez lui que la manifestation exaltée de son propre moi.

Aussi, chez Stendhal, le sentiment du moi passionné tel qu'il se révèle à celui même qui en fait dans le moment vécu l'expérience, ne se limite-t-il jamais à une simple conscience passive de l'être. Le moment où l'on éprouve est aussi le moment où l'on agit : « Nulle jouissance sans action », dit Stendhal. Nul sentiment qui ne surgisse dans l'instant, et qui ne charge aussitôt cet instant d'énergie, pour entraîner l'être qui en est le sujet dans un mouvement par lequel le sentiment finit par se traduire irrésistiblement en acte :

Dans presque tous les sentiments de la vie, une âme généreuse voit la possibilité d'une *action* dont l'âme commune n'a pas l'idée. A l'instant même où la possibilité de cette action devient visible à l'âme généreuse, il est de son intérêt de la faire [1].

Cette phrase de Stendhal répète une pensée d'Helvétius :

Il est contraire à la nature de l'homme, il lui est

1. *De l'Amour*, chap. 34.

impossible de ne pas faire ce qu'il pense devoir le conduire au bonheur au moment où la possibilité lui en est offerte [1].

Il est aisé de reconnaître ici la doctrine de « l'intérêt bien entendu ». Stendhal y donne d'ailleurs une inflexion différente de celle que lui confèrent les philosophes utilitaristes. Il s'agit pour lui, en effet, d'un choix immédiat de l'être, option par laquelle, pour ainsi dire, l'être d'un coup prend le parti de son moi, le parti de son bonheur. Se choisir et en se choisissant, choisir le bonheur, telle est la réaction essentielle, celle à laquelle l'esprit se laisse aller instantanément, instinctivement, sans balancer. L'action est ici un véritable impératif.

On le voit nettement dans ce passage du roman d'*Armance* :

Du moment que j'ai aperçu le *devoir* (se dit l'héroïne de ce roman), ne pas le suivre *à l'instant*, en aveugle, sans débats, c'est agir comme une âme vulgaire, c'est être indigne d'Octave [2].

On se rappelle maints exemples chez Stendhal de ces devoirs et de ces choix instantanés. Exemple de Julien Sorel, au café, à Besançon, lorsqu'un des amants de Mlle Amanda s'approche du comptoir et semble regarder Julien d'une certaine façon : « A l'instant, dit Stendhal, l'imagination de celui-ci, toujours dans les extrêmes, ne fut remplie que d'idées de duel ».

Exemple encore de Fabrice à Genève, à son retour de Waterloo, lorsqu'il se prend de querelle, lui aussi, avec quelqu'un qui l'avait regardé de travers : « Dans cette querelle, dit Stendhal, le premier mouvement de Fabrice fut tout à fait du xvie siècle : au lieu de parler de duel au Genevois, il tira son poignard et se

1. *Pensées sur la philosophie d'Helvétius*, Divan, p. 304.
2. *Armance*, chap. 7.

jeta sur lui pour l'en percer. En ce moment de passion,
Fabrise oubliait tout ce qu'il avait appris sur les règles
de l'honneur, et revenait à l'instinct, ou pour mieux
dire, aux souvenirs de la première enfance »1.

Moment de passion, qui est en même temps, sans
transition et sans distinction possible, moment d action. Surprise, indignation, fureur, désir de vengeance et le geste qui doit réaliser celle-ci, tout se
passe dans un même moment sans durée. Ainsi s affirme chez Fabrice « cette façon passionnée de sentir
qui régnait en Italie vers 1559 [et qui] voulait des
actions et non des paroles ». Fabrice, on le sait, n'est
qu'un personnage transposé de l'histoire des Farnèse
au xvie siècle. Et ne peut-on pas en dire de même de
Lamiel, l'être le plus intensément, le plus dange-
reusement passionné qu'on trouve dans les romans
stendhaliens ? elle, l'amante d'un incendiaire et d'un
brigand, selon laquelle « une âme de quelque va eur
devait agir et non parler » ?

Cependant Stendhal se rend parfaitement compte
du caractère exagéré de sa thèse. Présenter une
morale, suivant laquelle l'être doit s'abandonner
sans réflexion aux sentiments les plus inenses dans
l'instant même où il les éprouve, c'est pousser le
culte de l'énergie jusqu'à l'absurde, jusqu'à la catastrophe. D'ailleurs, nul ne sait mieux que Stendhal
avec quelle funeste facilité les passions s'infléchissent,
quel tour déplorable elles peuvent prendre, lorsqu'en
présence de certains comportements insultants, l'être
passionné voit soudain sa sympathie se transformer
en haine.

En d'autres termes — Stendhal y a beaucoup insisté
— l'être passionné n'est que trop susceptible de se
métamorphoser en une créature vindicative. L'Italie,
terre des âmes fortes, est aussi celle des êtres haineux
et malheureux : « Là se trouve le ressort des grands

3. *La Chartreuse de Parme*, chap. 5.

hommes, dit Stendhal ; mais il est dirigé à contre-sens ».

Il est vrai que, pour d'autres raisons dans le détail desquelles il serait trop long d'entrer, Paris et la province française peuvent avoir aussi le pouvoir d'altérer déplorablement l'assiette de l'âme passionnée : « Je suis persuadé qu'à Paris, écrit Stendhal, je serais haïssant, c'est-à-dire malheureux ». — Et parlant de son enfance à Grenoble : « J'étais méchant, sombre, déraisonnable, *esclave* en un mot... dans le pire sens du mot ».

Ainsi donc, comme il y a l'esclave de la sensation momentanée et fugace, il y a l'esclave de la passion pervertie. N'est-ce pas au spectacle d'un esclavage de ce genre que nous assistons, vers la fin de la *Chartreuse*, lorsque nous voyons la duchesse, jusqu'alors si exquisement spontanée, changer d'humeur, s'absorber dans le sentiment des injures essuyées, et méditer finalement l'assassinat de celui qui lui avait fait tort ? L'intensité, l'entièreté irréfléchie avec laquelle l'être passionné se livre au sentiment que l'occasion suscite ou modifie, n'est donc pas sans de graves dangers. Et le moindre de ces dangers n'est pas, aux yeux de Stendhal, qu'il détourne l'être de son devoir essentiel, qui est de se saisir du bonheur dans l'instant où il se présente.

*
* *

Mais comment saisir ce bonheur qui surgit et s'enfuit dans le moment rapide ? En ne bandant plus ses énergies, en les laissant non plus se tendre, mais au contraire se détendre. Alors se découvre une merveilleuse souplesse qui permet d'épouser dans l'instant la chance que nous offre l'instant.

Encore une fois, ici, Stendhal se trouve très proche de Montaigne. Dès qu'ils se rendent compte que tout ce qu'il y a de précieux dans l'expérience humaine se

situe dans l'instant, l'un comme l'autre organisent
toutes les ressources de l'être pour arriver à cap-
turer cette proie qui s'avère la seule importante.
Pour cela, ils s'efforcent d'arriver à la flexibilité
d'esprit et de cœur la plus grande possible. L'instant,
et le bonheur qu'il comporte, ne peuvent être captés
que par une adaptation de l'être à ce que précisément
l'instant lui-même offre ou propose. Le moment de
bonheur ne peut être possédé que par une sorte d'abandon de l'être à ce moment lui-même : « Dire exactement ce que le degré d'ivresse du moment
comporte... » — « Lui dire [à ma maîtresse] ce que
je trouverai de mieux dans le moment... lui dire à
chaque moment ce que je pense et sens, les yeux fixés
sur son âme... »[1]

Telle est, semble-t-il, la politique du bonheur finalement adoptée par Stendhal. Dire tout bonnement ce
qui viendra à l'esprit. Suivre l'impulsion de son âme.
Et arriver ainsi, non pas chaque fois, ce serait trop
beau, mais de temps en temps, par exemple « une ou
deux fois par an », à un de « ces moments d'extase où
toute l'âme est bonheur »[2].

L'on connaît les textes tant et tant de fois cités par
les stendhaliens. Ils concernent indifféremment Henri
Beyle lui-même et les personnages privilégiés en qui
s'incarnent ses rêves de bonheur. L'on se rappelle le
début du Cahier de la ferme volonté : « Je suis aussi
heureux que possible, à trois heures du soir, beau
soleil après pluie, en découvrant les belles pensées qui
commencent le cahier de la ferme volonté ».

Voilà pour un « moment de bonheur » vécu par
Stendhal lui-même.

Mais combien d'autres réservés à ses personnages !

« De sa vie une sensation purement agréable n'avait
aussi profondément ému Mme de Rênal ».

---

1. *Journal,* 11 mars 1805.
2. *Lettre à Pauline,* 20 août 1805.

« Julien eut un instant délicieux... »

« ... Jamais Lucien n'avait rencontré de sensation qui approchât le moins du monde de celle qui l'agitait. C'est pour un de ces rares moments qu'il vaut la peine de vivre ».

« Ce moment fut le plus beau de la vie de Fabrice... »

« Il serait difficile de peindre les transports de bonheur que Lamiel sentit au moment où sa diligence partit pour Paris ».

Ces textes sont singulièrement semblables. Remarquons qu'il y s'agit chaque fois de *moments* et non d'*états*. Ces moments marquent l'intensité du sentiment chez celui qui les vit. L'intensité aussi de la conscience qui les enregistre. Rien de plus gai, de plus vif, mais aussi de plus lucide que le pique-nique sur l'herbe de Stendhal avec Louason, où ils ont, dit-il, « déjeuné longuement en *sentant bien notre bonheur* ».

Telle est, semble-t-il, la condition essentielle. Pour qu'il y ait moment de bonheur, il faut que l'être s'y livre avec toute l'intensité spontanée qu'il y a dans sa faculté de sentir ; mais il faut encore que rien ne soit perdu de cette extase sensible par la conscience ; il n'y a pas de vrai moment de bonheur, sans la conscience détaillée de ce bonheur :

Un plaisir passionné inondait mon âme et la fatiguait ; mon esprit faisait des efforts pour *ne laisser échapper aucune nuance* de bonheur et de volupté [1].

* * *

Détailler le bonheur ! Telle est donc la recette préconisée par Stendhal pour profiter au maximum du moment présent. A partir de l'époque où il l'adopte, il l'applique sans cesse, avec un succès, il faut le dire,

---

1. *Rome, Naples et Florence*, p. 227.

inégal. L'application de ce procédé d'existence se heurte en effet à des difficultés souvent insurmontables.

D'abord trop détailler le bonheur qu'on éprouve, c'est le considérer sèchement, c'est rester froid. Dans un très bel essai qui fait partie de *Littérature et Sensation*, Jean-Pierre Richard a clairement montré les ravages d'une pensée qui se veut uniquement perceptive. Elle perçoit tout mais elle ne sent plus rien. Elle est admirablement armée pour noter, analyser, comparer et enregistrer les nuances du bonheur, mais en même temps, par son action même, par son action desséchante, elle fait s'évanouir le bonheur. Percevoir, c'est presque se rendre incapable d'éprouver. Mais l'inverse est également vrai. Eprouver, du moins éprouver de façon trop intense ce que l'on éprouve, c'est se rendre incapable de percevoir : « Un homme dans les transports de la passion, dit Stendhal, ne distingue pas les nuances... » Que distingue-t-il donc ? Rien du tout. Stendhal ne fait que le constater par son expérience propre :

Je n'ai point eu d'esprit, j'étais trop troublé [1].

La moindre chose m'émeut, me fait venir les larmes aux yeux, sans cesse la sensation l'emporte sur la perception... [2]

Enfin, parlant de sa maîtresse, des sentiments qu'elle lui inspire et des futiles projets de séduction qu'il ourdit à son égard :

Voici peut-être la raison qui fait que je n'avance pas mes affaires auprès d'elle ; je l'aime tant que, lorsqu'elle me dit quelque chose, elle me fait tant plaisir, qu'outre que je n'ai plus de perception et que je suis tout sensation, quand même j'aurais la force de percevoir, je

1. *Journal*, Pléiade, p. 633.
2. *Ib.*, p. 633.

n'aurais probablement pas la force de l'interrompre
pour parler moi-même...

Et Stendhal d'ajouter mélancoliquement :

Voilà peut-être pourquoi les véritables amants souvent n'ont pas leurs belles [1].

Voilà peut-être aussi pourquoi l'être qui se contente de subir ce qu'il éprouve, n'éprouve rien. Littéralement, il perd la tête ; et, en perdant la tête, il perd
du même coup l'occasion de jouir de son bonheur.

Alors que faire ? Puisque sentir et percevoir ce
qu'on sent sont deux choses également nécessaires,
peut-on s'arranger pour sentir d'abord et percevoir
ensuite, ce qui semble facile et d'une pratique d'ailleurs universellement répandue ?

En effet, observe Stendhal, « une vue faible est
éblouie d'un éclair pendant la nuit ; cet éclair la
trouble et la transporte tant, elle le sent si fortement,
qu'elle n'a pas eu le temps (la présence d'esprit)
d'examiner sa direction, ni le nombre de ses zigzags » [2].

Conclusion : pour percevoir ce que nous sentons (et
en profiter), donnons-nous donc ce temps qui nous
manque. Mettons de la distance entre la sensation
et la perception. C'est ce que tout le monde fait, et ce
que Stendhal tâche de faire :

Le jour où l'on est ému n'est pas celui où l'on remarque mieux les beautés et les défauts [3].

En sortant [en sortant de chez sa maîtresse, où, une
fois de plus, Stendhal est resté muet comme une carpe],
en sortant, il m'est venu une prodigieuse quantité de
choses tendres et spirituelles. Quand je serai davan-

1. *Journal*, p. 675.
2. *A Pauline*, 8 mars 1805.
3. *Journal*, p. 575.

tage *perception* et moins *sensation*, je pourrai les lui
dire [1].

Ce que pratique donc Stendhal, c'est l'esprit de
l'escalier, celui par lequel on divise en quelque sorte
le moment en deux. Dans la première partie de celui-
ci, on sent, on subit, on se trouble, on se voit offrir
l'occasion de dire ou de faire quelque chose ; et
puis, dans la seconde partie, on trouve ce qu'il faut
dire ou faire, on profite tardivement et pour ainsi
dire rétrospectivement de l'occasion.

Mais sans compter que dans un tel comportement
l'on est toujours trop tard et que l'activité perceptive
et inventive s'avère donc pour commencer, fâcheuse-
ment inefficace, une telle pratique a le tort irrémé-
diable de scinder le moment et d'en faire, pour ainsi
dire, deux moments qui ne sont même pas consécutifs.
Sans doute, il est nécessaire de ne plus coller à l'instant, de s'élever, comme le veut le docteur Sansfin « au-
dessus de la sensation du moment », mais encore faut-
il le faire de telle façon que ce mouvement de l'esprit
ne l'éloigne pas du petit noyau de durée sensible dont
il a pour mission d'éclairer, de mettre en relief et
peut-être d'accentuer les avantages. Non, l'idéal, ce
n'est pas de détruire l'instant en situant dans deux
points dissociés de la durée les éléments essentiels qui
doivent concourir à son délice, mais c'est, au contraire, de le renforcer, de l'unifier, en veillant à ce
que sensation et perception, ses deux indispensables
composantes, s'y retrouvent et s'y marient. Puisque
la sensation trop vive tend à troubler la perception, et
puisque la perception trop sèche tend à tuer la sensation, il n'y a qu'une seule solution possible : celle qui
consiste à tempérer la vivacité troublante de la sensation et à atténuer la rigueur desséchante de l'activité
perceptive. Alors un juste équilibre s'établit à l'inté-

1. *Journal*, p. 633.

rieur du moment lui-même. L'alliance heureuse de la
pensée lucide et du sentiment le plus tendre donne à
l'instant présent sa perfection. C'est ce que Stendhal
constate, par exemple le 25 février 1805, jour faste où
il est parvenu, sans la gâter, à « se détailler sa propre
manière de sentir ». « Voilà sans doute, s'écrie-t-il, la
plus belle journée de ma vie... Jamais je ne déploierai
plus de talent. La perception n'était que juste ce qu'il
fallait pour guider la sensation »[1].

Une intelligence assez agile pour remarquer pour
ainsi dire au vol toutes les nuances du frémissement
de l'âme, un frémissement assez modéré pour que
l'âme ne soit pas éblouie par son propre plaisir, n'est-
ce pas là, par exemple, la double activité de l'esprit
que requiert la musique ? car la musique est à la fois
sensation et perception :

> Ce qu'il y a de plus beau en musique, c'est incontes-
> tablement un récitatif dit avec la méthode de madame
> Grassini et l'âme de madame Pasta. Les *points d'orgue*,
> et autres ornements qu'invente l'âme émue du chan-
> teur, peignent admirablement (ou, pour dire vrai,
> *reproduisent dans votre âme*) ces petits moments de
> repos délicieux que l'on rencontre dans les vraies pas-
> sions. Pendant ces courts instants, l'âme de l'être pas-
> sionné se détaille les plaisirs ou les peines que vient
> de lui montrer le pas en avant fait par son esprit[2].

Un mélange exquis de repos et d'ardeur, d'activité
et de passivité, de spontanéité et de calcul, d'intelligence et de tendresse, telle est donc la réussite
merveilleuse des instants où l'on n'est point raidi par
la tension de l'effort perceptif, ni aveuglé par l'éblouissement de l'explosion sensible. Voilà donc le bonheur,
le seul bonheur possible. Il n'existe que dans de brefs

1. *Journal*, p. 655.
2. *Promenades dans Rome*, t. 1, p. 62.

moments et des moments aussi rares que brefs : « Une ou deux fois par an on a de ces moments d'extase où toute l'âme est bonheur... » —·« Ces extases, d'après la nature de l'homme, ne peuvent durer ».

La chasse au bonheur n'est donc pas vaine. On ne peut dire cependant qu'elle soit abondamment profitable. Dans son carnier le chasseur rapporte quelques pièces de gibier, mais il transporte aisément son butin et il peut en compter les pièces : une poignée de moments heureux. Ceux-ci constituent un tout petit nombre d'expériences exceptionnelles, délicieuses réussites de l'être accomplies de-ci de-là, au cours de son existence, mais qui ne constituent pas une existence. On peut les énumérer, on peut (parfois) s'en souvenir, on peut, comme essaie souvent de le faire Stendhal, aller de l'une à l'autre par la pensée. On peut tâcher de les comparer. On peut se demander, par exemple, si Adèle s'appesantissant au bras qui la supporte, est l'occasion d'un plus délicieux moment que les épinards au jus dont l'on dîne un autre jour à la campagne. Mais ces moments qu'on se rappelle (souvent d'ailleurs combien imparfaitement et de quelle façon profondément insatisfaisante), il y a une chose, en tout cas, qu'on ne peut jamais leur faire faire. On ne peut les souder les uns aux autres, les prolonger les uns dans les autres, faire passer le long de l'espace de temps qui les sépare, un courant de vie. Personne n'est moins équipé pour se construire une durée que Stendhal ; personne n'est moins doué pour expérimenter le sentiment du temps. Condamné à vivre — et à revivre — isolément, les moments de son existence, Stendhal n'est ni capable, ni même désireux, de transformer ces moments en un temps continu de l'être. Non, son idéal profond, l'espoir sans cesse déçu et sans cesse renaissant de sa pensée, ce serait de conférer à chacun de ces merveilleux moments une sorte d'éternité indépendante et particulière. Le rêve, ce serait de garder chacun de ces moments, frais, disponi-

bles, prêts à être revécus dans l'esprit à volonté.
Utiliser indéfiniment en n'importe quel instant nouveau, les quelques instants qui valent la peine d'être
répétés, voilà ce que Stendhal souhaite, et que par une
infinité de processus variés, il tâche d'accomplir.
Henri Brulard, les *Souvenirs d'égotisme*, toute l'œuvre
autobiographique en est le témoignage. Mais aussi
l'œuvre romanesque, agencée chaque fois de telle
sorte qu'intrigue, événements, décor et personnages,
tout s'y dispose autour de quelques moments, qui
sont des moments heureux. Moment heureux où
Julien, montant à l'échafaud, se rappelle d'autres
moments heureux passés dans les bois de Vergy avec
Mme de Rênal à son bras, moment heureux où Fabrice
en prison découvre le voisinage charmant de Clélia
Conti dans « une solitude aérienne », d'où l'on découvre
un horizon qui va de Trévise au Mont Viso. Moment
heureux, où en présence de Lucien amoureux de
Mme de Chasteller, certains cors de Bohême, au Chasseur Vert, « exécutent de façon ravissante une musique douce, simple, un peu lente, cependant qu'un
rayon de soleil perçant à travers les profondeurs de la
verdure, anime ainsi la demi-obscurité si touchante
des grands bois ». En aucun de ces épisodes, le moment
ne se relie à l'ensemble des autres moments, ne forme
avec eux cette totalité continue de l'existence accom-
plie, que nous donnent presque toujours, par exemple,
les personnages de Flaubert, de Tolstoï, de Thomas
Hardy, de Roger Martin du Gard. De ces derniers
l'on dirait qu'ils ont toujours le poids entier de leur
passé (et même de leur destin futur) sur leurs épaules.
Or, il en va à l'inverse pour les personnages stendhaliens. Ne vivant jamais que dans des moments, ils sont
toujours affranchis de ce qui n'appartient pas à ces
moments. Est-ce à dire qu'il leur manque une dimension essentielle, une certaine épaisseur qui est une
épaisseur de durée ? C'est possible. Mais comme on a
pu le voir par les exemples qui viennent d'être cités,

les moments stendhaliens ne sont pas dépourvus de dimensions qui leur sont propres. Le moment heureux réservé à Julien est doublement agrandi par la profondeur des réminiscences et la perspective immédiate de la mort. La musique du Chasseur Vert s'élève en un lieu qu'élargissent les jeux de la lumière dans le sous-bois. Enfin, quelle prodigieuse expansion est donnée à l'instant où Fabrice découvre Clélia, lorsqu'il la voit contre un décor qui est celui de toutes les Alpes déployées !

A strictement parler, le roman stendhalien n'a donc pas de durée. Mais dans les quelques moments sans durée qu'il nous présente, il nous offre par compensation, pour parfaire notre bonheur et celui de l'être qui est situé dans le cadre si étroit de ces brefs moments, une révélation de l'*espace*.

« Un amant, dit Stendhal, voit la femme qu'il aime dans la ligne d'horizon de tous les paysages qu'il rencontre »[1].

1. *De l'Amour*, chap. 59.

XI

MICHELET

I

« L'acharnement du travail contribue à me rendre
farouche »[1] — « Le travail poussait le travail et les
jours les jours. J'étais âpre, plein de mélancolie et de
désir »[2].

C'est ainsi que nous devons nous représenter
Michelet dans sa jeunesse : travaillant à perdre
haleine, non pas seulement âpre et dur à l'étude, mais
aveugle et sourd à tout ce qui ne concerne pas directement son labeur. Pour celui qui se soumet à une telle
contention, plus rien ni personne n'existe, pas même
les êtres les plus chers : « Vous ne me parliez jamais »[3],
lui reprochera sa fille Adèle. Toute la première vie
familiale de Michelet est caractérisée par la désertion
du père et de l'époux au profit du « travail passionné »[4]
qui l'absorbe. Sa femme négligée, son enfant oubliée,
son environnement ignoré, le farouche travailleur
ne connaît ni bonheur, ni détente, ni cette possession
paisible du moment présent, où l'homme, après
l'effort, se repose : « Ce qui me manquait, ce n'était

---

1. *Journal*, Gallimard, II, p. 137.
2. *Ib.*, p. 170.
3. *Ib.*, p. 527.
4. *Ib.*, p. 527.

ni la force, ni la chaleur, ni la vie ; c'était la suavité, le détendu et la grâce » [1]. Certains lui trouvent l'âme « sèche et serrée » [2].

Une telle rigueur a pour immédiate conséquence, en effet, sinon le dessèchement de l'esprit, en tout cas son resserrement à l'intérieur de limites extraordinairement étroites. Pureté première de la pensée de Michelet ! solitude vertigineuse de celui qui, détaché de toute actualité, s'enferme dans le cercle de sa lampe. A la double limitation de l'être physique et moral Michelet s'exhorte sans cesse, comme si c'était seulement par un rappel exprès de la tension volontaire, qu'il pouvait se maintenir dans son attitude. Lui qui étendra si généreusement son esprit à l'univers, qui voudra vivre comme Lamartine, dans la totalité de l'humanité, il ne peut supporter le moindre contact avec les hommes, avec le monde extérieur : « Pourquoi toujours s'étendre au dehors » [3] ? — « Je ne vis pas assez en dedans » [4] — « Abstenons-nous, resserrons-nous » [5], note-t-il à différents endroits de son Journal de jeunesse. Et parfois cette exhortation, il la transforme en principe de conduite ayant une application générale : « Les passions renfermées sont le plus souvent *moins* violentes » [6] — « Je crois que chaque homme serait plus reconnaissant, religieux, si le monde était resserré à une étroite enceinte » [7].

Vertueux, héroïque, sorte de chevalier plébéien du travail, le jeune Michelet s'imagine déjà goûter la récompense due à l'austérité de son existence. Il se figure être heureux. Le resserrement est pour lui la seule voie par laquelle il croit pouvoir arriver, non,

1. *Journal*, p. 117.
2. *Écrits de jeunesse*, Gallimard, p. 130.
3. *Ib.*, p. 116.
4. *Ib.*, p. 91.
5. *Ib.*, p. 77.
6. *Ib.*, p. 85.
7. *Ib.*, p. 90.

certes, au repos, — il n'en veut pas, — mais au moins à une sérénité qu'il n'est possible de posséder qu'à l'abri d'une enceinte impénétrable comme une armure. « Quand viendra le temps, se dit-il, où nous aurons *muré* l'âme en un sanctuaire de calme et de paix ? »[1] — « Je te l'ai déjà dit, écrit-il ailleurs, s'adressant à lui-même, bâtis dans ton âme un *mur de séparation*. Sans cela point de repos »[2]. Il s'applique à bâtir ce mur. En d'autres endroits, il le considère comme déjà bâti et comme le faisant bénéficier de sa protection : « Et ce détachement du présent était si continuel que, dans la plus déplorable situation du monde, je pouvais me dire à peu près heureux »[3].

Bonheur non assuré cependant, non évident aux yeux de celui même qui l'éprouve, comme l'indique la clause de style dont l'auteur en fait précéder l'expression. Bonheur en tout cas crispé dans l'étroitesse du lieu mental où il se contracte. Michelet est un être qui commence par se refuser à tout épanchement, à toute ouverture sur les autres, et sur le monde externe, et qui n'arrive, d'autre part, à concentrer sa pensée sur quelque objet que grâce à une expresse dépense d'énergie. Rien de spontané dans son comportement. La claustration et la restriction sont ici les effets d'une décision délibérée de l'esprit. Michelet commence sa vie en forçant sa nature. Ou plutôt en voulant explicitement ce qu'il veut, il obéit à l'un des traits essentiels de cette nature. Il se fait violence, parce que la violence est dans son tempérament. D'autre part l'espèce de muraille qu'il établit autour de lui n'a pas seulement pour fin de lui offrir une protection contre les incursions ou les distractions du dehors. Le mur a sa face interne comme sa face externe. Il est à la fois protection et prison. Une vie

1. *Ecrits de jeunesse,* p. 91.
2. *Ib.,* p. 100.
3. *Ib.,* p. 213.

contenue dans un espace étroit, se retourne en quelque sorte sur elle-même. Les différentes tendances qui la composent, s'enchevêtrent, se durcissent. Elles forment un nœud : « *Je serrai fortement ma vie*, constate Michelet, du *nœud* étroit, puissant de ma pensée, de ma volonté, m'obstinant à croire que ce que je tiens, je le tiens, et que rien ne m'échappera » [1]. Le nœud, en effet, est le moyen grâce auquel la chose possédée se trouve tenue ensemble. Mais de ce fait elle est réduite à un minimum d'espace et perd de son élasticité. Peut-on faire durer cette tension ? Peut-on vivre indéfiniment dans la raideur ? Aux forces de constriction ne faut-il pas nécessairement faire succéder des forces d'expansion ? La vie qui se fige ne prend-elle pas un pli qui devient douloureux ? « Pourquoi ma sombre enfance fut-elle si tardive ? dira plus tard Michelet. Pourquoi *nouée* si longtemps ? C'est qu'elle a manqué de fêtes, de société. Le soleil de l'homme, c'est l'homme » [2].

Et pourtant cette vie privée de fêtes se donne le plus vaste des spectacles, et cet être qui se soustrait à la compagnie des hommes, contracte d'autre part avec le genre humain une relation qui n'est rien de moins que totale. Tel est le sens de l'activité poursuivie par le jeune historien. Dans l'interdiction de toute joie particulière, s'il renonce à l'individuel, c'est pour mieux posséder le général. « Il n'y a rien de si noble, note Michelet, que ce qui s'éloigne des individualités, ce qui est principe, abstraction » [3]. — Et autre part : « Cherchez les sentiments qui n'ont rien de personnel, rien d'intéressé, ceux surtout qui n'ont pas pour objet un individu, une classe, ceux qui ont le plus grand caractère de généralité ». — Et il ajoute : « Plus on s'abstrait, plus on s'épure » [4].

1. *Journal*, II, p. 46.
2. *Ib.*, p. 245.
3. *Écrits de jeunesse*, p. 84.
4. *Ib.*, p. 93.

Ces notations ne sont pas sans rappeler celles d'autres jeunes savants : Ampère, Jacquemont, Ernest Renan. Cependant l'abstraction dont il est parlé ici a une signification spéciale. Il s'agit, en somme, pour arriver à la possession du général, de faire le sacrifice de l'individuel. Ascèse qui ressemble à la purification chrétienne, puisque, orientée vers l'acquisition d'un objet presque infini, elle exige une sorte de mort préalable : « Il faut apprendre à mourir. Après une vie d'individualité, il faut en commencer une de généralité » [1]. La contrainte à laquelle se soumet Michelet, a pour but ou pour effet de n'accorder qu'un minimum d'attention à la vie personnelle, la quasi totalité de l'existence devant être consacrée à l'étude de l'histoire, c'est-à-dire à une possession de l'être humain dans la multiplicité et dans la collectivité : « Plus d'individu. Ne pas recréer de nouvelles idoles, maintenir (contre le messianisme) la pluralité, le collectif... Au sommet le peuple, afin qu'il restât visible et que lui seul fût le héros » [2]. Si l'histoire telle que l'écrit Michelet va s'opposer trait pour trait à celle d'un autre grand historien romantique, Carlyle, c'est que, pour ce dernier, la leçon de l'histoire est le triomphe de l'individu, l'affirmation, contre le peuple, de la supériorité du grand homme. Tout au contraire, pour Michelet, l'histoire est une saisie de l'homme dans la généralité de la vie populaire. Le but à réaliser pour lui, c'est par le renoncement à toute vie propre l'acquisition d'une existence non individuelle, et qui est non individuelle parce qu'elle est fondamentalement vie d'un peuple ou d'une nation tout entière. Point de participation à la vie totale sans renonciation non moins totale à une vie personnelle.

Néanmoins dans la poursuite de cet idéal, l'esprit de Michelet n'est pas sans éprouver certains doutes.

1. *Journal*, II, p. 314.
2. *Ib.*, p. 162.

S'engager dans une voie qui aboutit à la perception
exclusive du général dans l'être, n'est-ce pas tourner
le dos à la vie concrète, nier ce qu'il y a de plus précieux
dans l'humanité, c'est-à-dire la personne humaine ?
Michelet en a l'intuition sur une plage de la Manche,
un jour qu'il y voit sa fillette Adèle jeter, en jouant,
des galets dans la mer. Brusquement, dans ce défi
lancé par un être si chétif à une force si incalculable,
Michelet a le sentiment déchirant du destin tragique
de l'individu, condamné à lutter en vain contre une
puissance qui le dépasse. Sa fille vouée à la mort,
l'universel triomphant par la destruction des exis-
tences particulières, telle est l'expérience essentielle
de Michelet, le tourment propre de l'historien, contraint, malgré ses instincts d'homme et d'individu, à
prendre le parti de la vie générale. « En voyant, d'une
part, cette terrible image de l'infini, de l'autre ma
fille, et cette attraction qui nous rappelle dans le
gouffre de la nature, je sentais la fibre de l'individualité se déchirer. Le général, l'universel, l'éternel,
voilà la patrie de l'homme »[1]. — Pourtant, songeant
une autre fois à la même scène, il s'écrie : « Comment
faire croire cela, et le croire contre soi-même, que
l'extinction de la personnalité soit un bien ? ... La
personne, telle personne : chose unique ; rien de semblable, rien après. [2] »

A ce moment (qui date du 12 septembre 1839),
Michelet est à peu près au milieu de sa carrière. Il est
à une espèce de sommet. Mais ce sommet est aussi un
lieu de partage. D'un côté, toute sa vie le porte à
sacrifier en lui et en les siens ce qui appartient à la
vie individuelle ; et, d'autre part, sous la forme d'une
enfant jetant des galets dans la mer, l'individualité
se réaffirme à ses yeux avec une force inconcevable.
Non, comment consentir à se désintéresser de la per-

1. *Journal,* I, p. 83.
2. *Ib.,* p. 316.

sonne humaine, alors que ce désintéressement est
cependant exigé par le mouvement même de la pensée historienne ? Point d'histoire sans mort de la
personne, pire encore, sans le choix par lequel l'historien consent à cette mort. L'histoire ne peut exister
que pour celui qui détourne son regard des destins
particuliers ; et pourtant celui qui écrit l'histoire est
un homme au milieu des hommes. Il sait d'une science
intime qui à la fois l'éclaire et l'unit à ses semblables,
il sait que c'est dans son individualité que l'homme
importe. Jusque dans le caractère périssable de son
être, la personne est irremplaçable. Comment l'abandonner, comment se détourner d'elle et consentir
qu'elle se perde, tel un galet dans la mer, au sein d'une
généralité débordante qui la submerge et la remplace ?

Renoncer à la personne humaine pour choisir la
généralité de l'humanité, c'est renoncer à l'être vivant,
préférer l'abstraction. Mais d'autre part, renoncer à la
généralité, c'est renoncer à l'histoire. Tel est le
dilemme où Michelet s'enferme, l'alternative à chacun des termes de laquelle il s'attache avec une volonté torturante de ne pas sacrifier l'essentiel. Encore
en 1847 il écrira : « Comment ne suis-je pas le prêtre
véritable (de la généralité) ? ... Comment la nature
revient-elle obstinément me faire descendre à l'individualité » [1].

La solution de Michelet est connue. Elle consiste à
refuser de choisir, à maintenir l'une et l'autre parties
du dilemme. Michelet va garder la généralité, et il va
garder *aussi* l'individualité. Bien plus, il va garder
l'une et l'autre en identifiant l'une à l'autre. Il ne
s'agira plus de renoncer à l'étroitesse du moi pour
atteindre la vastitude de la collectivité historique ; ou,
vice versa, abandonnant cette dernière, de se ren-
fermer dans l'enceinte du moi ; mais de faire coïncider
le moi et l'histoire, l'étendue (historique) de la vie

---

1. *Journal*, p. 678.

générale et la non-étendue de l'existence particulière :

> Chaque homme est une humanité, une histoire universelle... Et pourtant cet être en qui (tient) une généralité infinie, c'(est) *en même temps* un individu spécial, une personne, un être unique. irréparable, que rien ne remplacera [1].

Michelet sera donc cet « individu spécial », qui, *en même temps*, est « une humanité, une histoire universelle ». Il sera l'être comprimé et l'être dilaté, l'être qui se reconnaît à la fois dans l'une et l'autre de ces deux façons d'être et dans le passage de l'une à l'autre :

> L'histoire : violente chimie morale, où mes passions individuelles tournent en généralités, où mes généralités deviennent passions, où mes peuples se font moi, où mon moi retourne animer les peuples [2].

En se saisissant en lui-même, dans ses passions, dans la vie de son corps comme dans celle de son esprit, l'homme qui est en même temps historien, se saisit dans une histoire de lui-même analogue à l'histoire générale. Son petit noyau de durée et sa petite sphère d'action sont l'exact correspondant de l'énorme espace-temps rempli par les intérêts populaires ou nationaux. L'un est le miroir de l'autre, le microcosme de ce macrocosme. Bref, en plongeant le regard au fond de sa vie intérieure, Michelet y perçoit l'immensité historique et géographique constituée par la vie des nations et des peuples. « L'individualité, ecrit-il, ne serait-elle pas symbole de collection ? Ainsi moi d'un non-moi multiple, qui apparaîtra par ma mort ? La dissolution de l'individu éparpille la

---

1. *Histoire de France*, IV, p. 130.
2. *Journal*, I, p. 362.

vie, pour la faire fleurir plus multiple et plus belle.
Ainsi miroir alternatif de la vie concentrée... »[1]
Dans la page du *Journal* où Michelet enregistre cette
pensée, il interrompt ici la notation ; mais il est facile
de la continuer : miroir alternatif de la vie concentrée
et de la vie dilatée, de l'être à l'échelle de la vie individuelle, et de l'être à l'échelle de la vie générale.

Dans ce dernier passage, Michelet songe principalement à sa mort, à la multiplication des éléments du
corps par la décomposition de celui-ci. Ailleurs il
pense à sa vie, à la multiplication, par la pensée, de sa
propre vie : « De quoi l'histoire serait-elle faite sinon
de moi ? »[2] — « Biographier l'histoire comme d'un
homme, comme de moi »[3]. — Qu'on se rende bien
compte de ce que Michelet prétend ici à la fois trouver
et réaliser : trouver entre soi-même et l'histoire une
correspondance, réaliser une identification. Moi, Michelet, être individuel, je ne suis pas seulement *comme*
cet être collectif qui s'appelle peuple ou humanité.
Je *suis* le peuple, je suis l'humanité. Je n'ai qu'à me
pencher en moi-même pour me découvrir dans ma
généralité d'humanité œuvrante ou souffrante, dans
mon existence passionnée de peuple individu. « Il y a
bien longtemps que je suis la France »[4], constate
un jour Michelet. Il pourrait aussi bien écrire : « Il y a
bien longtemps que la France, c'est moi », dans un
sens évidemment fort différent de celui donné à
cette déclaration par Louis XIV. « Chaque homme, dira
encore Michelet, est une histoire universelle »[5].
Inversement l'histoire universelle se ramène à l'existence actuelle, plus précisément encore, à la conscience
de cette existence en une pensée individuelle. Aussi la
grande découverte de Michelet ne consiste-t-elle pas

1. *Journal*, p. 219.
2. *Id.*, p. 382.
3. *Id.*, p. 161.
4. *Le Peuple*, 3e partie, ch. 5.
5. *Histoire de France*, IV, p. 130.

simplement à identifier l'histoire de la collectivité
avec l'histoire de l'individu, à faire que l'une, objec-
tivement, se révèle similaire à l'autre ; elle consiste
encore à comprendre qu'en chaque individu l'histoire
de la collectivité trouve un sujet adéquat. Il suffit
d'une seule personne pour qu'en elle la totalité de
l'histoire devienne consciente. Grâce à cette présence
consciente au cœur même des événements historiques,
l'histoire change d'aspect, elle ne se contente plus
d'être une science, où le regard de l'historien voit des
objets proposés à son jugement. L'histoire devient
personnelle, intime, autobiographique. L'histoire
devient *mon* histoire. Quels que soient les êtres qu'elle
concerne, si différents de moi qu'ils soient par le lieu,
par l'époque, par les mœurs, par la langue, je me découvre immédiatement capable de vivre en moi leur
histoire, et cela de la même façon que par la puissance
de l'imagination je m'avère susceptible d'assumer les
sentiments du personnage de roman avec lequel je
m'identifie. Comme je me figure vivre dans le corps
et dans l'âme d'un Rastignac, d'un Julien Sorel, d'une
Emma Bovary, je vis dans la chair et dans l'esprit
de l'entité historique appelée France. — Mais ce n'est
pas encore assez dire, et il est important de dissiper
ici un malentendu qui pourrait affaiblir la valeur de la
métamorphose du moi individuel en moi collectif.
Quand moi, liseur de roman, je m'identifie avec Rastignac, Sorel ou Emma Bovary, je transfère en moi un
certain nombre de modalités affectives. Mais il y a
plus. La magie particulière de l'œuvre romanesque
a pour effet de faire éclore en moi des germes qui ne
demandaient qu'à s'y développer. Notre vie intérieure
est faite en partie d'ébauches, de velléités, et, à un
niveau plus bas, de réminiscences lointaines, de tendances latentes, d'un passé confus, mais intense,
toujours prêt à se retransformer en un futur. Telle est
la mutation opérée en nous par le roman que nous
lisons. Il substitue un autre être à celui que nous

sommes, il fait de nous un être agrandi ou approfondi par l'apparition en nous d'un autre être, qui, lui aussi, était nous, sans que nous le sussions. Or cette étonnante métamorphose du moi en un moi plus vaste, c'est ce que l'histoire à la Michelet accomplit. Elle permet à chacun de devenir le sujet de la réalité historique, comme si celle-ci était exclusivement composée d'événements concernant sa propre vie ; et elle permet à chacun de prendre conscience de ces événements, comme s'ils le concernaient personnellement. Moi, Michelet, et avec moi tout lecteur, je deviens le siège d'une aventure qui se confond avec le développement séculaire de l'humanité. Je me pense comme conscience d'un moi-peuple. Par delà le *Cogito* cartésien, façon de s'appréhender purement individuelle, où le *Je* qui pense, à l'instant où il se pense, se détache de tous les temps et s'isole de l'univers entier, il y a donc un *Cogito* historien, façon de s'appréhender à la fois individuelle et générale, où le *Je* qui pense est en même temps un *Nous*, où le *Je* se constitue comme lieu mental de toutes les expériences du *Nous*, où il n'y a pas de différence entre moi, Michelet, qui me pense, et moi, Michelet, en qui se pense la conscience de l'humanité [1].

Admirable bouleversement de la perspective historique ! Car quel que soit l'événement particulier sur lequel Michelet historien se concentre maintenant, il ne peut plus faire autrement que de le percevoir de l'intérieur. Tout événement historique devient du même coup événement personnel. Avoir connaissance de l'histoire, c'est donc avoir la conscience interne d'états de pensée et de sentiments qui sont historiquement nôtres, — tellement nôtres qu'ils sont ressentis par nous non pas seulement dans

---

1. *Journal*, I, p. 384 ; Michelet s'y solidarise avec ce qu'il appelle le « *Cogito* » de Vico, qu'il formule de la façon suivante ; « Je cause, donc je suis (comme humanité). »

notre esprit et dans notre cœur, mais jusque dans notre chair.

L'histoire à la Michelet est une histoire « expérimentée au-dedans »[1], vécue du dedans comme une « pensée intime »[2]. Rien de plus neuf en leur temps que les textes où Michelet se constitue en sujet de ses objets historiques, ou, — ce qui revient au même, — que ceux où il nous montre, revécue par lui, la conscience de l'humanité se posant comme sujet des événements qui l'affectent. Vingt fois, chez l'historien, on trouve des expressions ou des phrases qui expriment ce rôle d'une conscience à la fois personnelle et collective. Michelet parle du « profond regard de la France sur la France, et de cette *conscience intérieure* qu'elle a de ce qu'elle fit »[3]. Ailleurs il mentionne « la conscience qu'elle a de son passé »[4]. Michelet considère comme une de ses tâches d'attirer notre attention sur cette merveilleuse accession par la collectivité historique au sentiment de son existence. Accession non continue, entrecoupée au contraire par des périodes de sommeil, comme si le surgissement de la conscience dans l'âme populaire ne pouvait avoir lieu qu'en de rares moments, quand, sous le choc des grandes occasions, ou à l'extrémité d'une évolution séculaire, la nation ou le peuple arrive à se percevoir comme une entité vivante. Ainsi avec l'avènement des communes, la dissolution du Moyen-Age, l'énorme bouleversement de la Révolution française, tout d'un coup une communauté devient sujet conscient de son destin. Sans cesse cette saisie de soi par soi, vécue par la collectivité et revécue par l'historien, est soulignée par Michelet. Par exemple, à propos de

---

1. *Le Peuple*, Introduction, p. xii.
2. *Ib.*, ch. I.
3. *Histoire de la Révolution*, II, p. 549.
4. *Ib.*, II, p. 575.

la famille des Orléans : « Pour la première fois, écrit-il, au sortir du roide et gothique Moyen-Age, (la France) *se vit* telle qu'elle est, mobilité, élégance légère, fantaisie gracieuse. Elle se vit, elle s'adora »[1]. — De même, à propos de la lutte des Armagnacs et des Bourguignons : « Il fallait que la France, pour devenir une plus tard, *se connût* d'abord, qu'elle *se vît* d'abord comme elle était, diverse encore et hétérogène »[2]. — Concernant la Venise de la Renaissance : « Elle fut, cette place, le premier salon de la terre, salon du genre humain..., où dans ces âges difficiles, antérieurs à la presse, l'humanité put tranquillement communiquer avec elle-même, où le globe eut alors son cerveau, son *sensorium*, la *première conscience de soi* »[3]. — Mais de tous ces *moments* de conscience populaire, il n'en est pas pour Michelet de plus exaltants et dont l'exaltation lucide soit plus complètement partagée par sa conscience à lui, que ceux où la France révolutionnaire accède à la conscience de soi. Parlant de la prise en charge de la nation par chaque Français à partir d'octobre 1791, Michelet fait le commentaire suivant : « Ce ne faut pas moins que l'*éveil* de la *conscience publique* dans l'âme de l'individu »[4]. Ne prenons pas ici le mot conscience au sens moral, mais au sens psychologique et même ontologique. Ce que Michelet décrit ici, dans un être à la fois individuel et collectif avec lequel il s'identifie, c'est un éveil, une prise de conscience de soi.

Cette première conscience de soi est naissance de soi-même à soi-même. Tout se passe comme si, à l'intérieur de son âme propre, au fond de sa personne, comme le spectacle d'une aube perçue par un dormeur réveillé en sa fraîcheur initiale, l'historien était susceptible de redécouvrir, plus encore, de

1. *Histoire de France*, IV, p. 182.
2. *Ib.*, VII, p. 151.
3. *Ib.*, VII, p. 151.
4. *Histoire de la Révolution*, III, p. 239.

rééprouver cette « première conscience de soi » par laquelle, à de certains moments de son histoire, un peuple communie dans la conscience d'un événement. Parlant de l'explosion d'enthousiasme déterminée dans les armées de la Révolution par l'approche du combat, Michelet écrit : « Telle était bien alors l'âme de la France, émue de l'imminent combat, violente contre l'obstacle, mais toute magnanime encore, d'une jeune et naïve grandeur »[1]. Parlant du même sentiment, mais tel qu'il se trouve reflété cette fois dans l'âme des grands conventionnels de l'époque, l'historien écrit encore : « En eux, dans ces ombres imposantes, je sentais le vrai fond, l'âme commune des masses qu'ils ont représentées. Ils ne furent pas seulement des hommes, mais en réalité des armées tout entières »[2].

De l'âme des individus à l'âme collective il y a une première gradation, aussitôt suivie par une seconde. Car à l'identification des grandes figures individuelles de la Révolution avec la France révolutionnaire, succède sur-le-champ une autre identification, qui est celle de l'historien avec cette double conscience. De sorte que celle-ci devient triple, et même quadruple, puisque chacun de nous, lecteurs, se trouve convié par la force contagieuse du texte, à participer à cet état d'âme qui est celui des grands révolutionnaires et de la masse de la nation en qui le même sentiment se manifeste. Ainsi un même moment historique réunit les hommes qui vécurent en ce moment, l'âme commune qu'ils y trouvèrent, l'intuition de l'historien et la sensibilité plastique du lecteur. Individualité et généralité y convergent, et cela sous la forme non pas seulement d'une même expérience intime, mais de la conscience de cette expérience. Moi lecteur, moi historien ressuscitateur

1. *Histoire de la Révolution*, III, p. 499.
2. *Histoire du 19ᵉ siècle*, I, p. 151.

du moment historique, et avec nous chacun des êtres qui, *en leur temps*, ont vécu de l'intérieur toute la force de ce moment, nous en saisissons par un acte identique de l'esprit la signification, nous le ressentons comme notre expérience même. — Chaque fois donc qu'éclate l'un de ces grands moments de conscience commune, c'est comme si le courant ·de l'histoire s'interrompait pour faire place à une nouvelle sorte d'expérience et de durée. Dans la conscience simultanée que les hommes éprouvent de *ce qui se passe*, soudain au temps succède un autre temps. Temps instantané, temps condensé dans le moment où il semble jaillir de lui-même, et qui par cette instantanéité fait contraste avec le temps qui le précède. Il achève ce qui a eu lieu, et pourtant il est éclatant d'immédiateté. Il est une histoire qui se détache du reste de l'histoire, un moment qui se distingue de la série antécédente des autres moments.

C'est cette projection du moment hors de la continuité historique, que Michelet excelle à mettre en relief. Ainsi il écrira, parlant de l'instant où se déclenche la bataille de Valmy : « Il y eut un moment de silence. La fumée se dissipait... Brunswick vit un spectacle surprenant, extraordinaire. A l'exemple de Kellermann, tous les Français, ayant leurs chapeaux à la pointe des sabres, des épées, des baïonnettes, avaient poussé un grand cri »[1]. — Ce moment initial n'est pas nécessairement celui d'un événement guerrier. Il peut être, avec l'envol du ballon de Montgolfier, le moment où, pour la première fois, l'homme s'aventure dans le ciel : « Moment rare ! L'infini de l'espoir s'ouvrit... L'homme ailé, devenu condor, aigle, frégate, planant sur toute la terre...[2] » — Mais les moments les plus

---

1. *Histoire de la Révolution*, IV, p. 237.
2. *Histoire de France*, XVII, p. 270.

satisfaisants sont pour Michelet, comme pour Jean-
Jacques Rousseau, ceux de communion entre les
hommes. Ainsi que Jean Starobinski l'a montré,
il y a, aux yeux de Rousseau, certains moments
précieux entre tous, ceux où les cœurs deviennent
mutuellement transparents. Cela se voit surtout
dans les fêtes populaires, qui n'ont pas d'autre
motif d'existence et n'offrent pas de plus pures
raisons de se réjouir que cet échange. Dans l'œuvre
de Michelet, cela se marque par-dessus tout dans
la cérémonie politique, où s'accomplit dans un
peuple assemblé la prise de conscience de sa volonté
commune. Moment grandiose, pour Michelet, que
celui du 14 juillet 1790, date de la fête de la Fédé-
ration ; moment dont la grandeur est en quelque
sorte parachevée par le supplément de gloire que
la parole de l'historien, en le narrant, lui apporte :
« *Rare moment*, écrit Michelet, où peut naître un
monde, heure choisie, divine ! ... Qui se chargera
d'expliquer ce mystère profond qui fait naître un
homme, un peuple, un dieu nouveau »[1] ?

Dans ces paroles, ce qui importe, c'est l'accent
mis sur le caractère générateur du moment. Le
moment surgit dans sa nouveauté propre, il s'affirme
comme incomparable. Il sépare les temps, mais
aussi il les engendre. Et ce caractère *générateur*
du moment, comparable à l'acte physique par lequel
hors de la vie jaillit la vie, est bien celui qui frappe
et que met en évidence Michelet. Dans le même
passage, en effet, il écrit : « La conception ! L'instant
unique, rapide et terrible ! Si rapide et si préparé !
Il y faut le concours de tant de forces diverses,
qui du fond des âges, de la variété infinie des exis-
tences viennent ensemble pour ce seul instant ».
Et une ligne plus loin : « Ce jour-là, tout était possible.
Toute division avait cessé ; il n'y avait ni noblesse,

---

1. *Histoire de la Révolution*, II, pp. 205-207.

ni bourgeoisie, ni peuple. L'avenir fut présent...
C'est-à-dire, plus de temps... Un éclair de l'éternité ».

Passage caractéristique de Michelet, où, dans le
style comme dans l'image, tout « vient ensemble
pour un seul instant ». D'un côté, l'instant célébré
est créateur d'avenir, éclair d'éternité, annulation
de la durée. De l'autre, il est préparé par un concours
de forces. En sorte que ce moment est à la fois
ultra- et *extra*-historique. Il est un comble de l'histoire, qui s'accomplit en un moment où l'être qui
le vit, voit en même temps et tout d'un coup l'histoire s'anéantir et l'histoire recommencer.

II

Nul doute que Michelet n'ait conçu son œuvre
pour que, s'aidant du « concours de tant de forces
diverses », épisodes, incidents et paroles aboutissent
à ces instants à la fois rapidement vécus et longuement préparés. Il suffit de lire, par exemple, la
grande Histoire de France, avec son couronnement,
l'Histoire de la Révolution, — en les lisant comme
il faut les lire, c'est-à-dire en participant aux variations d'humeur dont témoigne celui qui les écrivit
— pour se rendre compte que les moments culminants de la parole historienne coïncident toujours
avec les moments culminants du passé qu'elle retrace : hauts sommets du langage, où l'écrivain
trouve l'occasion de créer un moment verbal comparable par l'énergie au moment historique qu'il
décrit. L'acte et le mot flamboient alors du même
éclat. L'on sait que, pour Michelet, l'histoire est
« résurrection du passé ». C'est « un art de ressusciter
le peuple »[1], une « résurrection de la vie intégrale »[2].
Or c'est là une « résurrection *en acte* »[3], c'est-à-dire
l'opération *actuelle* de l'historien. Par-delà la plus
ou moins lente préparation qui amène le lecteur
aux moments privilégiés, il faut que ceux-ci apparaissent comme si, actualisés par la parole, ils nais-
saient dans un jaillissement d'histoire nouvelle,
où s'anéantirait d'autre part l'histoire ancienne.

1. *Journal*, I, p. 549.
2. *Histoire de France*, Préface de 1869.
3. *Journal*, I, p. 549.

Il y a donc une naissance réitérée de l'histoire, une
recréation spasmodique de celle-ci à partir des
moments dont il est question. A la renaissance du
passé en de certaines grandes dates, correspond la
résurgence de l'inspiration chez l'historien, et cela
selon un si rigoureux parallélisme qu'immanquablement, chaque fois que le génie populaire éclate
aux tournants de l'histoire, le génie de l'historien
est prêt à lui faire écho aux tournants des pages
de son histoire à lui. D'où un double renouvellement,
un double rejaillissement. D'époque en époque et
de chapitre en chapitre, l'histoire à la Michelet se
lance, pour ainsi dire, à la rencontre des moments
où l'histoire et l'historien se transcenderont eux-
mêmes, où, au seuil du moment tant attendu, tant
voulu, ils éprouveront la même détente et le même
déduit : « Chaque fois que, dans la suite de mes
travaux, je reviens à cette grande histoire populaire
des premiers réveils de la liberté, j'y retrouve une
fraîcheur d'aurore et de printemps, une sève vivi-
fiante et toutes les senteurs des herbes des Alpes » [1].
L'histoire se vivifie donc elle-même. Mais elle vivifie
également l'historien. Le réveil d'un peuple devient
le réveil de celui qui s'identifie avec ce peuple.
L'historien est comme Mirabeau saluant l'aurore
de la liberté et y trouvant l'occasion d'une libération
personnelle : « Il allait renaître jeune avec la France,
jeter son vieux manteau taché [2]. »

En concevant son histoire à la façon d'une attente
que vient récompenser un grand événement, et
en renonçant d'autre part sur le tard à son veuvage
pour épouser la jeunesse et la volupté, Michelet
s'affirme deux fois comme celui qui « renaît
jeune » et qui « jette son vieux manteau taché ».

---

1. *Histoire de France*, VIII, p. 342.
2. *Histoire de la Révolution*, I, p. 21.

L'œuvre et l'existence de Michelet ne peuvent se comprendre que si celui qui les étudie les voit soumises aux termes contrastants de l'attente et de la réalisation. Michelet est celui qui avant d'accéder aux joies de l'amour, passe par une interminable période d'austérité. Et il est aussi celui dont l'œuvre s'achemine vers un événement transhistorique, qui, avant qu'il ne se réalise, est sourdement espéré. Aussi en la première partie de son existence comme dans l'élaboration de son œuvre majeure, Michelet donne-t-il l'impression d'un être qui n'avance pas (du moins, pas assez vite), et que dévorent par conséquent des sentiments d'impatience. L'histoire qu'il écrit, l'existence qu'il mène, lui paraissent piétiner. Telle est la raison pour laquelle, à un moment donné, il s'interrompt d'écrire cette œuvre qui progresse trop lentement vers sa complétion. Il n'en peut plus de la voir traîner. Il n'en peut plus d'être condamné à marcher de son pas, à n'avancer qu'à son allure : « Lenteur terrible, note-t-il, avec laquelle les heures du Moyen-Age ont tombé du sablier. Ah ! ce ne sont pas les vraies allures de l'esprit. L'esprit a des ailes de feu ; l'esprit vole rapide et fécond »[1].

D'autre part, à l'inverse du piétinement habituel de l'existence, une rapidité et une fécondité nouvelles président à l'accomplissement des grandes actions. Soudain un grand changement se fait dans le rythme de l'histoire, un mouvement prompt s'empare du devenir. Alors l'impatience se change en joie.

Parlant des Jacobins, qu'il veut saisir à l'apogée de leur puissance, Michelet écrit :

Je veux les prendre au jour même où éclate, triomphe chez eux leur génie d'audace et d'anarchie, le jour où, opposant leur *veto* aux lois de l'Assemblée

1. *Journal*, II, p. 49.

nationale, ils ont déclaré que sur leur territoire la presse est et sera indéfiniment libre, et qu'ils défendront Marat [1].

Je veux les prendre, dit Michelet. *Prendre*, s'emparer de ce qui se réalise, à l'instant où cela se réalise. Cette volonté de saisie instantanée de la réalité historique est si forte, que Michelet ne peut s'empêcher d'y revenir et d'y insister dans les lignes qui suivent, qu'il faut également citer :

Saisissons-les à cette heure. Le temps va vite, ils changeront. Ils ont encore quelque chose de leur nature primitive. Qu'un an passe seulement, nous ne les reconnaîtrons plus. Du reste, n'espérons pas fixer définitivement les images de ces ombres, elles passent, elles coulent ; nous aussi, qui suivons leur destinée, un torrent nous emporte, orageux, trouble, tout-à-l'heure chargé de boue et de sang [2].

L'histoire était stagnation, lenteur, piétinement. La voici maintenant passage, écoulement, envol vers le futur. Il arrive que la transition soit brusquée. Parfois avec une hâte nerveuse, l'historien fait se succéder les temps sans les fondre. Alors la transformation de la durée s'accomplit par un processus d'accélération interne, où, dans une ivresse de vitesse, l'organisme trouve sa satisfaction. L'histoire avance alors par bonds ou par coups d'autant plus précipités qu'elle approche d'une fin depuis longtemps convoitée. Le progrès devient un *crescendo* :

La Grèce visait à (se donner) un héros. Elle l'obtint et par la concentration des races énergiques, et par *un crescendo inouï d'activités...* [3]

1. *Histoire de la Révolution*, II, p. 346.
2. *Ib.*
3. *La Femme*, 2e partie, ch. 2.

Voulez-vous savoir le secret du *crescendo de l'activité moderne,* qui fait que, depuis trois cents ans, chaque siècle agit, invente, infiniment plus que le siècle qui précède ? [1]

Ainsi l'allure du temps peut changer. A de certaines époques, en de certaines conjonctures, « il double le pas d'une manière étrange ». Enfin il arrive un moment où les événements semblent s'affranchir de la loi du temps. « Le train des choses humaines, dit Michelet, prend alors les allures de la foudre ».

Ces allures de la foudre, il nous faut les considérer d'encore plus près.

1. *Ib.*, ch. 3.

III

Chaque homme, *au moment sacré*, veut au-delà de soi-même. Les grandes nations ont éjaculé leur pensée par-delà les siècles. Toi aussi, au moment sacré où tu voudras l'union, tu t'efforceras d'être et d'aller au-delà de toi-même[1].

Pour Michelet, aussi bien en tant qu'historien qu'en tant qu'homme, le moment sacré est donc le moment d'Eros. Que ce soit sous la forme d'une nation éjaculant sa pensée par-delà les siècles ou sous l'aspect de l'être individuel projetant sa force dans l'acte érotique, il y a un dépassement de l'être par l'acte qu'il accomplit. L'acte transcende toute durée antécédente. Il en surgit et en jaillit.

Qu'il y ait là chez Michelet plus qu'un rapprochement analogique, qu'il y ait identification explicite entre l'acte d'amour pris sous son aspect rigoureusement physiologique, et le rythme même de la vie de l'humanité, tel qu'il est perçu et vécu par l'historien, il est impossible d'en douter. Dans les deux cas il s'agit bien pour Michelet du phénomène essentiel, celui qu'il ne cesse de retrouver, pour ainsi dire, à tous les niveaux de la vie, aussi bien dans l'histoire de l'humanité que dans l'existence animale, végétale et même cosmique. Tout y tend

1. *Journal*, II, p. 298. — Quelques lignes plus loin, on peut lire : « Plus la concentration du sujet est forte, plus le champ de l'objet est resserré, plus le jet est fort et unique, plus l'être qui crée a chance de se dépasser... »

à passer d'une contraction extrême de l'être à l'état inverse, un état de dilatation.

Le 5 mars 1849, Michelet, veuf depuis dix ans de sa première femme, va épouser une jeune fille dont il rêve avec une précision de désir dont nous trouvons le reflet dans son Journal. S'adressant à elle en pensée, il écrit : « Tu es le miroir magique où le monde concentré apparaît plus vrai qu'en lui-même. Tu es la fleur électrique d'où sort pour moi sans cesse un jet de vie au moindre regard que je jette dans ton calice profond » [1].

Chargées de poésie, les images sont pourtant ici à peine des images. Elles ne voilent pas la réalité de l'acte rêvé. La femme apparaît à Michelet comme un centre d'énergie qui se propage, créature vivant dans l'étroitesse du lieu mental et physique qui est son principe, mais à partir duquel, quand il est fécondé, se fait une merveilleuse expansion :

La femme rayonne tout autour d'une électricité charmante. Sous les forêts de l'Équateur, l'amour, chez des myriades d'êtres, éclate par la flamme même, par la magie des feux ailés dont sont transfigurées les nuits. Naïves révélations, mais non plus naïves que le charme innocent, timide de la vierge qui croit cacher tout. Une adorable lueur émane d'elle à son insu, une voluptueuse auréole, et justement quand elle a honte et qu'elle rougit d'être si belle, elle répand autour d'elle le vertige du parfum d'amour [2].

La femme est donc concentration, puis dilatation. Ou plutôt, elle est pour l'homme la médiatrice qui le fait passer de la concentration à la dilatation. Au moment où Michelet rêve de l'acte par lequel va débuter pour lui sa seconde existence, rappelons-

1. Journal, II, p. 28.
2. La Femme, 1ʳᵉ partie, ch. 13.

nous ce que fut sa première, vie essentiellement
d'étude, de privations, d'oubli de la femme, de
resserrement. Ou si, dans les travaux du jeune
historien, se remarquait un élan vers la vastitude
de l'espace temporel où l'histoire s'inscrit, cette
conquête de l'amplitude risquait alors de lui faire
perdre le bénéfice de son âpre concentration. L'imagination de Michelet ou bien se projetait farouchement
sur la tâche immédiate, elle était alors un effort
sans détente, ou bien elle se perdait dans la généralité. Or, voici que l'amour apparaît maintenant
à Michelet comme l'acte qui unit les deux pôles
humains de la concentration et de la dilatation.
L'amour est cela précisément : passage instantané
de l'un à l'autre, transfert instantané de l'un dans
l'autre. D'où, au sein d'une pensée jusqu'alors
rigidement chaste, un jaillissement de rêves et
d'images érotiques si violentes qu'il est difficile
d'en trouver l'équivalent dans la littérature de
l'époque. Tout le Journal de la maturité en est
rempli. Juste avant son mariage, à la même page
qu'un autre passage cité précédemment, Michelet
note : « Nous avions tous deux l'âme et la pensée
tendues sur un point précis, l'attente d'un grand
bonheur physique et moral, moment d'ardeur
concentrée où nulle âme ne peut s'étendre assez
aux idées et s'harmoniser au monde. Égoïsme ?
Oui et non. Nature, la grande maîtresse, l'a voulu
ainsi. Elle concentre à ce moment tout l'être dans
une flamme, pour le dilater ensuite, le rendre fécond » [1].

Tout au long de l'échelle des êtres, Michelet
perçoit le même processus de création expansive,
surgissant d'une concentration.

Voici (dans une brève description qui fait fugi-
tivement songer à D. H. Lawrence, avec qui Michelet

---

1. *Journal*, II, p. 27.

offre certains points de ressemblance) le serpent
représenté au moment d'union :

Le dirai-je ? Les yeux du reptile, grandis par l'extase
d'amour, n'offrent que l'exagération de ce que l'animal supérieur offre dans le moment sublime, impersonnel, où tous les sens font silence pour concentrer
dans un seul tout l'effort de l'être [1].

Il y a, épars dans l'œuvre de Michelet, l'ébauche
d'un bestiaire, où les animaux apparaissent, absorbés
dans les travaux d'Éros. Chose plus étonnante encore,
la même activité se trouve saisie chez le végétal
et même le minéral.

Ainsi, ce légume érotique, auquel Michelet fait
une place d'honneur dans son livre sur la Sorcière,
et qui s'appelle l'Agave :

Avez-vous vu l'Agave, ce dur et sauvage Africain,
pointu, amer, déchirant, qui, pour feuilles, a d'énor-
mes dards ? Il aime et meurt tous les dix ans. Un matin, le jet amoureux, si longtemps accumulé dans la
rude créature, avec le bruit d'un coup de feu, part,
s'élance vers le ciel. Et ce jet est tout un arbre qui n'a
pas moins de trente pieds, hérissé de tristes fleurs [2].

Inutile de commenter ce texte. La sémiologie qui le
détermine, est évidente. Ce qu'il importe cependant de
souligner, à l'encontre d'une psychanalyse spécialisée
dans le déchiffrement des allusions, c'est que le sens
nous est présenté ici franchement, sans réserve.
Contrairement à ce que d'aucuns ont pu prétendre,
et notamment Roland Barthes, en un livre d'ailleurs admirable, l'érotisme de Michelet est un érotisme en pleine lumière, où manque l'élément essentiel

1. *Journal*, p. 315.
2. *La Sorcière*, éd. Refort, I, p. 99.

pour le psychanalyste, la réticence. Impossible de trouver chez Michelet le voile qu'impose la censure du conscient aux comportements de l'inconscient. Michelet ne saurait bâillonner la force érotique dont il se trouve à la fois le sujet et le narrateur. C'est qu'Éros n'est pas seulement pour lui une énergie organique, c'est une parole. L'éjaculation devient verbe jaculatoire.

Puisque cette force a une puissance de dilatation presque infinie, il est possible de la voir à l'œuvre dans l'action la plus vaste, à l'échelle cosmique. A côté de l'agave, Éros botanique, Michelet décrit les éruptions volcaniques et les phosphorescences marines comme les activités d'un Éros tellurique. Un fait fécond, dit-il, découvert dans ses lectures d'histoire naturelle, c'est « le resserrement vivifiant du divin anneau, soit aux fissures des îles volcaniques, où la vie calcaire se fit, soit aux vulves maternelles des anses paisibles... »[1]. Et parlant du phénomène de la phosphorescence : « Un grand disque de feu se fait (pyrosome), qui part du jaune opalin, un moment frappé de vert, puis s'irrite, éclate dans le rouge, l'orange, puis s'assombrit d'azur. Ces changements ont quelque chose de régulier qui indiquerait une fonction naturelle, la contraction et la dilatation d'un être qui souffle le feu »[2].

Mais de tous les Éros décrits par l'historien, il n'en est pas de plus important que l'Éros historique. Si l'histoire, comme nous l'avons vu, est le plus souvent pour Michelet une longue période d'attente où s'accumule un feu impatient de se manifester au dehors, il faut bien qu'il arrive un moment où, pour ainsi dire, l'histoire éclate, où, sous la pression des événements, quelque chose de l'âme populaire se projette bien haut comme l'agave. Telle est, par

1. *Journal*, II, p. 535.
2. *La Mer*, p. 173.

exemple, à la fin du Moyen-Age, l'apparition des sorcières :

Cela n'arrive qu'au quatorzième siècle... Ce drame diabolique eût été impossible encore au treizième siècle où il eût fait horreur. Et, plus tard, au quinzième siècle, où tout était usé, et jusqu'à la douleur, un tel jet n'aurait pas jailli. On n'aurait pas osé cette création monstrueuse... Cela, je crois, se fit d'un jet ; ce fut l'explosion d'une furie de génie, qui monta l'impiété à la hauteur des colères populaires [1].

Avec Michelet, l'histoire se fait donc explosive, jaillissante. Dans sa prose, le verbe *éclater* se rencontre à tout bout de champ. Nous devons lui restituer son sens de force à la fois disruptive et illuminatrice .

L'aimable génie de la France, lumineux, humain, généreux, *éclate* le lendemain de la mort de Louis XIV dans tous les actes du Régent [2].

Bien entendu, de tous les mots qui dépeignent cet état, il n'en est pas qui reviennent plus souvent que les mots *jet* et *jaillissement*.

Voici le mot jet appliqué à l'époque de la Renaissance : « Elle fut, dit Michelet, le jet héroïque d'une immense volonté » [3].

Toutefois, c'est à la Révolution Française que ces termes conviennent le mieux.

Parlant de l'été de 1792, moment où la France se relève de ses défaites, Michelet écrit :

Et c'est justement à ce point où elle sentit sur elle la main de la mort, que par une violente et terrible

1. *La Sorcière*, I, p. 130.
2. *Histoire de France*, XV, p. 1.
3. *Ib.*, VII, p. ix.

contraction, elle suscita d'elle-même une puissance
comme un volcan de vie. Toute la terre de France
devint lumineuse, et ce fut sur chaque point comme
un jet brûlant d'héroïsme, qui perça et jaillit au ciel [1].

L'image d'un éréthisme violent s'applique aussi
à Thermidor :

C'était la détente subite après la constriction de la
Terreur. Le retour à la liberté, aux habitudes natu-
relles, eut l'effet d'une convulsion, d'un spasme violent [2].

Étrange histoire, où, dans la suite des temps, il
semble que l'humanité ne sorte d'une inaction
rêveuse que pour passer à des moments de déchaînement extatique. Pendant une période de temps
infiniment longue, rien ne se passe, rien qu'un désir
confus, un grand besoin d'amour et de chaleur ;
puis vient une flambée brusque, une jouissance
convulsive, comme si un être général et séculaire,
— le peuple, la France, — privé, pendant quasi
toute son existence, des joies les plus fortes de la
nature organique, s'en voyait soudain permis la
jouissance, répétant ainsi à l'échelle des siècles
l'existence même menée par l'historien, qui va du
resserrement stérile des premières années à l'effu-
sion érotique couronnée par le second mariage.
   Une longue durée de concentration négative,
suivie par un moment d'expansion triomphale,
faut-il ramener à cela la vie des nations comme la vie
de celui qui en fait l'histoire ? Si cela était vrai,
l'histoire de Michelet ne différerait guère de celle
de certains insectes mâles destinés à vivre d'une
longue vie inutile, pour périr ensuite au moment de

1. *Histoire de la Révolution*, IV, p. 88.
2. *Histoire du XIXᵉ siècle*. I. p. 182.

la fécondation. Une histoire qui, dans un grand
moment d'exaltation, arrive brusquement à son
terme, voilà, dans un sens, l'histoire à la Michelet.

Elle devrait se terminer, elle se termine pratiquement, par le spasme de la Révolution française.

Pourtant, nous savons qu'aux yeux de Michelet,
le moment sacré n'achève pas seulement l'histoire,
mais qu'il la fait renaître, lui donne un nouveau
début.

On peut en voir l'indication émouvante dans une
méditation de Michelet, qui se situe à la veille même
de son second mariage. Retournant le 11 mars 1849
vers le Quartier Latin à l'heure du couchant, il voit
au loin rougir les hauteurs de Passy comme « une
fournaise sur laquelle aurait plané une trombe
vaporeuse et fantastique ». Alors, à la flamme
solaire, il associe la flamme qui brûle en lui. L'énergie
sexuelle dirigée vers la possession de celle qu'il
aime, se mue en une rêverie anticipatrice, où sa
nouvelle vie d'époux et d'écrivain se trouve mêlée
à la nouvelle jeunesse des temps :

« Puisse ma flamme plongée dans sa flamme,
écrit-il dans son Journal, augmentée de ses jeunes
et mystérieuses puissances, être un grand embra-
sement. Orageux, n'importe, comme celui que j'ai vu
ce soir, au ciel du couchant ». — Et il ajoute : « Puisse
cette grande flamme d'amour, si moi-même elle
ne me dévore, rendre vie à ce monde languissant
et réchauffer les nations ! [1] »

Comme nous l'avons vu, pour Michelet, l'acte
d'amour, moment sacré, « veut au-delà de lui-
même ». Par delà l'épanchement physique s'accomplit un épanchement spirituel et moral. « Je vaux
plus de l'avoir touchée », note Michelet dans son
Journal, en parlant de sa femme. Et il continue
en disant : « L'épanchement, surabondant même,

1. *Journal*, I, p. 31.

du plaisir, est compensé par un flot intérieur d'émotion nerveuse et cérébrale qui est comme une continuation de l'union corporelle »[1]. Cet élargissement de soi, Michelet le décrit ailleurs de la façon suivante : « Richesse très grande d'aperçus nouveaux sur l'amour, la culture par l'amour, ses renouvellements, son approfondissement. A de certains jours tout cela jaillissait de moi comme un infini d'étincelles »[2]. Jet, jaillissement, les mêmes termes reviennent ici pour décrire non plus seulement ce que Michelet appelle le « moment sacré », mais son retentissement en un temps nouveau qu'il semble avoir engendré. Et ce n'est pas exagéré de dire que l'œuvre entière de Michelet se présente comme une série de cimes, à partir desquelles le drame historique recommence, se propageant selon l'impulsion communiquée par ces moments. Le schéma reste toujours le même. Chaque nouveau volume de Michelet apparaît comme conçu autour d'un centre d'éruption séminale. Ainsi, à propos d'un de ses plus beaux ouvrages, Michelet écrit : Du fond de ma longue épopée qui me tient depuis si longtemps, j'avais *lancé ce jet hardi*, la *Bible de l'Humanité*. Petit livre et grand élan de cœur et de volonté. J'avais, tout comme le globe, moi aussi, dressé ma montagne, un pic assez haut pour embrasser la terre »[3].

Bref, à mesure que Michelet identifie plus complètement son activité sexuelle avec son activité d'écrivain, de penseur et d'historien, le point de vue philosophique et historique qui était le sien, tend à se transformer, à tenir de plus en plus compte de l'avenir. Fixé tel qu'il était jadis sur le passé, prisonnier qu'il était des temps révolus, Michelet apprend maintenant à sentir les courants secrets

1. *Journal*, II, p. 535.
2. *Journal*, II, p. 340.
3. *La Montagne*, p. 4.

qui animent les longues époques qui ne semblent pas bouger. Dans leur apparente stagnation et dans le resserrement presque désespéré qui les contracte, il y a une volonté latente de communion et d'expansion. Puis l'attente arrive à un paroxysme, et le passé s'abolit dans le jaillissement du présent. Tout semble donc s'ordonner dans la réflexion historienne de Michelet, comme un mouvement qui, trouvant son origine au fond du passé, progresse par une sorte de condensation et de concentration vers un but dont l'avènement cependant n'est possible que par quelque bond qui la jette au delà de l'actuel. D'un côté, l'histoire est progrès et mouvement. C'est une série d'ébauches à travers lesquelles il faut suivre l'organisation, plus ou moins lente, d'une idée, moins encore, d'un désir, à travers les générations. Mais l'histoire, c'est aussi la saisie de l'actualité en sa convulsion créatrice, moment de crise, d'où, vertigineusement, jaillit l'avenir.

XII

AMIEL — L'ANNÉE 1857

Né le 27 septembre 1821 à Genève, Henri-Frédéric
Amiel en 1857 a trente-six ans. Ce n'est plus un jeune
homme. Les premiers poils gris se montrent dans sa
barbe, comme les premières infirmités (bronchites,
mauvaise vue, mal au genou), font leur apparition
dans son corps. Depuis tantôt huit ans, le voici
professeur, d'abord d'esthétique, ensuite de philosophie, à son Académie (Université) natale. Pour
d'obscures raisons politiques et sociales, il n'est
bien vu ni de ses collègues, ni de ses concitoyens.
Aussi vit-il assez à l'écart, ce qui lui donne des loisirs
pour écrire des livres. Son intelligence est prodigieuse,
son pouvoir de lecture inépuisable, son désir de
synthèse égal à la totalité du réel. De plus, l'originalité de son esprit est incomparablement accentuée
par sa formation. De tous les francophones de son
temps, il est celui qui s'est le plus imprégné (à Heidel-
berg, à Berlin) de culture et de philosophie germa-
niques. Le moralisme calvinien se combine chez lui
avec la métaphysique de Hegel, de Krausse et de
Schelling. Il a donc tout ce qu'il faut pour devenir
un grand érudit genevois : c'est-à-dire un penseur
de culture européenne, solide, réfléchi, hautement
moralisant, productif, indépendant dans ses opinions,
mesuré dans ses expressions. Tel devrait être son
avenir. Or, que se passe-t-il ? Amiel, professeur,
oublie de donner ses cours, voire même de les pré-

parer. Amiel, publiciste, accouche de quelques micro-
scopiques articles et n'écrit aucun livre. Chose plus
singulière encore, ce bel homme, qui plaît aux dames,
ne se marie pas. Aucune objurgation n'y fait. On le
blâme, il se blâme. C'est en vain. Non qu'il n'en ait
pas envie. Amiel passe son temps à rêver des livres
qu'il voudrait écrire et des femmes qu'il voudrait
épouser. Un vice l'en empêche. Dans le silence du
cabinet, dans la chambre qui est son rempart, au
milieu d'une maison de la Rue des Chanoines pleine
de sœurs, de beaux-frères, d'oncles et de nièces,
jour après jour, heure après heure, ce célibataire
mal isolé au sein d'une vaste famille, remplit les
pages d'un Journal. Au moment où l'année 1857
commence, il en a rempli 2690. Un quart de siècle
plus tard, en 1881, quand il mourra, il en aura rempli
16 840. C'est son vice, c'est aussi son destin et son
œuvre. En 1857, Amiel commence à se rendre compte
qu'il est captif à tout jamais d'une action qu'il ne
peut que répéter, l'action de se connaître : écureuil
dans sa cage, Sisyphe roulant son rocher, Narcisse
retournant à son miroir. Pour se distraire, il compose
des chansons et des poèmes gnomiques ; pour s'occuper, il a son cours ; pour se comprendre et mesurer
l'un après l'autre tous les instants de sa vie, il a son
Journal.

*
* *

Le Journal dont nous parlerons ici est celui de
l'année 1857. Parmi les trente-cinq années que compte
le Journal d'Amiel, aucune raison déterminante
ne nous a conduit à accorder à cette année la préférence. Pareille à toutes les autres, si cette année
mérite d'être considérée comme exemplaire, c'est
que, à l'instar de toutes les autres, il ne s'y passe
rien ; rien, en tout cas, que des événements péri-
phériques qui n'affectent nullement le statisme de
la vie intérieure. Pour juger plus adéquatement

d'ailleurs de la signification et de l'insignifiance de cette année particulière, il est expédient de la comparer à celle qui la précède. Prenons donc dans le Journal de l'année 1856, un certain nombre de passages (presque tous inédits) qui en tracent assez bien l'itinéraire moral et en représentent les inévitables modalités psychologiques :

10 *février* 1856.

Je ne suis pas sorti ce matin pour travailler à l'Anthropologie. Ce terrible logogriphe de l'homme intérieur m'a occupé presque tout le jour, ce matin en feuilletant Boehme, cet après-midi dans ma promenade solitaire par Vandœuvres et Pressy, et l'immense multitude des points de vue m'embarrasse et m'encombre. Je vais et je viens, noue et dénoue, satisfait puis mécontent de mes tentatives de classement. Le besoin de totalité me tourmente, et je ne puis encore maîtriser ce sujet sans bornes.

Première étape. Amiel travaille. Ou plutôt, il désire travailler. Cependant, cette occupation, suivie d'ailleurs par une longue promenade champêtre, semble consister uniquement à feuilleter le plus ésotérique des auteurs et à faire certaines « tentatives de classement ». La classification est, en effet, pour Amiel, l'opération initiale essentielle, le point de départ obligé de la vie spirituelle. Tout commence à chaque coup, chez lui, par des tableaux avec divisions et subdivisions. Non qu'Amiel réduise la vie de l'esprit à une simple numération des aspects qu'elle présente. Mais la compréhension de l'homme (et du moi) est d'abord pour lui la saisie d'une pluralité indescriptible, la poursuite d'une unité psychique à travers la multiplicité croissante, infinie, dont elle est à la fois le principe et la fin. Ainsi, par souci de méthode et manie d'analyse, Amiel s'égare dans

l'immensité d'un sujet dont il ne saurait se résoudre
à limiter les bornes. D'où le tourment dont il souffre.
Rien ne peut le satisfaire, sinon l'impossible possession d'une inconcevable totalité.

Pourtant, si l'introspection analytique n'arrive
pas à « totaliser » la vie phénoménale, parfois l'extase
identifiante y parvient, substituant à la conscience
de soi celle de l'universalité du réel :

13 *février* 1856.

Le tourbillon m'entraîne, j'ai fort à faire à me cram-
ponner soit à la réalité, soit à mon individualité qui
s'évanouissent dans le tumulte de la vie universelle
et m'échappent à moi-même. L'immense variété des
choses, des activités, m'étourdit parfois jusqu'à
l'ivresse et au vertige, et je reconnais le vieil ennemi, le
protéisme, l'ensorcellement par la Maïa multiforme
des images, formes, êtres, qui dansent la ronde du
Sabbat dans le chaos de ma pensée trop ouverte et trop
hospitalière. Tout me tente, m'attire, me polarise, me
métamorphose et m'aliène momentanément de ma
personnalité, qui, volatilisée, expansive et centrifuge
comme l'éther, tend toujours à se perdre dans l'espace
sans bornes ou inversement à se condenser dans un
point insignifiant de sa propre étendue.

Admirable passage, tel qu'on en trouve de-ci,
de-là, comme des cimes dans les plaines monotones
du Journal, passage où l'irrésolution, l'aboulie, la
paresse, défauts constants de l'être amiélien, font
mystérieusement place non à leur contraire, mais à la
vertu qui leur est correspondante, celle qui consiste
en l'entier désintéressement de la personne et sa
métamorphose en un lieu où la vie universelle prend
en quelque sorte conscience d'elle-même sur tout
le champ de son étendue. L'on songe à Rousseau,
à Guérin, à Gide, à certains « grands jours de soleil »

dont parle le jeune Flaubert et au cours desquels ce dernier se sentait devenir pareil à « une immense forêt de l'Inde où la vie palpite en chaque atome ». Mais l'extase pratiquée par Amiel a sa caractéristique propre. Alors que tous les mouvements d'identification naturiste ont d'habitude pour fin et pour couronnement une identification de l'être individuel avec la totalité des choses, et par suite, une coextension de cet être à l'espace infini qui les contient, chez Amiel cette propagation du moi peut se muer étrangement en le mouvement contraire, et devenir la résorption de toutes choses et de l'espace qu'elles occupent en la ponctualité sans dimension de la conscience ; en sorte que la personnalité chez Amiel tend presque indifféremment à « se perdre dans l'espace sans bornes, ou inversement, à se condenser dans un point insignifiant ». En ces moments, la pensée d'Amiel se livre sans la moindre résistance au grand mouvement de flux et de reflux dont la marée se fait sentir non pas seulement dans la vie obscure de son être, mais dans sa pensée. Les instants s'élargissent ou se contractent, sans jamais cesser d'être observés par une conscience purement impersonnelle, siège anonyme d'un rythme universel. Nous voici donc aussi loin que possible de l'état d'esprit perplexe d'un petit professeur embarrassé dans ses classifications. Avec la même force, avec la même capacité d'atteindre l'absolu, la pensée se dilate ou se réabsorbe en son principe. Aussi, dans la fantasmagorie cosmique que présente cette double expérience, n'y a-t-il rien d'étonnant à voir s'évanouir chez celui qui en est le sujet, tout sentiment de son individualité. Métamorphosé en toutes choses, ou en la virtualité qui est la source de toutes choses, Amiel n'est plus lui-même. Il est vaporisé par le protéisme universel dont il est la proie.

Porté par une transe de l'esprit, un être arrive ainsi jusqu'à une limite au-delà de laquelle il ne se perçoit

plus, il ne perçoit plus rien. Tout au bout de la contemplation se découvre une annulation. Annulation qui
peut manifester sa réalité négative sous les formes les
plus diverses, non de l'être, mais du non-être, et au
premier chef, presque risiblement, sous l'aspect de
l'impuissance sexuelle. Virtuel et impersonnel posses-
seur de tout par la pensée, Amiel n'est plus capable
d'aucune possession par le corps.

C'est ce qu'il constate lui-même dans un autre
passage du Journal de l'année 1856 :

12 *avril* 1856 :

M'emparer d'une réalité quelconque, un fruit, une
femme, un succès, me semble en dehors de ma portée,
et comme un anachorète je suis prisonnier de mon
imagination et enchanté par des fantômes. J'ai la
pudibonderie du bonheur et l'impuissance par excès
de respect. Transi de défiance, paralysé de discrétion,
stupide de modestie, tremblant de délicatesse susceptible et de scrupules craintifs, je reste immobile et
muet, n'osant comme un fiancé timide toucher à la
ceinture de la réalité rêvée. J'ai peur de la possession et
respecte la réalité comme la promise d'un autre, la
beauté comme une chose sacrée, tout ce que j'aime
enfin comme un moine qui a fait vœu de virginité,
comme un lépreux qui aurait un remords de porter la
main sur la fleur qui l'attire, comme une ombre qui,
ayant conscience de son inanité, n'ose disputer aucune
place aux vivants. La retenue va chez moi jusqu'à la
renonciation (Amiel avait écrit d'abord — et raturé
ensuite — le mot *inhibition*) absolue, et la sobriété des
désirs jusqu'au teetotalisme du cœur. La continence en
tout genre est devenue ma fatalité. En me liant par
l'habitude et par les antécédents, en devenant de vertu
volontaire défiance instinctive, elle a fait de moi presque un eunuque de vocation, un être sans sexe, vague
et timoré.

Le triomphe de l'esprit se termine donc par la défaite de l'être. La nullité sexuelle n'est que le signe évident de la nullité ontologique. Amiel reconnaît son néant. Il s'égale au zéro :

25 *juin* 1856.

Tous mes entortillements ne sont que des défaites. Si j'étais homme, c'est-à-dire plus courageux, plus ardent, je voudrais vaincre, conquérir, posséder, subjuguer, triompher ; je voudrais engendrer, féconder, construire, me poser dans une œuvre, une maison, une famille à moi, m'établir, m'affirmer, me faire place, m'épanouir dans le monde réel, tandis que je m'efface, m'esquive, me dissimule, m'évapore pour ne pas lutter et ne pas me déterminer. J'ai dissipé mon individualité pour n'avoir rien à défendre ; je me suis enfoncé dans l'incognito pour n'avoir nulle responsabilité ; c'est dans le zéro que j'ai cherché ma liberté.

Liberté illimitée, liberté de ne pas être, liberté de ne rien posséder, de ne rien engendrer, de ne plus agir, même de ne plus bouger. A l'essor vertigineux de l'esprit succède l'emprisonnement indéfini de celui-ci entre les murailles que dresse sa propre incapacité à se remuer. Amiel est devenu l'illustration vivante, encore que grotesque, du sonnet mallarméen du cygne. Il est pris au piège de son inertie. Pour employer ses termes, il s'acagnarde dans sa torpeur solitaire et s'endort sous le mancenillier :

12 *septembre* 1856.

L'idiotisme et le ramollissement de la moelle sont au bout de cette abrutissante inertie. Je me suis affaibli visiblement, et ma fibre nerveuse a perdu le ressort et le ton. — Pouah ! la nausée me prend sur moi-même !

Chez Amiel la nausée a donc un caractère bien différent de celui qu'elle a chez Sartre. Pour ce dernier, elle est la réaction de l'esprit devant la présence immotivée, radicalement contingente, de l'être. A l'inverse, pour Amiel, la nausée est ce qui convulse l'être en présence de sa déficience, de sa déchéance. L'être se révèle à soi-même son manque d'être. Juste punition de Narcisse ! A force de regarder, l'œil ne distingue plus dans le miroir qu'une figure sénile et déclinante. Narcisse assiste au progrès de sa propre décrépitude.

C'est alors que dans un sursaut Amiel décide de sortir de l'immobilité par un acte héroïque. — Mais de quoi réellement s'agit-il ? Tout simplement de rompre le charme qui le tient au logis et de prendre quelques semaines de vacances.

Voici en quels termes Amiel décrit cette décision :

15 *septembre* 1856.

Concluons, coupons, tranchons. Il faut fuir la torpille mortelle, laisser le filet ensorcelé, éventrer le pentagramme maudit, rompre la fascination, franchir le cercle magique, sortir de la Gomorrhe et du sépulcre de l'engourdissement et fuir sans tourner la tête pour ne pas redevenir statue de sel. Rappelle-toi Tancrède, les enlacements dans la forêt enchantée, Dante dans les terreurs du bois ténébreux hanté de bêtes fauves ! Comment en sont-ils revenus ? En cuirassant leur cœur et en frappant de l'épée. La vertu est la virilité.

Ne nous moquons pas. Parfois la simple action de s'arracher au lieu où l'on végète, prend l'aspect d'un coup d'audace. Chez Amiel, le départ ressemble à un acte à la fois sacramentel, militaire et érotique : l'esprit se recommande à Dieu, tandis que le corps se jette en avant, comme vers quelque conquête. Aussi n'est-il pas inutile de constater que les vacances d'Amiel commencent par un séjour chez une jeune

veuve avec qui il vit pendant douze jours dans l'isolement le plus complet : « continuant la vie à deux,
écrit-il, sous toutes ses formes, *moins* la forme conjugale toutefois ». — Cela fait, Amiel poursuit sa route,
descend vers le sud et arrive en la ville de Turin, qu'il
prend instantanément en dégoût :

5 *octobre* 1856.

Tout ce que je regarde me blesse ; et avec la curiosité,
toute la saveur du voyage s'évapore. Puis la détresse
de la solitude, le dégoût du tourisme monumental me
ressaisissent. J'ai besoin d'amour et tout le reste m'ennuie et m'attriste. Santé, jeunesse, vue, mémoire, élasticité, tout ce qui fait l'indépendance, me quitte. Il faut
rayer les voyages d'Italie et du midi. Je ne puis plus
goûter que la mer, les montagnes, la société et l'Allemagne. Le cercle de ma liberté se rétrécit rapidement.

L'univers donc se contracte. L'expérience de
l'amour, puis celle du voyage, se soldent par un déficit.
La tentative d'évasion s'avère futile. Encore quelques
jours et Amiel se retrouvera, tel qu'auparavant, dans
son cabinet de la Rue des Chanoines, occupé de nouveau à quelque travail, ou, plus exactement, à la méticuleuse préparation qui devrait précéder celui-ci. Le
22 octobre, il écrit : « La construction d'un tableau
pour l'emploi de mon temps cet hiver m'a pris près
de huit heures d'effort ». Un emploi du temps ! Voilà
qui nous ramène aux beaux programmes qu'au début
même de cette année Amiel rédigeait en vue du grand
ouvrage sur l'Anthropologie. Il a fait le cercle. Revenu
au point de départ, comme Bouvard et Pécuchet il
recommence ses « tentatives de classement ».

* *
*

Dans les replis de la spirale qui se referme sur lui-
même, c'est ainsi que se termine pour Amiel l'année

1856. Que sera pour lui l'année 1857 ? Le jour même où il consacre huit heures à élaborer un emploi du temps « pour l'hiver qui vient », Amiel s'exhorte encore une fois à écrire un ouvrage sérieux et à devenir à Genève « le représentant officiel de la philosophie ». S'interpellant lui-même, il s'écrie : « Sors donc de ton dégoût apathique, donne ta contribution comme citoyen, cherche à propager quelques idées utiles et fécondes, et fais œuvre patriotique ».

Or le hasard fait qu'à peine quelques semaines se sont-elles écoulées, ce désengagé peut « donner sa contribution comme citoyen » et réaliser ses vœux d'engagement. L'année 1857 s'ouvre, en effet, sur des menaces de guerre. Un conflit grave oppose la Confédération et le Roi de Prusse. La Suisse mobilise.

Que fait Amiel. D'une traite il écrit un chant patriotique :

> Rugis, tocsin ! pour la guerre sacrée
> A l'étranger renvoyons ses défis !
> Aux armes, tous...

Stupéfiante aventure ! le chant composé par cet introspectif timide, fait le tour de la Suisse. On le chante partout : à l'armée, sur la place publique, dans les dîners et les bals où son auteur assiste. Encore aujourd'hui, la seule œuvre d'Amiel qui soit connue par cœur et popularise son nom, c'est cet hymne intitulé *Roulez, tambours* ! La seule action d'Amiel destinée à avoir quelque retentissement en dehors du cercle à la fois immense et étroit de sa pensée, c'est la production d'une *Marseillaise* helvétique. Excursion d'ailleurs sans conséquence et sans récidive. La guerre n'aura pas lieu. Amiel retombe aussitôt dans la routine de son existence, routine dont la description emplit les deux-cent-cinquante pages de l'année 1857. Qu'y trouve-t-on ? quelques paysages (dont certains fort beaux) ; l'impression produite par diverses œuvres

musicales ; de longues conversations avec des amis,
Charles Heim, Joseph Hornung ; le récit de l'apparition à Genève de la grande romancière suédoise,
Frederika Bremer ; enfin des éphémérides familiales :
querelles entre parents, naissances, mariages, décès.
Plus d'infinies lectures, parmi lesquelles, hélas !
l'on ne trouve pas *Madame Bovary* ni les *Fleurs du
mal*, parus pourtant cette même année, mais qui
comprennent les premiers écrits de Taine (d'abord
admiré, ensuite percé à jour) et les *Contemplations*
(dont l'auteur est sévèrement repris par Amiel, en
raison du « tapage immense qu'il fait pour éviter la
repentance et la résignation »). — Puis enfin, encore et
toujours, la méditation d'Amiel sur lui-même, d'un
degré plus ample et plus profonde, parcourant une
courbe nouvelle de la spirale, s'enfonçant un peu plus
dans une insondable intériorité. Et tout cela serait
lassant peut-être, si cela ne constituait pas un bruis-
sement sourd et continuel de pensée, semblable à la
rumeur des vagues dans le lointain. Jamais en aucune
langue, en aucun texte, n'a paru si *audible* l'activité
originelle et finale de la conscience humaine, qui
consiste à se penser, et encore, et toujours, à se penser.
Peu importent ici les objets de plus en plus indiffé-
rents qui traversent cette pensée. La grandeur
d'Amiel consiste dans la persistance avec laquelle
s'articule et s'exprime indéfiniment dans son Journal
ce murmure de vie mentale qui, chez les hommes, se
poursuit jusqu'à l'article de la mort.

XIII

MARCEL PROUST

« Le présent ne me plaît jamais, l'avenir me laisse indifférent, seul le passé me paraît beau ».

Ces paroles se trouvent dans un petit récit de Fernand Gregh, daté de 1896 [1]. Elles y sont mises dans la bouche d'un personnage dont on s'accorde à croire qu'il est un portrait de Marcel Proust, âgé alors de vingt-cinq ans. Détestant le présent, ignorant l'avenir, débutant dans l'existence par la répudiation de deux des trois dimensions de cette existence, Proust commence par s'ôter toute possibilité de choix. Une seule dimension lui reste, semble-t-il, celle qui a pour nom le passé.

Qu'il y ait là une attitude fondamentale de la pensée proustienne, l'on est donc tout de suite tenté de l'affirmer. La double répudiation du présent et du futur explique la concentration de l'esprit sur le passé. Plus encore, la menace que fera peser plus tard sur le passé lui-même l'action destructrice de l'oubli, ne prendra chez Proust cet aspect exceptionnellement tragique qui est le sien, que parce que le passé est la seule chose qui paraisse survivre dans cette existence, et que *perdre* le passé équivaut presque à perdre l'existence. L'être qui s'est réduit à ne plus posséder que son passé, à ne plus se posséder que dans ce passé,

1. FERNAND GREGH, *Mystères*, Revue Blanche, 15 septembre 1896.

découvre avec frayeur la situation mentale qui serait
la sienne si le passé était définitivement perdu. Voilà
ce qui peut-être explique le caractère si angoissé des
premières pages de la *Recherche*. Dépossédé de son
unique richesse — qui est le passé — Proust s'y perçoit sans recours, sans profondeur, sans possibilité de
vivre en quelque point que ce soit de sa propre durée.
Ayant rejeté présent et futur, il ne peut vivre que
d'une vie toute rétrospective, qui, elle-même, à son
tour, est en danger de lui être refusée. Le réveil tragique du personnage central de la *Recherche*, est
le réveil d'un être se voyant couper finalement la
dernière des trois voies qui s'ouvrent à l'être normal
cheminant dans le temps.

Or cette situation n'a-t-elle pas pour cause directe
le rejet initial du présent et du futur ? Il semble donc
légitime de faire débuter l'aventure proustienne par ce
double rejet. Proust ne serait-il pas un être congéni-
talement détourné de ce qui intéresse les autres êtres,
c'est-à-dire l'actualité et l'avenir immédiat ? « Dans
l'essence même du présent, écrit-il dès l'époque des
Plaisirs et les Jours, [il y a] une impe.fection incu-
rable »[1]. Paroles qu'il répétera à dix-sept ans de distance dans une lettre à la Princesse Bibesco : « Rien ne
m'est plus étranger, y remarque-t-il, que de chercher
dans la sensation immédiate, à plus forte raison dans
la réalisation matérielle, la présence du bonheur »[2]. —
« Pourquoi surtout vous acharner à vouloir jouir du
présent … ? ». Cela est dit encore dans *Les Plaisirs et
les Jours*[3].

Marcel Proust serait-il donc de ces êtres, comme on
dit, *nés vieux*, qui ne se complaisent que dans leurs
rétrospections ? On pourrait le croire si l'on ne remar-

---

1. *Les Plaisirs et les Jours*, Gallimard, p. 230.
2. Lettre de 1913. Princesse Bibesco, *Au bal avec Marcel
Proust*, p. 119.
3. p. 92.

quait ce fait essentiel et jusque maintenant mal étudié
que, chez Proust, l'amour du passé est précédé par
l'amour du futur, et n'est rien d'autre en son origine
que celui-ci même. Proust n'est nullement quelqu'un
qui commence par être un homme du passé et du
souvenir. Il est originellement un homme du futur
et de l'espérance. Espérance bientôt retournée, inversée, qui se transformera en un désir nostalgique de ce
qui n'est plus, mais qui, au point de départ, est nor-
malement orientée vers l'avenir. Le passé proustien
n'est pas un fait originel ; il est la transformation,
presque l'aboutissement, d'un mouvement d'esprit
qui commence à l'extrême opposé. C'est ce que les
pages qui suivent essayeront de prouver.

I

Pour une famille vraiment vivante où chacun pense, aime et agit, avoir un jardin est une douce chose. Les soirs de printemps, d'été et d'automne, tous, la tâche du jour finie, y sont réunis ; et si petit que soit le jardin, si rapprochées que soient les haies, elles ne sont pas si hautes qu'elles ne laissent voir un grand morceau de ciel où chacun lève les yeux, sans parler, rêvant. *L'enfant rêve à ses projets d'avenir*, à la maison qu'il habitera avec son camarade préféré pour ne le quitter jamais, *à l'inconnu* de la terre et de la vie ; le jeune homme rêve au charme mystérieux de celle qu'il aime, la jeune mère à l'*avenir* de son enfant, la femme autrefois troublée découvre, au fond de ces heures claires, sous les dehors froids de son mari, un *regret* douloureux qui lui fait pitié. Le père en suivant des yeux la fumée qui monte au-dessus d'un toit *s'attarde aux scènes paisibles de son passé* qu'enchante dans le lointain la lumière du soir ; il songe à sa mort prochaine, à la vie de ses enfants après sa mort ; et ainsi l'âme de la famille entière monte religieusement vers le couchant... [1]

Dans un jardin étroit, celui d'Illiers, celui de Combray, un petit groupe de personnes pensent et rêvent. Il y a l'enfant, le jeune homme, l'épouse, la mère, le père, entités individuelles, enfermées chacune dans leurs préoccupations propres, et pourtant liées l'une à l'autre par une solidarité secrète, une unité de lieu,

1. *Les Plaisirs et les Jours*, p. 180.

de temps et d'activité onirique, qui suggère l'idée d'un même être se rêvant lui-même simultanément à tous les âges de son existence. Ainsi des projets de l'enfant à la passion de l'adolescent, de la dévotion maternelle d'une des deux femmes à l'inquiétude conjugale de l'autre, et enfin aux méditations rétrospectives du père, toute une suite de sentiments se présentent, comme s'ils étaient vécus par un même être à la fois dans leur ordre de succession et dans la contemporanéité d'une conscience contenant tout ensemble espoirs et souvenirs. Prospectivité et rétrospectivité se révèlent donc ici au sein d'une même unité familiale. Elles s'y confondent en un même sentiment, perçu pour ainsi dire à différents stades de son évolution intime. Il en va de même dans une autre scène des *Plaisirs et les Jours*, où comme plus tard dans le fameux épisode des clochers de Martinville, un certain lieu apparaît tour à tour comme un objet de désir et de regret :

A peine une *heure à venir* nous devient-elle le *présent* qu'elle se dépouille de ses charmes, pour les retrouver, il est vrai, si notre âme est un peu vaste et en *perspectives* bien ménagées, quand nous l'aurons laissée loin derrière nous, sur les routes de la *mémoire*. Ainsi le village poétique *vers lequel nous hâtions le trot de nos espoirs impatients* et de nos juments fatiguées, exhale de nouveau, quand on a dépassé la colline, ces harmonies voilées... [1]

Quelles que soient donc les métamorphoses imposées par le mouvement ou par la vie à une certaine façon de rêver devant les choses, tout se ramène en fin de compte à ce rêve. Espoir et regret, rétrospectivité et prospectivité ne sont qualitativement que

---

1. *Les Plaisirs et les Jours*, p. 229.

les deux versants d'une même manière de sentir. Seule la perspective diffère, comme si l'unique changement intérieur accompli soit par le déplacement du corps, soit par le vieillissement de l'esprit, consistait dans une simple différence de point de vue, cependant qu'en son fond le sentiment reste inaltérable.

Toutefois, dans le premier des deux exemples cités ici, un ordre historique, ou plutôt biographique, régit ces métamorphoses, l'espoir de l'enfant précède l'amour de l'adolescent, l'inquiétude de l'épouse, la méditation du vieillard. C'est lui, l'enfant, qui paraît au premier plan et rêve en premier lieu. Cette primauté de la personne enfantine se retrouve invariablement dans l'œuvre de Proust. Elle se manifeste à l'évidence dans la grande œuvre finale, où à peine l'action mnémonique de la madeleine a-t-elle levé les voiles du passé, que celui-ci apparaît sous la forme que lui donnaient les espérances appartenant au premier âge de la vie. La *Recherche* commence par une enfance proustienne, le temps perdu se retrouve à partir d'un premier temps. Dès le moment donc où, dans le roman, la situation initiale, toute de privation, fait place à une réalité positive, c'est l'enfance qui s'y montre et s'y épanouit, et nous nous rendons compte qu'il ne pouvait y avoir d'autre commencement. De telle façon qu'il n'est pas inexact de dire qu'au sortir de la négativité des premières pages, le roman proustien a pour début véritable une existence qui, elle-même, débute, une existence qui par l'espoir va vers l'avenir. Le grand roman de la rétrospection commence par la prospection. Or cette orientation prospective n'est nullement particulière à la *Recherche*. Elle se remarque dans toute l'œuvre antérieure de Proust : dans le *Contre Sainte-Beuve*, dans *Les Plaisirs et les Jours*, et surtout dans *Jean Santeuil*, véritable roman de la vie prospective. Citons-en cette page toute imprégnée de sentiment enfantin, c'est-à-dire d'anticipation et d'attente impatiente :

Quand nous sommes enfants, chaque demain ressemble à chacun de ces cartons encore fermés, qui le matin du jour de l'an nous attendent dans la salle où on les a réunis sous la lampe... A l'enfant on a beau avoir appris que demain est un jour, comme aujourd'hui était un jour, comme hier était un jour, il *attend chaque demain comme quelque chose de tout nouveau qui n'est en rien de l'espèce d'aujourd'hui ou d'hier*, comme un monde mystérieux où il trouvera sans doute le bonheur. Et il ne se désole pas de n'avoir rien trouvé en aujourd'hui. Demain n'est-il pas là, qui déjà, tandis qu'il dort, repose encore tout enveloppé, comme le grand cadeau mystérieux où une carte se dissimule sous la ficelle, sous la lampe, le matin du jour de l'an, l'attend et qu'il va pouvoir le premier défaire, voir, toucher, emporter, en sautant de joie. Demain lui semblait un monde qui s'étendait jusqu'à jamais. Mais demain est devenu aujourd'hui. C'est ce nouveau demain qui est un nouveau monde et il joue avec les mondes, il les brise, n'attend que plus impatiemment d'en avoir d'autres, a de la peine à s'endormir chaque soir en songeant à demain, à ce qui pourra être, comme la veille du jour de l'an à ce que sa tante pourra lui avoir donné, car il en a une infinité *devant lui* et à chaque jour qu'il brise, tandis qu'il n'a pas le temps de s'ennuyer, étant fatigué et en train de dormir, *c'est un jour nouveau qu'on lui rapporte pour recommencer*, pour commencer croit-il [1].

Rien de plus surprenant, si l'on y réfléchit bien, que cette capacité de décrire l'avenir, chez un écrivain destiné, tout au long de sa vie et de son œuvre, à décrire le passé. Décrire l'avenir, c'est décrire ce que l'on ne connaît pas, ce que l'on ne re-connaît pas encore, ce qui donc, n'ayant pas de traits reconnaissables, est proprement indescriptible. Peut-on concevoir un mouvement de l'esprit qui soit moins prous-

1. *Jean Santeuil*, I, p. 21.

tien ? Un monde sans passé, perçu par un être sans souvenirs, le sentiment de l'inconnu chez un être qui bien vite ne pourra plus être heureux qu'au milieu de choses familières. Voilà pourtant l'état premier de la pensée enfantine ou adolescente, présenté invariablement par Proust comme un état qui fut le sien. Alors la vie était devant lui, et non pas derrière ; elle était ce qu'on souhaite, ce qu'on ignore, ce qu'on pressent ; elle était ce qui précisément échappe à toute connaissance, puisque c'est comme une grande marge vierge qui s'étend au-delà du cercle du connu. Or, cet état de la pensée enfantine se retrouve à d'autres moments de l'existence, et, en particulier, dans les premiers temps de l'amour. Le monde inconnu où nous entrons alors, nous apparaît simultanément sous la forme d'un visage étranger et d'une expérience inhabituelle. Rien au dehors ni au dedans ne s'y peut comparer :

... Il se disait : « Je ne reste pas à cette soirée car il y a une femme que j'aime et que je vais voir... Et c'est un grand charme quand nous ne sommes pas la clef de voûte de notre existence, quand elle tient ainsi à une personne, que nous ne nous sentons pas seuls, mais deux, de sorte que nous avons presque en nous-mêmes une sorte d'*inconnu* étant à la fois nous-mêmes et *quelqu'un que nous ne connaissons pas d'avance comme nous* [1].

Ce caractère essentiellement prospectif du monde d'Éros n'apparaît nulle part si nettement que dans l'épisode de la jeune marchande de lait, aperçue dans une gare près de Balbec. L'état d'exaltation où sa vue jette le personnage proustien, « donnait, dit l'auteur, une autre tonalité à ce que je voyais, il m'*introduisait dans un univers inconnu* et infiniment plus intéres-

1. *Jean Santeuil*, III, p. 128.

sant ; cette belle fille que j'apercevais encore, tandis que le train accélérait sa marche, c'était comme une partie d'une *vie autre* que celle que je connaissais, séparée d'elle par un liseré » [1]. Aimer, ce n'est donc pas seulement entrer en relations avec un être qu'on ne connaît pas et qui restera peut-être inconnaissable, c'est passer une frontière et entrer dans un royaume différent de celui où l'on avait vécu jusqu'alors. A partir de cet instant, le temps est autre ; et cette altérité n'est pas simplement de bordure ni de surface, elle semble devoir inépuisablement se continuer dans l'avenir.

C'est l'expérience de Marcel avec Albertine :

Essayer de me lier avec Albertine m'apparaissait comme une *mise en contact avec l'inconnu* sinon avec l'impossible, comme un exercice aussi malaisé que de dresser un cheval, aussi passionnant qu'élever des abeilles ou que cultiver des rosiers... [2]

Le pouvoir de l'amour n'est donc pas différent de celui de l'enfance. Il nous met en présence du neuf, plus encore, il nous rend la faculté de percevoir les choses comme nouvelles. Il restitue à l'avenir son caractère énigmatique et désirable. Il redonne l'espoir.

Un admirable passage dans *Jean Santeuil* nous décrit tout au long cette restauration du rôle de l'avenir :

... Le hasard de cette caresse, en lui révélant soudainement pour cette femme un lui-même qu'il ne connaissait pas, et en lui révélant en elle en même temps une elle-même en présence de qui il n'avait jamais été, c'était comme si sa vie eût tout d'un coup changé et si le monde était plus riche qu'il ne croyait, si tous les

1. *Recherche*, Pléiade, I, p. 657.
2. *Ib.*, I, p. 882.

sentiments qu'il connaissait par cœur et les désirs et les plaisirs purement charnels sur lesquels il était blasé n'étaient pas tout, et si réellement la vie comportait des choses qu'il ne connaissait pas, si s'en étant tenu jusqu'ici à ses apparences uniformes soit sentimentales, soit brutales, tout d'un coup elle *s'entr'ouvrait* et lui montrait en son fond quelque chose qu'il ne connaissait pas et qui *le remettait à une de ces heures où dans l'enfance nous croyons que la vie comporte de l'inconnu et du nouveau*, du délicieux et de l'enivrant, ou dans nos rêves où nous pensons que ce que nous avons senti jusqu'ici n'était pas la vie, que c'était comme une mesure pour rien et qu'il y a quelque chose hors de la vie, et qu'au *lieu de continuer elle va commencer, comme si c'était un lieu où nous n'étions pas encore et où nous allons entrer* ... C'était peut-être ce sentiment, sentir du nouveau, de l'inconnu, qui sortait de lui, qui lui paraissait le plus une vie nouvelle et véritable qui s'ouvrait, une vie où on va si bien vers l'inconnu qu'on y dit des choses qu'on est étonné d'entendre, que l'intelligence ne prépare pas et qu'on fait des gestes et des choses *qu'on ne sait pas en inventant au fur et à mesure* [1].

L'avenir est chose qui va commencer, chose qui s'ouvre, chose surtout singulière. Singulière d'abord au sens d'étrange ou étrangère, de non-familière, de non rattachée à un passé. L'avenir n'est pas une simple prolongation du passé à travers le présent. C'est une nouvelle façon de durer, un temps qui recommence à neuf. Mais l'avenir est aussi chose singulière, au sens de chose qui existe en son individualité. Alors que le passé et le présent semblent ne constituer qu'une même durée conventionnelle, dont si elle possédait aussi un futur, l'on serait blasé d'avance, le vrai temps de l'avenir, au contraire,

---

1. *Recherche*, III, pp. 258-259.

apparaît comme un temps de fraîcheur et de joyeuse
improvisation. Chaque fois que par le génie de l'enfance ou la puissance de l'amour, nous percevons
une ouverture dans le temps, un renouvellement
dans notre façon de percevoir la vie, nous entrons
dans un nouvel état d'existence, où, sentant l'originalité de ce qui est, nous recommençons à être
heureux. C'est le cas du héros de la *Recherche*, lorsque
par la portière du train il voit sur le quai la belle
marchande de lait :

Elle longea les wagons, offrant du café au lait à quelques voyageurs réveillés. Empourpré des reflets du
matin, son visage était plus rosé que le ciel. *Je ressentis
devant elle ce désir de vivre qui renaît en nous chaque fois
que nous prenons de nouveau conscience de la beauté
et du bonheur.* Nous oublions toujours qu'ils sont *indi-
viduels* et, leur substituant dans notre esprit un type de
convention que nous formons en faisant une sorte de
moyenne entre les différents visages qui nous ont plu,
entre les plaisirs que nous avons connus, nous n'avons
que des images abstraites, qui sont languissantes et
fades parce qu'il leur manque précisément ce caractère
d'une chose nouvelle, différente de ce que nous avons
connu, ce caractère qui est propre à la beauté et au
bonheur [1].

Mais de toutes les caractéristiques de l'avenir,
celle qui importe peut-être le plus à Proust et à son
protagoniste, c'est le fait qu'il commence à partir
du moment présent. Dans la durée dont il est parlé
ici, ce n'est pas le futur éloigné qui absorbe l'attention,
c'est au contraire le futur tout proche. Ici, Marcel
Proust rejoint ses grands émules contemporains,
un Gide, un Valéry, un Claudel, un Péguy même.
Le plus beau temps de l'avenir est celui de l'immi-

1. *Recherche*, I, p. 655.

nence. Combien de fois, dans *Jean Santeuil* d'abord, mais aussi bien dans *Les Plaisirs et les Jours* et jusque dans la *Recherche*, ne trouve-t-on pas de ces passages où l'être proustien éprouve « le bonheur de sentir en lui toute cette vie *prête à jaillir, à s'étendre à l'infini*, dans des perspectives plus vastes et plus enchanteresses que l'extrême horizon des forêts et du ciel »[1], mais qu'il aurait voulu « atteindre d'un seul bond ». Bond qui, de l'extrême pointe du moment présent, projette celui qui le fait en plein avenir. Bond qui lui fait franchir une sorte de seuil et pénétrer, juste au-delà du présent, dans un monde qui est celui même où, comme une vague qui vient mourir au rivage, le présent le dépose en se retirant. Du présent au futur, au futur immédiat, il y a un glissement instantané par lequel on quitte un monde et on pénètre en un autre. Nombreux sont les textes dans *Jean Santeuil*, dans la *Recherche*, où ce transfert est linguistiquement exprimé par la construction du verbe *aller* suivi d'un autre verbe.

Ainsi la scène où un professeur de lycée est sur le point d'ouvrir devant sa classe l'enveloppe qui contient le thème de la composition d'examen :

Car c'était le moment solennel où l'on venait de remettre au professeur un pli, un pli qu'il *allait briser*, un simple papier bleu cacheté sur lequel était écrite la composition encore inconnue de tous, un simple papier que le professeur debout tenait et avec ses doigts *allait décacheter*, mais qui *portait toute la puissance de l'avenir*, ... toute la puissance de la destinée en ce qu'elle a d'inéluctable et d'immense, au *moment où déjà réalisée elle est encore inconnue*[2].

Là l'avenir qui s'ouvre est associé à un destin

1. *Les Plaisirs et les Jours*, p. 148.
2. *Jean Santeuil*, II, p. 120.

sur le point de se révéler. Ailleurs, il est lié à une
potentialité qui se réalise. Par exemple, la chambre
d'hôtel à Balbec, le matin, apparaît bariolée par
une multiplicité de couleurs qui sont comme le
symbole des possibilités de la future journée :

Elle avait l'air d'un prisme où se décomposaient les
couleurs de la lumière du dehors, d'une ruche où les
sucs de la journée que j'*allais goûter* étaient dissociés,
épars, enivrants et visibles, d'un *jardin de l'espérance*
qui se dissolvait en une palpitation de rayons d'argent
et de pétales de rose [1].

Or, de tous ces prismes où se dissolvent et se recom-
posent les jeux de la lumière et de la durée, il n'en
est pas de plus exaltant que celui de l'amour. L'amour
décompose et recompose, détruit le temps pour le
recommencer. Il précipite le cours de la durée et
accroît le sentiment de l'imminence. L'espoir s'y
trouve intensifié, le sentiment du présent, annulé.
Un seul terme le définit, qui est celui d'*attente*,
attente de ce qui vient, de ce qui déjà remplace le
présent et le fait oublier. Aussi chez Proust, exactement comme chez Gide, trouve-t-on de ces instants fiévreux où l'ardeur du désir est sur le point
d'être satisfaite, où le cœur tressaille de plaisir en
percevant la proximité de ce qu'il souhaite :

Quand nous sommes amoureux nous retrouvons ce
beau don de l'enfance que chaque jour soit pour nous
l'objet d'une *attente fiévreuse*, le but plein d'inconnu
de toutes nos *espérances*. Chaque rencontre attendue,
chaque lettre espérée sont sans cesse *devant* nos yeux,
tandis que nous trouvons si longues les heures inutiles...
Aujourd'hui est un monde fini dont on ne peut plus

1. *Recherche*, I, p. 704.

rien tirer de bon, ni d'intéressant, n'y songeons plus.
Ah ! cher demain, que je te sens près de moi ![1]

Près de moi et pourtant loin de moi, si proche et
cependant séparé de moi par une distance que tour
à tour l'imagination considère comme immense
ou futile. Ici, dans le mouvement essentiellement
impatient de sa pensée, Proust fait songer au jeune
Musset, voire à Germaine de Staël. La pensée se
fixe sur la proie que l'être ne possède pas encore.
Chaque minute semble à la fois offrir et dénier
l'avenir. Mais à cette impatience qui tourne vite
à l'angoisse, correspond une force d'élan anticipateur
qui supprime la distance. Pour qui garde dans
l'esprit l'image d'un Proust malade, inerte, retiré
du monde et du temps, entièrement absorbé dans
son passé, rien de plus déconcertant que l'image
inverse d'un Proust juvénile, bondissant, passionnément occupé à courir à la rencontre de l'avenir :

Dans ces instants délicieux *où le désir anticipe déjà
sur la possession*, tandis qu'il prenait vite tout ce dont
il avait besoin et se demandait pour n'y plus revenir
s'il n'avait rien oublié, les regards de Jean brillaient
d'une joie que les petites lucarnes de son cabinet de
toilette, derrière leur rideau de mousseline, et où le
matin il allait regarder au réveil le temps et au-dessous
les champs et les bois, furent seules à voir, à la faible
lumière de la bougie crépitante. Joie contenue et
diffuse à ce moment dans ce petit cabinet de toilette,
qui *allait bondir à travers les corridors, frapper d'un
talon impatient les escaliers*, faire sentir aux marches
dégringolées de quatre à quatre le poids de son allégresse et dans le petit escalier qui remontait à la salle

1. *Jean Santeuil*, I, p. 92.

à manger *s'élever de marche en marche comme un étrier qui redonne de l'élan...* [1]

Bref, l'élan de l'être est un mouvement anticipateur, accompagnant, devançant même le cours de la durée. Il progresse à une allure si prompte qu'il précède même le temps présent dans la marche par laquelle celui-ci se hâte de joindre le temps futur. Il procède par bonds, comme si chaque fois il lui fallait s'arracher à un état de fixité pour déterminer à nouveau l'élan en avant de l'être. A ce point, qui est le point quasi premier de l'existence active, il n'y a pas de « temps perdu », ou le seul temps perdu serait celui qu'on manquerait d'atteindre en négligeant de courir vers lui de toutes ses forces. Le risque, ici, n'est pas l'oubli, l'effacement progressif, la disparition dans le lointain, de ce qui a déjà été vécu. Le risque est de manquer l'avenir, de le laisser échapper par la lenteur avec laquelle on se lance à sa poursuite. Dans la violence physique avec laquelle le jeune Proust se précipite sur l'avenir, il y a quelque chose, — qui l'eût cru ? — de la hâte avec laquelle Chateaubriand adolescent se jetait du haut en bas des marches d'un escalier à Combourg. Même fougue, même avidité, même volonté de conquérir le temps du futur. Bien plus, l'ardeur témoignée ici par le jeune Proust ne le fait pas seulement voyager plus promptement le long de la ligne de la durée, elle lui ouvre un espace, elle lui découvre l'existence d'un dehors. Celui qui se jette en avant, confère pour ainsi dire au milieu qu'il franchit le caractère d'un champ d'accueil, d'une étendue propice aux grands déploiements d'esprit. Il est celui qui, partant d'un point, s'élance vers tous les autres. En se précipitant dans la direction du temps, l'être proustien se précipite simplement dans la direction du dehors. Prospectivité et extériorité ne font qu'un. La décou-

1. *Jean Santeuil*, II, p. 53.

verte du futur et celle du monde extérieur ne sont qu'une seule et même chose.

Pourtant l'on aurait tort de croire que cette double découverte est un acte à la fois total et instantané. Le temps ne se possède pas : il se parcourt. Il en va de même de l'espace. Ce qui apparaît ici dans le mouvement par lequel la pensée proustienne se porte en avant vers les objets qu'elle cherche, c'est moins une conquête immédiate et définitive de ces objets, que la progression vers ceux-ci et même, tout simplement, l'acte par lequel la pensée se porte ou se place *au devant* de ce qu'elle convoite. Chose curieuse, le désir, l'impatience, la fougue même avec laquelle l'objet est recherché, a ici pour conséquence, et quelle que soit la promptitude avec laquelle l'esprit le recherche, de situer cet objet à l'extérieur de l'esprit et de créer ainsi entre le recherchant et le recherché une forme très rigoureuse de dualisme. C'est que la définition même de la recherche proustienne implique le caractère étranger et même inconnu de ce qui est recherché. L'objet convoité fait partie du dehors et de l'avenir, c'est-à-dire d'un univers vers lequel l'esprit se porte, mais avec lequel il ne peut coïncider. Il n'est jamais au-dedans de l'objet, il n'est jamais qu'*au-devant*. Au-devant, devant ! Peu d'expressions adverbiales apparaissent plus fréquemment dans l'œuvre de Proust et expriment plus précisément à la fois l'élan en avant de l'esprit et la perpétuelle impossibilité pour cet esprit d'atteindre sa marque. A chaque instant le personnage de Proust se retrouve *devant* une réalité et un avenir dont la signification ne lui est que partiellement révélée. Cela peut être, par exemple, un salon, « domaine féerique qui contre toute attente ouvre devant lui ses avenues jusque-là fermées »[1]. Cela peut être une personne, comme celle

1. *Recherche*, I, p. 509.

de Bergotte, longtemps rêvée et devant qui, soudain, l'on se trouve. Cela peut être encore dans le monde externe, dans l'espace du dehors, une sorte de réponse indéterminée à la demande de l'âme : « Dans ses promenades et dans ses rêveries... chaque chose semblait aller *au-devant* du plaisir qu'il portait en lui, y répondre, l'exalter »[1]. — « Désir de voir surgir *devant* moi une paysanne que je pourrais serrer dans mes bras »[2], tel est le rêve érotique conçu à Roussainville. Mais les passages essentiels sont ceux égrenés tout au long du livre, où tout d'un coup l'être se trouve en face d'un objet qui le sollicite et lui propose une énigme. Or, que cet objet soit proche ou lointain, que l'être tombe en arrêt devant lui ou qu'il s'empresse vers lui comme vers les clochers de Martinville, immanquablement le contemplateur se trouve en présence d'une entité qui refuse de se laisser immédiatement posséder ou connaître, et qui appartient par conséquent à la fois au monde du dehors et à celui de l'avenir. N'en est-il pas ainsi dans l'épisode fameux des aubépines ? Il est utile, à ce propos, de placer à côté du texte de la *Recherche* celui, moins connu, de *Jean Santeuil*, où il s'agit d'un camélia :

Son oncle lui dit : « Viens voir mon camélia qui est tout en fleurs... Jean n'avait jamais vu ou jamais remarqué l'arbre avant sa floraison, et n'avait jamais vu d'arbuste de cette sorte, jamais de grand arbuste aux innombrables fleurs rouges et roses, et *il restait là devant lui comme devant une dame étrangère*, belle, merveilleusement vêtue, à qui son oncle l'aurait présenté et qui lui souriait[3].

1. *Jean Santeuil*, II, p. 51.
2. *Recherche*, I, p. 156.
3. *Jean Santeuil*, I, p. 209.

Mais *j'avais beau rester devant les aubépines* à respirer, à porter *devant* ma pensée qui ne savait ce qu'elle devait en faire, à perdre, à retrouver leur invisible et fixe odeur, à m'unir au rythme qui jetait leurs fleurs ici et là avec une allégresse juvénile, et à des intervalles inattendus comme certains intervalles musicaux, elles m'offraient indéfiniment le même charme avec une profusion inépuisable, *mais sans me le laisser approfondir davantage*, comme ces mélodies qu'on rejoue cent fois de suite *sans descendre plus avant dans leur secret* [1].

Dans un texte comme dans l'autre, c'est en vain que le regard et la pensée se concentrent sur le mystère floral, celui-ci s'étale en face d'eux comme un objet impénétrable. Sans doute l'esprit s'efforce de se rapprocher des fleurs, il tente de « mimer leur efflorescence », de « s'unir à leur rythme ». Mais elles refusent de se laisser approfondir. Elles gardent leur secret, et l'élucidation de ce secret appartient à l'avenir. Ainsi se trouve rejetée à un autre moment, peut-être à une autre époque, la pénétration cherchée. L'être est devant l'inconnu de l'avenir comme il est devant les fleurs. Cette coupure entre le moment où l'on contemple et le moment où l'on comprendra, ce face-à-face de deux entités dont l'une s'obstine *pour le moment* à ne pas se laisser posséder par l'autre, se retrouve en toute expérience proustienne et, en premier lieu, dans la plus célèbre de toutes, c'est-à-dire dans l'expérience de la madeleine. Certes, celle-ci renvoie au passé, puisqu'il s'y agit d'un souvenir. Mais à l'instant où il s'accomplit, le phénomène lui-même se divise naturellement en deux parts, dont l'une concerne le présent et l'autre l'avenir. C'est véritablement *devant* sa propre expérience que le sujet est arrêté, comme devant un secret

1. *Recherche*, I, p. 138.

dont le sens lui est, pour le moment, refusé ; et
c'est dans un autre moment, qui n'est pas encore,
que la révélation totale lui sera — mais beaucoup
plus tard — accordée ; de sorte que devant ce qu'il
éprouve il est dans la même situation que devant
les aubépines. Pour employer les termes de Proust,
« *il est en face de quelque chose qui n'est* pas encore »[1].
Seul l'avenir lui donnera la pleine connaissance
du passé.

De plus en plus s'affirme donc le caractère prospectif de l'expérience proustienne. Il s'affirme même,
lorsque la substance de ce qui va se révéler appartient à la rétrospectivité. « Notre vie, écrit Proust
dans *Jean Santeuil*, est à tous moments *devant
nous* comme un inconnu dans la nuit »[2]. Devant
nous, c'est-à-dire au-dehors, au-delà, dans un temps
futur, alors que pourtant cette vie même, c'est
pour une grande part une vie déjà vécue, une vie
passée, mais qui néanmoins ne prendra son sens
que dans le futur. Alors apparaît le caractère étrangement transcendant de la connaissance proustienne :
connaissance qui a toujours devant elle son objet,
qui voit toujours celui-ci se situer au-delà du moment
et du lieu où pourtant l'acte de connaissance s'applique ; comme si, entouré de son âme, on était
« emporté avec elle dans un perpétuel élan pour
la dépasser, pour atteindre à l'extérieur »[3]. Point
d'art véritable, dit Proust, sans « un rapprochement
de l'artiste avec l'objet »[4], sans l'abolition d'une
distance, sans le rapprochement du dedans et du
dehors. Mais ce rapprochement n'est jamais complet, l'intériorisation de l'objet jamais totale, et
celui qui voulait s'identifier avec ce devant quoi

1. *Recherche*, I, p. 45.
2. *Jean Santeuil*, I, p. 109.
3. *Recherche*, I, p. 86.
4. *Préface à « Tendres Stocks »*.

il se trouve se découvre, rejeté dans un en-deçà par rapport à un au-delà. Telle est l'expérience du héros de la *Recherche* en présence des trois arbres d'Hudimesnil. La première version de cet épisode dans le *Contre Sainte-Beuve* nous le montre clairement :

L'espion est debout immobile pour relever des plans, un débauché pour guetter une femme, des hommes bien posés s'arrêtent pour voir le progrès d'une nouvelle construction ou d'une démolition importante. Mais le poète *reste arrêté devant* toute chose qui ne mérite pas l'attention de l'homme bien posé, de sorte qu'on se demande si c'est un amoureux ou un espion, et depuis longtemps qu'il semble regarder cet arbre, ce qu'il regarde en réalité. Il reste devant cet arbre et tâche de fermer son oreille aux bruits du dehors et de ressentir encore ce qu'il a tout à l'heure senti, quand au milieu de ce jardin public, seul sur sa pelouse, cet arbre est apparu devant lui, semblant garder encore comme après un dégel, d'innombrables petites boulettes de neige à la pointe de ses rameaux, tant il porte de fleurs blanches. *Il reste devant cet arbre, mais ce qu'il cherche est sans doute au-delà de l'arbre* car il ne sent plus ce qu'il a senti, puis tout d'un coup il le ressent de nouveau, mais ne peut l'approfondir, aller plus loin [1].

La vérité de l'arbre n'est pas *ici, dans* l'arbre. Elle est *par-delà*. La même expérience, faite de refus partiel et de remise à plus tard, se répète à propos de n'importe quel être ou objet dans l'œuvre proustienne. Tout y est renvoyé chaque fois à un autre lieu et à un autre moment :

... Tout d'un coup un toit, un reflet de soleil sur une pierre, l'odeur d'un chemin me faisaient arrêter

1. *Contre Sainte-Beuve*, p. 348.

par un plaisir particulier qu'ils me donnaient, et aussi parce qu'ils avaient l'air de *cacher, au-delà de ce que je voyais, quelque chose qu'ils invitaient* à venir prendre et que malgré mes efforts je n'arrivais pas à découvrir. Comme je sentais que cela se trouvait en eux, je restais là, immobile, à regarder, à respirer, à *tâcher d'aller avec ma pensée au-delà de l'image ou de l'odeur*[1].

Néanmoins, malgré ses efforts, l'être proustien n'arrive pas à atteindre cet au-delà. Le dehors, l'avenir se retirent devant lui comme un horizon qui recule à mesure qu'il avance. A l'élan de sa pensée s'oppose la fuite de l'objet. Fuite dans le futur, qui devient le temps non plus de la possession des choses, mais de leur retrait, de leur éternelle non-possession. Alors le futur n'apparaît plus comme le temps du bonheur ; il devient celui d'une déception sans cesse renouvelée. Le caractère perpétuellement évasif de toute réalité ou de toute joie désirées, en fait l'exemple même d'un espoir trompé. De l'espoir au désespoir la route est brève et facile. Elle n'exige aucune renonciation au désir, mais seulement à la réalisation du désir. L'être dont la pensée hantait sans cesse le futur, ne renonce pas à ses rêveries prospectives, il doute simplement de plus en plus de leur bien-fondé. A quoi bon espérer un profit d'un mouvement de l'esprit qui n'aboutit jamais qu'à un échec ? L'homme perd foi dans son ancienne espérance.

C'est ce que Marcel Proust explique très minutieusement dans un des rares écrits théoriques que contiennent *Les Plaisirs et les Jours*. Cet écrit est significativement intitulé : *Critique de l'espérance à la lumière de l'amour*. On y voit Marcel Proust louer le rejet du présent, constater l'orientation

1. *Recherche*, I, p. 178.

première de l'âme vers le futur, décrire l'élan de l'esprit vers un objet qui le transcende ; puis montrer l'échec de cette entreprise et la transformation du futur, lieu de l'espérance, en son contraire, en un lieu de désespoir.

Voici la conclusion de cet écrit :

Il n'est plus de bonheur pour nous. Il ne nous reste même plus les joies désintéressées de l'espérance. L'espérance est un acte de foi. Nous avons désabusé sa crédulité : elle est morte. Après avoir renoncé à jouir, nous ne pouvons plus nous enchanter à espérer. Espérer sans espoir, qui serait si sage, est impossible [1].

Toutefois désirer sans espoir n'est malheureusement pas impossible. Si le futur devient le lieu de l'échec et du malheur, il n'en reste pas moins le vain objet de convoitise que la pensée s'obstine à poursuivre. Les personnages proustiens le savent, qui ne peuvent s'empêcher de continuer à aimer ceux dont ils ont renoncé à obtenir l'amour. Dans une lettre à la Princesse Bibesco, déjà citée, Proust écrit : « Cesser d'espérer c'est le désespoir même. Mais si je ne cesse de désirer, je n'espère jamais » [2]. La renonciation à l'espérance, c'est-à-dire à la plus saine activité prospective de la pensée, se manifeste très tôt chez Proust, dès avant même l'époque où fut sans doute écrit l'*Essai sur la critique de l'espérance à la lumière de l'amour*. En mars 1892, ayant à peine dépassé la vingtième année, dans le compte-rendu d'un conte de Noël de Louis Ganderax intitulé *Les petits souliers*, Proust fait déjà ses adieux les plus explicites au sentiment de l'espoir :

La plus douce peut-être de ces fleurs du sentiment

1. *Les Plaisirs et les Jours*, p. 232.
2. Princesse Bibesco, *Au bal avec Marcel Proust*, p. 119.

que la réflexion flétrit bien vite est ce qu'on pourrait
appeler l'espérance mystique en l'avenir. L'amant malheureux qui, rebuté aujourd'hui comme il l'était hier,
espère que demain celle qu'il aime, et qui ne l'aime
pas, se mettra tout d'un coup à l'aimer ; — celui, dont
les forces n'égalant pas le devoir qu'il lui faudrait remplir, se dit : « Demain, j'aurai comme par quelque
enchantement cette volonté qui me manque ; tous
ceux enfin qui, les yeux levés vers l'Orient, attendent
qu'une clarté nouvelle, en laquelle ils ont foi, vienne
illuminer leur ciel mélancolique, tous ceux-là *mettent
en l'avenir une espérance mystique* en ce sens qu'elle est
l'œuvre de leur seul désir et qu'aucune prévision du
raisonnement ne la justifie. Hélas ! un jour vient où
nous n'attendons plus à chaque instant une lettre
passionnée d'une amie jusqu'ici indifférente... Un
jour vient où nous comprenons que demain ne saurait
être tout autre qu'hier, puisqu'il en est fait [1].

Dans ces lignes si lucides, et si précoces en leur
lucidité, il est possible d'entrevoir déjà ce qu'on peut
appeler l'état de renonciation ou d'indifférence,
qui, chez Proust, plus tard, comme chez tous ses
protagonistes, semble être celui auquel conduit
invariablement la mort du désir. Ce que Proust
appellera « les progrès irréguliers de l'oubli » n'a
pas d'autre terme qu'une espèce d'atonie, où périt
avec la passion l'envie même d'en situer et d'en
poursuivre encore l'objet dans le futur. La véritable
mort d'Albertine n'a lieu que lorsque son ancien
amant renonce à chercher dans le futur des explications à sa conduite passée, renonce donc au futur
de son ancienne passion. Mais ce futur a existé,
et même pendant un temps la passion n'a consisté
précisément que dans ce futur. Ne disons donc pas
que Proust est un rétrospectif *de naissance*, qu'il

1. *Chroniques*, p. 125.

est orienté *dès l'abord* vers le passé. Disons que c'est un *prospectif désabusé*, un être qui, en raison de désillusions précoces, renonce à l'avenir, mais y renonce difficilement. L'amour du passé n'est pas chez lui un amour premier, une tendance fondamentale. C'est le second mouvement d'une pensée qui, non différemment de la plupart des autres, avait commencé par se livrer au mouvement contraire. Ce caractère second de la rétrospectivité chez Proust, lui confère certains traits qu'il s'agit de dégager. Dans la rétrospectivité proustienne se distinguent les traces d'une prospectivité retournée. Dans l'homme du souvenir se distingue encore l'homme de l'espoir.

« Pourtant, dans certaines âmes pas trop desséchées
par la réflexion *refleurissent, à certaines époques
favorables, ces espérances mystiques* » [1].

Les lignes qui précèdent font partie du même
compte-rendu, cité plus haut, d'un conte de Ganderax.
A sa date, c'est-à-dire étonnamment tôt, il annonce
ce refleurissement de l'espérance que toute l'œuvre
subséquente de Proust approfondira. Le temps
perdu n'est pas entièrement perdu, du moins il
n'est pas perdu pour toujours. Si, pour longtemps,
le moment présent sera celui d'un temps où il est
devenu interdit d'espérer, de saisir les choses dans
leur nouveauté, de s'élancer vers le futur, il viendra,
au bout d'une longue durée neutre, où ni l'espoir
ni le souvenir ne sont possibles, un autre moment,
où il sera de nouveau permis de sentir à neuf et
d'espérer. Sans doute, ce qui sera restitué en ce
nouveau temps, en ce temps du futur, c'est seulement
le passé ; mais c'est un passé où l'on espère le futur,
non un passé figé en sa passéité. Que ce passé re-
naisse, et voici que renaissent du même coup l'ouverture sur le futur, la fraîcheur de l'appétition
sensible, l'ardeur avec laquelle l'esprit se portait
en avant ; de sorte que le passé retrouvé est moins
un passé qu'une reprise de la conscience du futur.
Certes, c'est en revenant en arrière que l'esprit
reprend possession de la faculté qu'il avait de s'élan-

1. *Chroniques*, p. 125.

cer en avant ; mais ce retour en arrière ne s'accomplit
pas par une démarche reconstructrice et inductive.
L'esprit ne remonte pas méthodiquement le cours
du temps. Simplement l'intervention de la mémoire
affective lui fera revivre en un certain moment
certaines émotions vécues jadis en d'autres moments.
A l'instar des psychologues contemporains, Proust
conçoit cette résurrection première de l'émotion
liée à un objet sensible déterminé, comme ayant
le pouvoir de faire lever, par association de ressemblance ou de contiguïté, l'ensemble des souvenirs
appartenant à la même époque. C'est la totalité
d'une enfance remémorée qui sort de la tasse de thé.
Néanmoins si elle en surgit, c'est accompagnée
précisément par la tonalité affective qui fut la
sienne au moment où ce passé fut vécu. Or cette
tonalité était celle d'un enfant tout entier orienté
vers le futur, tout entier livré à un sentiment d'espérance. Le temps perdu et retrouvé n'est donc pas
seulement le passé, mais comme dit Proust, la capacité longtemps perdue d'*avoir foi* en un futur. Ancien
futur qui va recommencer dans un nouveau futur,
qui va faire « refleurir » dans une époque subséquente
les sentiments jadis éprouvés dans une époque
antécédente. Le présent étant supprimé, le temps
intermédiaire étant comme s'il n'avait jamais été,
le passé va reprendre dans le futur, comme si celui-ci
en était la répétition immédiate.

Il faudrait ici rapprocher la répétition chez Proust
du même thème chez Hölderlin et surtout chez
Kierkegaard. Les différences sont grandes. Cependant
les similitudes l'emportent, car ce qui compte avant
tout chez tous les trois, c'est le recommencement
dans le futur de ce qui avait été d'abord expérimenté
dans le passé. Mais pour qu'il y ait ainsi un authentique recommencement, il faut que le passé et le
futur ne se trouvent plus insérés dans une continuité
indivisible de durée. Il faut que dans le temps il y

ait des hiatus et du jeu, bref des places libres. Dans une telle conception, les interruptions et les reprises se succèdent les unes aux autres. Impossible d'y représenter la fluctuation des sentiments sous la forme d'un courant ininterrompu allant du passé à l'avenir. Entre le passé et l'avenir il peut bien y avoir (par le miracle de la réminiscence) identité de substance : il ne peut jamais y avoir continuité linéaire de mouvement. Tout se passe donc comme si, pour chaque moment vécu, il y avait la possibilité non pas d'*une*, mais au moins de *deux* vies momentanées : une vie maintenant et une vie plus tard. C'est en deux fois, en deux points absolument séparés de la durée, que le même moment est vécu, que le même sentiment est éprouvé. Ce qui s'étend entre deux ne compte pas et disparaît de la conscience à l'instant où le phénomène du souvenir involontaire s'accomplit. Voilà donc deux moments quasi identiques, qu'il faut mettre l'un à côté de l'autre, sans que de l'un à l'autre il y ait ni développement historique ni cette liaison artificielle et illusoire que le langage narratif établit en produisant un équivalent verbal du temps continu. Ici, d'un côté, un moment du passé ; de l'autre, un moment de l'avenir. Rien entre eux. Deux moments juxtaposés, à la fois semblables et distincts : seul arrangement possible pour le romancier de la répétition.

Ce couple de moments identiques va donc se reformer à propos de n'importe quel épisode significatif. Chacun d'eux apparaît détaché, enfermé en lui-même, comme la liqueur d'un flacon bouché ; et pourtant reproduit par une bizarre duplication de lui-même en un autre endroit du temps et du roman, sans que cette réitération détermine jamais entre les deux endroits ainsi affectés une relation de cause à effet ou de quelque autre sorte. Toute narration continue est ici inconcevable. L'unique possibilité pour le romancier consiste à décrire dans un premier moment (celui du passé, ou plutôt du présent historique) une expérience déterminée ; et à la décrire immédiatement après, une seconde fois, dans un second moment, qui est celui de l'avenir.

Passé et avenir, moment vécu et moment revécu, seront donc disposés de façon contiguë sur une même page ou dans un même chapitre. De l'intervalle qui sépare ces deux expériences, rien, ou presque rien, ne sera dit. Une petite entité double, comme une ovule doublement fécondée, un couple de vies anachroniquement jumelées. Telle est la seule structure possible, car c'est la seule qui corresponde aux *deux temps* du phénomène : *d'abord* et *ensuite*, *maintenant* et *plus tard*.

L'œuvre entière aura tendance à s'ordonner sous l'aspect d'une série d'épisodes dont chacun contient ce jumelage, en même temps qu'une absence quasi totale de narration.

Telle est la structure de *Jean Santeuil*, à supposer qu'il soit permis de considérer l'assemblage de chapitres qu'on y trouve, comme une structure proprement dite. Cet ordre, il est vrai, peut être, dans une grande mesure, l'œuvre, non de l'auteur, mais de l'éditeur. Cependant il saute aux yeux que toute autre disposition des chapitres y serait revenue au même, car ce qui importe ici, ce n'est pas le développement biographique, mais la juxtaposition dans un ordre double (passé-avenir) d'un nombre indéterminé d'expériences originales.

Pour la plus grande part, *Jean Santeuil* est formé sur ce patron : on y voit un certain nombre de chapitres, dans chacun desquels une expérience du héros, celle des cloches, celle des mouches, celle de l'ivresse de sauter, etc., est présentée en deux volets qui se font pendants. Dans le premier, l'expérience est vécue dans l'immédiat ; dans le second, introduit généralement par les expressions adverbiales *par la suite*, *bien plus tard*, l'expérience est

revécue, approfondie, complétée, en un temps qui
par rapport au premier apparaît comme l'avenir.
En voici trois exemples :

Jean était en joyeuse communication avec le soleil
et le vent imprégné de l'odeur des bois, car tous deux
allaient déposer lentement quelques parcelles de leur
éternelle vie et santé en source riche au creux de ces
jours, et au fond de son cœur une gaîté qui par instant,
au plus charmant des beaux jours lui faisait oublier sa
tristesse. Chaque jour c'étaient les premiers tintements
lointains de l'angélus dans la campagne qui lui faisaient
rebrousser chemin avec sa bonne, afin de rentrer pour
le dîner... *Dix ans plus tard.* sa vie ayant bien changé,
un jour que dans une rue du faubourg Saint-Germain
il se sentait vaguement attristé par le regret indistinct
des années perdues de son irremplaçable enfance et de
sa vie au grand air, il sentit tout à coup un son insou-
ciant et léger frapper à la cloison de son oreille. Un
autre suivit, puis un autre, et un à un les battements
doux et profonds des cloches d'une chapelle lointaine
lui arrivèrent, montés sur la brise [1].

Jean montait dans sa chambre. Les volets étaient
fermés... De temps en temps, une mouche dont le vol
commençait à vibrer enflait le ton d'une manière
continue.. Les plus humbles mouches font à elles toutes
seules, disais-je, la musique de chambre de ces mêmes
jours extrêmement chauds, ayant leur poésie spéciale,
rafraîchie, obscurcie par les persiennes tirées...
Aussi je sais *dans la suite* plus d'un jour triste où
obligé de rester à Paris à l'époque où les bois sont si
beaux, ne sachant presque pas qu'il était dans l'été
et croyant que sa poésie était à jamais perdue pour
lui, parfois jeté sur son lit un instant pour oublier la
chaleur qu'il n'avait sentie que comme une fatigue de
plus, Jean entendait soudain une vibration sonore

1. *Jean Santeuil,* I, p. 85.

près de lui. Elle s'accroissait. Et revoyant tout d'un
coup les beaux jours d'Illiers, les pommiers en fleurs
dans le pré, le couvreur frappant dans la rue, la pêche
dans l'étang, Jean remerciait ces innocentes musicien-
nes qui venaient près de lui, lui annoncer bruyamment
qu'il devait se réjouir... [1]

Jean, quand sonnait quatre heures et demie, l'esprit
fatigué de lire et le corps réveillé, fermait son livre et
descendait goûter. Mais ivre du bonheur qu'il avait
à immobiliser dans un repos absolu son esprit lassé et
à rassasier de mouvement son corps dispos pour aller
à la salle à manger, il descendait l'escalier dans un mouvement fou, et faisait deux ou trois fois en courant
de toutes ses forces le tour du jardin, secouant la tête,
fendant l'air les bras tendus, se figurant qu'il était
cheval dans une prairie, mouette au ras des flots, fou
de joie. *Plus tard* et quand il était bien jeune encore,
avant la vingtième année, un asthme, des rhumatismes
l'empêchèrent de jamais courir, de jamais sauter, de
jamais se laisser aller à son élan de toutes ses forces.
Parfois, se remémorant avec délices cette ivresse rapide
qui le promenait alors comme un éclair à travers les
fleurs et les branches de lilas mouillés qu'il secouait
au passage, et se levant péniblement de sa chaise pour
poser prudemment à terre son pied douloureux, il n'en
ressentait pas d'amertume et d'envie... [2]

Tel est le procédé employé le plus fréquemment
par Proust dans *Jean Santeuil*. Il implique une discontinuité perpétuelle, l'interruption répétée du
récit par une série d'incursions dans le futur suivies de
retours au temps antécédent. Grave inconvénient
que celui offert par une méthode qui force l'auteur
à briser sans cesse l'élan de sa narration et à se jeter
en avant pour se replier ensuite en arrière. Inconvé-

1. *Jean Santeuil*, I, pp. 163-164.
2. *Ib.*, I, p. 175.

nient tout aussi grave, le futur dont il s'agit ici, devient un simple futur antérieur. Moment second qui succède au moment premier, il est perçu rétrospectivement par un narrateur qui se situe lui-même plus avant encore dans la ligne de l'avenir. Dès lors, comme dans les *Mémoires d'outre-tombe*, le second temps perd sa qualité de temps non encore advenu, il est un second passé découvert de loin et qui découvre à son tour un premier passé plus en arrière. D'un passé à l'autre la pensée voyage, ou plutôt saute, mais elle ne rencontre jamais que du révolu, que de l'accompli. Rien de plus fatigant d'ailleurs que ce va-et-vient d'époque en époque.

Peut-être est-ce la raison pour laquelle Marcel Proust attendit si longtemps avant de récrire *Jean Santeuil* sous une forme nouvelle. C'est qu'il voulait précisément trouver une forme qui lui permît de préserver le caractère prospectif de l'expérience double qu'il décrivait. Situer le temps de base de son roman dans un passé historique d'où, par à-coups, le personnage central débouche dans un temps ultérieur où il ne se tient pas, c'est rester à peu près fidèle au principe traditionnel, selon lequel le roman tout entier se déroule dans un temps qui, dès le début, est considéré comme révolu. De ce point de vue, la technique utilisée dans *Jean Santeuil* n'est pas radicalement différente de celle employée dans les *Illusions perdues* ou dans l'*Education sentimentale*. Elle consiste à décrire un passé, auquel s'ajoutent, de façon intermittente, certaines lueurs sur un autre passé moins lointain. Toute différente est la méthode suivant laquelle un temps non déterminé, qui peut être le présent, s'entr'ouvre, en quelque sorte, pour laisser apercevoir dans ses profondeurs un temps plus ancien. Au lieu de passer d'un *maintenant* à un *plus tard*, la pensée remonte, mais en un éclair, d'un *maintenant* à un *plus tôt*. La structure, somme toute banale, utilisée dans *Jean Santeuil*, se trouve retournée comme

un gant. Le roman réalisé dans la *Recherche* est celui
d'un être qui, situé dès l'abord à une époque tardive,
mais non encore révolue, de son histoire, se trouve
amené par l'intercession de sa mémoire à faire des
incursions intermittentes dans un passé qui, par
l'élan qu'il a vers le futur, nourrit véritablement
de sa vitalité particulière, le caractère toujours
ouvert, libre et inventif du moment de la vie où
l'on se souvient.

Sans doute, ce renversement du procédé n'empêchera pas l'auteur de reprendre parfois, ne fût-ce
que brièvement, le ton de *Jean Santeuil*, c'est-à-dire
celui d'un narrateur « remettant à plus tard » de
dévoiler la signification de ce qu'il nous apprend. La
Recherche du temps perdu est ainsi parsemée d'une
série de renvois, ayant pour fin de suspendre provisoirement le jugement du lecteur et de le faire patien-
ter jusqu'au moment où le sens entier de l'événement
qui lui est raconté, lui apparaît enfin tardivement.
C'est ainsi qu'après l'épisode saphique de Mont-
jouvain Proust prie son lecteur de lui pardonner d'avoir
écrit cette scène qui, à l'endroit où elle était lue, ne
pouvait pas manquer de paraître aussi superflue que
déplaisante : « On verra *plus tard*, nous avertit-il, que
le souvenir de cette impression devait jouer un rôle
important dans ma vie »[1]. Ceci étant dit à un moment du récit où *Sodome et Gomorrhe* fait encore partie
du futur et où le lecteur est censé n'en pas avoir encore connaissance, (sans compter qu'à l'époque où
Du côté de chez Swann fut publié, l'œuvre ultérieure,
encore en manuscrit, était inaccessible), l'avertisse-
ment de Proust n'est ni inutile, ni, certes, trompeur.
Ainsi, mainte fois, le futur fait irruption dans le passé
de la *Recherche*. C'est l'auteur disant à un moment
donné : « Je peux le dire ici, bien que je ne susse pas

1. *Recherche*, I, p. 159.

alors ce qui ne devait arriver que *dans la suite* »[1]. Ou
encore : « Mais on verra tout cela *plus tard* dont je n'ai
jamais su si c'était vrai »[2]. L'un des plus importants
passages de ce genre est celui où Proust nous décrit
une certaine route aperçue dans sa jeunesse, route,
dit-il, pareille à bien d'autres et à laquelle au moment
même il ne trouva pas un grand charme. « Mais, ajoute-
t-il, elle devint pour moi *dans la suite* une cause de
joies en restant dans ma mémoire comme une *amorce*
où toutes les routes semblables sur lesquelles je
passerais *plus tard* au cours d'une promenade ou d'un
voyage s'embrancheraient aussitôt sans solution
de continuité »[3].

L'on voit l'inflexion apportée ici au procédé employé dans *Jean Santeuil*. L'expérience vécue d'abord
dans un temps initial est présentée ensuite comme le
patron d'une série indéfinie d'autres expériences,
vécues plus tard et dont la première constitue l'ar-
chétype. Partout, dans la *Recherche*, le passé apparaît
ainsi comme le fondement et modèle du temps à venir.
Non qu'il en constitue l'essence, mais simplement
l'*amorce*. Il est la première manifestation d'une expérience qui, se répétant ultérieurement un certain
nombre de fois, se révélera comme essentielle. D'où
le caractère nouveau pris par le futur. Dans la *Recherche*, le futur ne constitue plus seulement le lieu d'une
répétition et d'une complétion. Il est le lieu où l'expérience, se montrant enfin dans la plénitude de ses
divers caractères, peut être finalement reconnue dans
son essentialité. Sans le futur, cette découverte finale
ne serait pas possible. Cela est vrai, même et surtout
pour le plus important des épisodes du roman, celui
de la madeleine. Si révélateur que cet incident puisse
avoir été dans le moment où il a été vécu (le moment

1. *Recherche*, II, p. 352.
2. *Ib.*, III, p. 55.
3. *Ib.*, I, p. 720.

où le narrateur goûte le gâteau trempé dans le thé
et se trouve renvoyé en arrière, par le pouvoir magique de ce goût, à un autre moment, à un moment de
l'enfance), c'est seulement beaucoup plus tard que ce
personnage se trouvera à même de comprendre toute
la portée de ce qu'il éprouve : troisième moment, auquel personnage et lecteur n'arrivent que tout à la fin
du roman, mais qui, au début de celui-ci n'existait
encore que dans le futur. Cela est dit par Proust dans
une parenthèse concessive dont nous ne saurions
négliger l'importance : « ... quoique je *ne susse pas
encore* et dusse *remettre à bien plus tard* de découvrir
pourquoi ce souvenir me rendait si heureux » [1].

En bref, grâce au procédé par lequel la pensée
plonge d'abord dans le passé pour être renvoyée ensuite à l'avenir, le roman proustien n'est plus simplement une collection d'épisodes toujours construits
en deux temps, mais sans progression véritable. Il y a
un avenir de l'œuvre qui se dessine par delà l'avenir
du héros. « *Jean Santeuil*, écrit Gaëtan Picon, est
l'histoire d'un homme qui avance vers un avenir qu'il
ne connaît pas... Au contraire, dès les premières
mesures de la *Recherche*, la vie apparaît comme passée,
l'expérience comme achevée ; les mots ont un avenir,
l'œuvre est à faire, mais elle est à faire avec l'approfondissement d'une vie qui, elle, n'a plus qu'un
passé » [2]. Analyse très fine de la différence qui existe
entre les deux romans, mais peut-être pas tout à fait
exacte. Si, dans la *Recherche*, l'expérience du héros est
déjà achevée au moment où le roman débute, la
connaissance de cette expérience, la signification
qu'elle présente et le parti qui peut en être tiré, restent suspendus jusqu'à la fin, c'est-à-dire jusqu'à une
décision dernière qui fait du futur non seulement le
point d'arrivée du passé, mais le point à partir du-

1. *Recherche*, I, p. 47.
2. *Lecture de Proust*, p. 31.

quel le passé, rétrospectivement, acquiert intelligibi-
lité et intentionnalité. De plus, cette décision, c'est,
dans le cas particulier, celle de tirer de l'existence
passée une œuvre future, de telle sorte que la décision
finale du héros devient le point initial d'un nouveau
roman, le point de départ d'un nouveau futur. Comme
l'*Education sentimentale*, comme *Wilhelm Meister*, la
Recherche, on le sait, est un roman d'apprentissage,
l'histoire d'une vocation. C'est cette prospectivité
finale qui importe avant tout, encore qu'elle ne puisse
être comprise que grâce à une vue régressive em-
brassant tout le passé du roman. Le roman proustien
n'aboutit pas à une simple saisie du passé comme
passé. Il crée son propre avenir, il rétablit, pour finir,
la primauté de l'élan prospectif dans l'expression
d'une durée. Inventant d'ailleurs ainsi une dernière
forme de futur : le futur même que ce roman se crée
en faisant carrière, en affectant des générations de
lecteurs. Ce futur-là, Marcel Proust l'avait visé comme
les autres : « Il faut que l'œuvre, écrit-il, crée elle-
même sa postérité »[1]. Telle est, ajoute-t-il, « la vraie
perspective des chefs-d'œuvre ».

1. *Recherche*, I, p. 532.

XIV

JULIEN GREEN

I

...A un moment que je n'arrive pas à situer je me
trouvai assis devant la fenêtre quand j'eus tout à coup
la conscience d'exister.

Tous les hommes ont connu cet instant singulier
où l'on se sent brusquement séparé du reste du monde
par le fait qu'on est soi-même et non ce qui nous entoure... Je sortis à ce moment-là d'un paradis. C'était
l'heure mélancolique où la première personne du singulier fait son entrée dans la vie humaine pour tenir
jalousement le devant de la scène jusqu'au dernier
soupir. Certes, je fus heureux par la suite, mais non
comme je l'étais auparavant, dans l'Éden d'où nous
sommes chassés par l'ange fulgurant qui s'appelle
Moi [1].

L'avènement à la conscience de soi chez Green, le
premier *Cogito* formulé par l'être qui sent et qui pense,
est donc lié au bonheur et au malheur. Penser, se
penser, se trouve rattaché de quelque manière à un
Éden qui se perd, à une joie initiale dont celui qui en
fut le sujet se trouve séparé par l'acte même qui lui en
fait prendre conscience. Moi qui me pense, je pense à

1. *Partir avant le jour*, p. 23.

moi comme à quelqu'un qui fut heureux. Sans doute,
je ne le suis plus. Mais je le fus, je sais que je le fus, et
cette certitude ne saurait être dissociée de ma conscience d'être. Je reconnais en moi un être malheureux,
dans l'âme de qui, de façon plus ou moins singulière,
reparaît, transparaît, non pas seulement comme un
rêve, mais comme la saisie même de son essence,
l'expérience du bonheur.

C'est cette expérience qui fait le fond de tous les
romans de Julien Green. Tout y commence par une
prise de conscience du bonheur. Mais ce bonheur initial s'y avère aussitôt comme une présence équivoque. Bonheur dont il n'est permis à celui qui en fut
le sujet, de prendre connaissance, qu'à l'instant et
dans le mouvement même par lequel il en perd la jouissance ; bonheur aussi qu'il n'est permis d'appréhender
le plus souvent qu'au sein de l'angoisse, comme si
dans cet univers mental il n'y avait de soleil et de ciel
que brièvement, dans la déchirure des nuages. Aussi
le *Cogito* greenien ne doit-il être nullement considéré
comme un commencement absolu, comme un surgissement de soi accompli dans l'absence de toute réalité ambiante et la négation de tout passé. Rien de
plus différent, d'autre part, de l'espèce de co-
naissance par laquelle la pensée de Claudel prend simultanément conscience d'elle-même et du monde.
L'être greenien ne naît à l'existence ni dans la nudité
d'un acte d'introspection pure, ni dans la plénitude
de sa solidarité avec le monde. Tout se passe, au
contraire, comme si, de loin en loin, émergeant d'une
expérience confusément douloureuse, la conscience
de soi se découvrait associée à la restauration d'un
bonheur ancien, à la réconciliation de l'être avec
l'univers qui l'entoure, à l'espoir de sa réintégration
dans les privilèges perdus de l'Eden.

Ainsi dans les romans de Green, quelle que soit
l'atmosphère sombre et souvent angoissée où se meu-
vent les personnages, il vient pour eux un moment où

conscience et bonheur, sentiment de soi et volupté d'être se trouvent mystérieusement conjugués en une expérience qui est comme le point de départ, ou le point culminant, ou parfois même le point final, de leur histoire. Littéralement, brusquement, et presque toujours inexplicablement, les personnages s'y éveillent au bonheur. Et, en s'éveillant au bonheur, ils s'éveillent à eux-mêmes. Ce qui les anime alors, c'est un « bonheur sans cause, venu on ne sait d'où, et qui passe à travers les âmes comme le vent passe à travers les arbres » [1]. Bonheur gratuit, qui fond sur l'être pour lui donner un moment de jouissance sans commune mesure avec son existence ordinaire, bonheur que rien dans cette existence ne permettait de prévoir et d'espérer comme le développement et l'aboutissement de celle-ci : « Grand bonheur sans raison précise, note Green à la date du 18 juillet 1938 dans son Journal. Peut-être ma vie se ressent-elle d'un de ces vastes courants de joie qui doivent traverser l'univers à certaines minutes. Je me suis trouvé là où il fallait, au bon moment» [2]. Et ailleurs : « Il y a des moments où le bonheur fond sur nous, sans raison apparente, au plus fort d'une maladie, ou pendant une promenade à travers des prés, ou dans une chambre obscure où l'on s'ennuie ; on se sent tout à coup absurdement heureux, heureux à en mourir... » [3].

Ce bonheur « sans raison apparente » survient tôt ou tard chez tous les personnages de Green. C'est lui qui transfigure le jeune Fabien de *Si j'étais vous*, à l'article de la mort : « Et soudain il se sentit heureux sans raison précise, mais ce bonheur vague et profond grandissait en lui au point qu'il avait envie de rire ou de pleurer » [4]. Bonheur qui donne un être à celui qui

---

1. *Partir avant le jour*, p. 111.
2. *Journal*, 18 juillet 1938.
3. *Ib.*, 10 mai 1932.
4. *Si j'étais vous*, p. 263.

va perdre son être ; bonheur qui donne une intensité particulière de conscience à celui qui va glisser à tout jamais dans l'inconscience. Entre le bonheur et la vie déjà vécue, rien, semble-t-il, qui se prolonge, se continue, fasse office de principe de détermination ou de chaîne causale. Le bonheur est moins une rupture avec l'existence passée que le surgissement en celle-ci d'un événement mental d'une essence si différente qu'avec les événements antécédents rien ne permet de le confondre. Aussi l'éblouissement de sa présence entraîne-t-il, au moins provisoirement, leur oubli. Le passé s'efface, la vie quotidienne s'estompe, l'être conscient de son bonheur voit le champ de sa conscience rempli d'un bout à l'autre par ce bonheur. En face de lui, en arrière de lui, plus rien ne demeure. Tout s'évanouit et fait place :

... Et il lui sembla pendant l'espace d'une minute qu'il était absent du monde, mais aucune idée précise ne se formait dans son cerveau, sinon que le bonheur envahissait tout, *un bonheur étrange qui effaçait la vie quotidienne, le temps et la terre* [1].

Elle était heureuse et d'un bonheur si singulier qu'elle n'aurait pu le décrire, car il lui semblait *que tout à coup les choses autour d'elle n'existaient plus et que seule demeurait cette joie étrange qui emplissait son cœur* [2].

Point de bonheur donc sans un retrait général des choses, sans que l'univers ne fasse silence. C'est là un phénomène constant, non pas seulement chez le personnage greenien, mais chez Julien Green lui-même :

Avant-hier, en traversant la rue du Bac, j'ai éprouvé pendant une ou deux secondes, pas plus, cette indes-

---

1. *Chaque homme dans sa nuit*, p. 72.
2. *Si j'étais vous*, p. 253.

criptible sensation de bonheur dont j'ai parlé. *Le monde s'est aboli pour moi* et avec le monde, le temps, ce cauchemar [1].

Mais point de bonheur, non plus, sans que l'âme ne glisse de l'angoisse au pôle opposé de la vie affective :

Hier après-midi, vers quatre heures, au plus fort d'une inquiétude qui durait depuis dix jours, j'ai senti tout à coup la présence indescriptible du bonheur [2].

Ce matin, à quatre heures, je me suis réveillé dans un état d'angoisse très pénible... Tout à coup ma tristesse est tombée. J'ai eu l'impression que se levait le jour. Ces *passages brusques de la mélancolie à la joie* sont parmi les traits de mon caractère celui qui m'intrigue le plus, celui dont je m'accommode le moins [3].

Passages brusques qui, dans les récits greeniens, font songer aux sautes violentes d'humeur qu'on trouve dans les âmes sensibles dépeintes dans les romans du xviiie siècle. Là comme ici, c'est à précipiter l'être d'une émotion intense à son extrême opposé que le romancier s'applique. Mais chez un Cleveland ou un Saint-Preux ce renversement a toujours des causes. Il s'explique par des raisons psychologiques. Chez Green, il reste mystérieux dans sa cause comme dans ses effets.

Ainsi en va-t-il dans les lignes suivantes, où l'on voit Adrienne Mesurat, parricide vivant depuis des jours dans la conscience épouvantée de son crime, accéder à une joie inexplicable en raison de son intensité même, rien qu'en touchant le bras de celui sur lequel se sont concentrés ses désirs :

1. *Journal*, 6 novembre 1948.
2. *Ib.*, 28 octobre 1933.
3. *Ib.*, 30 avril 1935.

Adrienne passa son bras sous celui du docteur. Tout dansait devant ses yeux, elle ne comprenait pas où elle prenait la force de placer un pied devant l'autre, de se tenir debout. Contre son bras nu elle sentit le contact de l'étoffe un peu rugueuse et, baissant les yeux, vit sa main blanche sur la manche noire de Denis Maurecourt. A ce moment il y eut dans son épouvante comme un élan de bonheur frénétique. Ce fut une émotion si subite qu'elle dut se retenir pour ne pas pousser un cri [1].

Le soudain retournement des sentiments a donc chez Julien Green quelque chose d'incompréhensible. Aucun motif plausible n'arrive à en dissiper le mystère. Aucune cause naturelle ne s'avère susceptible de justifier un changement si grave qu'il n'entraîne pas seulement une modification de l'être mais la métamorphose radicale de celui-ci. En plein malheur, devenir heureux, c'est plus que devenir autre, c'est devenir *un* autre ; c'est découvrir en soi, au fond de sa misère intérieure, un étranger avide de bonheur et qui s'empare de celui-ci comme s'il lui était dû.

D'où chez celui qui est le sujet d'une si grande transformation, un trouble qui est, avant tout, un trouble de la connaissance. Entre la douleur disparaissante et la joie survenante, comment distinguer ce qui est sien, comment séparer ce qui est si bien mêlé ?

...Elle n'aurait su dire si c'était la joie, une joie inquiète et déchirante, ou la plus étrange et la plus exquise douleur qui la faisait trembler ainsi. Plus mystérieuse encore lui semblait la cause d'une émotion aussi forte [2].

1. *Adrienne Mesurat*, p. 315.
2. *Minuit*, p. 319.

Plus mystérieux encore que la cause en apparaît d'ailleurs finalement l'effet. Car ce qui commence dans la frénésie s'achève miraculeusement dans le calme. Chez le personnage greenien, un apaisement singulier succède soudain à la tempête intérieure qui l'affecte. La joie est moins ici l'envers de l'angoisse que sa guérison, le passage immédiat de la crainte ou du désespoir à un sentiment absolu de *sécurité*.

Dans l'œuvre de Green on en peut trouver de très nombreux exemples :

A présent, les yeux fermés, Joseph joignait les mains de toutes ses forces, et il lui sembla que son être s'allégeait, qu'un bonheur inconnu fondait sur lui. Depuis un moment, plus rien au monde n'avait d'importance que cette joie soudaine dont son cœur était plein, toute tristesse se dissipait et au lieu des soucis ordinaires, *il éprouvait le sentiment d'une sécurité délicieuse* [1].

...Elise éteignit et ferma les yeux.

Ce fut alors qu'elle éprouva un sentiment de bonheur incompréhensible, pareil à celui qu'elle avait connu quelques semaines plus tôt, lorsqu'elle avait entendu prononcer les syllabes de son nom ; mais cette fois, nulle voix ne l'appelait, au contraire ; *un silence se faisait en elle*, que ne troublait plus aucune interrogation anxieuse. Il lui sembla qu'elle se trouvait tout à coup là où rien ne saurait l'atteindre et lui nuire, dans une *sécurité* si profonde qu'elle ne pouvait ni se décrire, ni s'expliquer [2].

Le changement qui altère si profondément ici le *tempo* affectif de l'âme, se traduit par un signe essentiel, le silence. Silence des voix intérieures s'élevant et se combattant dans l'intimité d'un être. Silence aussi

1. *Moïra*, p. 114.
2. *Si j'étais vous*, p. 193.

de la parole ou de l'écrit qui porte jusqu'à nous le témoignage de ce conflit. Un roman de Green n'est pas seulement constitué par les mots qui s'y succèdent et qui forment, pour qui y prête une oreille attentive, un murmure qui tend à se précipiter ; mais encore d'une série de passages inverses, où le courant verbal se ralentit, s'apaise et s'immobilise au moins provisoirement. C'est en de tels moments, moments de grâce et de clémence, que Green atteint parfois à cette sorte particulière de beauté qui est d'ordinaire réservée à la poésie et dont se trouvent privés le plus souvent les textes du genre romanesque. Car ici la présence inattendue du bonheur a pour conséquence d'interrompre toute parole et de suspendre le cours de toute action :

J'étais couché ; mon père disait ses prières. Tout à coup, je me sentis saisi d'un bonheur inexprimable, un bonheur de l'âme qui m'arrachait à moi-même... Ma pensée... se trouva comme immobilisée en une sorte de ravissement... [1]

Hier soir aux Ballets Russes... Pendant quelques secondes, la scène est restée vide et j'ai eu l'intuition de tout ce que cela pouvait avoir de mystérieux et de magnifiquement beau dans la réalité! L'immobilité de tout, le silence profond et comme éternel [2].

Ah! que ne retrouve-t-on telle minute où le cœur battait fort, où la tête alourdie de rêves se penchait sur une image du livre, alors qu'on n'osait tourner la page, de peur de troubler la merveilleuse immobilité des choses autour de soi [3].

Suspension du mouvement, qui est aussi une suspension du temps. Pour un instant, celui-ci reste figé,

1. *Journal,* 30 mai 1941.
2. *Ib.,* 15 octobre 1943.
3. *L'Autre Sommeil,* p. 6.

comme une vague surprise par l'objectif au point le
plus haut de sa courbe, juste avant qu'elle ne s'écroule.
Alors il semble que la durée ne coule plus, qu'elle fait
place, — au moins provisoirement — à une autre
forme de temporalité, celle-ci toute statique. Le
remplacement, même le plus bref, du malheur par le
bonheur, c'est le remplacement de l'angoisse par une
sérénité quasi religieuse, et du temps humain par une
tranquillité que ne trouble plus aucun souci temporel.

D'où l'impression, chez Green, que ces moments ne
sont pas identifiables avec ceux de la vie terrestre,
qu'ils appartiennent ou conduisent à un autre temps,
à un autre monde, que l'on ne peut appeler autrement
que *surnaturels*.

C'est de ces joies seules, de ces joies surnaturelles
que veut parler Green.

« Aucune joie, dit-il, n'est vraie, ni permanente qui
n'est surnaturelle » [1].

Et ailleurs, décrivant en détail le dépaysement, on
pourrait dire la *dénaturalisation* de l'âme qu'elle
produit :

C'était un sentiment bizarre, à mi-chemin entre le
bonheur et l'effroi. Il était trois heures de l'après-midi,
et je me tenais au salon, près d'une des fenêtres, et
tout à coup il m'a semblé qu'en pleine possession de
mes facultés, j'étais transporté au milieu d'un rêve...
Une félicité profonde et surnaturelle animait l'univers
et je sentais mon être se dissoudre dans la plénitude
de cette joie [2].

Parfois c'est l'épithète *religieux*, qui exprime pour
Green ce type déterminé de bonheur :

1. *Journal*, 27 juillet 1937.
2. *Varouna*, p. 255.

Je me demande si je pourrai jamais définir ce que j'appelle le bonheur. Je ne parle pas de l'état de l'âme que tout le monde connaît ou a connu, ou pense avoir connu, mais d'autre chose de plus particulier : quelque chose de presque religieux, une émotion paralysante... J'ai toujours été frappé du peu de rapport que ce sentiment pouvait avoir avec un sentiment purement humain, avec le bonheur que procure l'amour par exemple. Je l'appelle religieux, à cause de son extrême gravité et à cause du mystère de son origine [1].

Bonheur *surnaturel* et non de communion avec la nature, le bonheur greenien ne saurait donc être confondu avec l'extase à laquelle, souvent, les écrivains romantiques s'abandonnent dans l'intimité de leurs relations avec les choses. Rien qui soit comparable ici à la joie de Rousseau sortant de son évanouissement dans le sentiment de son union avec un univers dont la présence enveloppante s'étend depuis son corps jusqu'aux étoiles ; et rien qui ressemble moins non plus à l'ivresse des sens où leur participation à la vie du cosmos jette un Guérin ou un Flaubert. Chez ces écrivains, en effet, la conscience heureuse n'a pas d'autre fonction que de révéler à celui qui se sent y participer le caractère immanent de ce qui est. Tout ce qui existe est perçu simultanément comme un ensemble ; ensemble qui renfermant tout ne laisse rien en dehors du tout. La totalité embrassée par l'esprit constitue d'un bout à l'autre un seul et même monde, et la jouissance éprouvée par le mystique naturiste consiste précisément dans le sentiment d'englober dans le même sentiment cette somme, d'être en complète communication avec le tout. — Or, il n'en va pas évidemment de même pour l'être heureux que décrit Green. La sphère embrassée par le sentiment

1. *Journal*, 15 octobre 1943.

qu'il éprouve ne coïncide plus rigoureusement avec celle de la nature, mais déborde et s'étend au-delà.

Le bonheur greenien se définit comme une émotion surnaturelle, précisément parce qu'il affecte un monde qui n'est plus celui de la nature, ou qui est alors celui d'une nature profondément changée en son essence ou dans ses relations avec l'esprit. Rien de plus frappant, à cet égard, que le lien qui existe dans le monde de Green entre le bonheur d'une part, et sa contrepartie, l'angoisse. Déjà nous avons remarqué que, chez Green, presque invariablement, la joie se découpe sur un fond de malheur. Mais l'inverse est également vrai. A chaque instant, dans les romans comme dans le Journal de Green, un sentiment immotivé d'angoisse se répand en l'assombrissant, sur l'entièreté du champ de la conscience. Si tant de fois le bonheur vient rompre le sentiment de mélancolie tragique qui constitue alors pour le personnage greenien la trame même de l'existence, combien de fois aussi, et par un processus identique mais de signification affective directement contraire, ne voit-on pas la peur, le chagrin, le désespoir, chez Green, faire irruption dans un état de contentement qui se présente alors comme le fond permanent de l'âme ? De sorte que l'œuvre greenienne oscille perpétuellement entre deux expériences à la fois similaires et inverses : le surgissement du bonheur dans le malheur, et celui du malheur dans le bonheur ; — étant entendu que l'un et l'autre de ces deux phénomènes ont pour conséquence la destruction de l'état qui précède et la révélation par là même d'une dualité de l'espèce la plus grave dans l'apparente unité émotionnelle où l'âme se trouvait située préalablement.

Tous les lecteurs de Green connaissent ces moments d'angoisse qui jalonnent le Journal et l'œuvre romanesque.

Il en est toute une série dans le Journal :

20 *janvier* 1936 : — En proie à ma vieille ennemie, l'angoisse, j'ai erré dans des rues que je ne connaissais pas, sous une pluie battante. Les réverbères reflétés dans les profondeurs brillantes de l'asphalte, toutes les étoiles de mon désespoir [1].

24 *août* 1938 : — Seul, à Stockholm, j'ai eu une crise de neurasthénie (quel autre nom lui donner ?) qui m'a rappelé l'angoisse que j'ai soufferte à Naples, il y a trois ans, alors qu'en plein bonheur je me suis senti envahi tout à coup par un absurde et indescriptible désespoir [2].

Zurich, 27 *juillet* 1948 : — De nouveau ce cauchemar de la neurasthénie. Déjà à Naples une fois, et à Stockholm. Près d'une heure sur un banc dans un état très voisin du désespoir. J'ai connu cela aussi en 1925, à Montfort-l'Amaury, et c'est de là qu'est sortie *Adrienne Mesurat* [3].

16 *juin* 1955 : — Parfois je suis pris d'une tristesse si profonde et si parfaitement inexplicable que le monde entier me semble tout à coup vide de sens... J'ai éprouvé cela fortement un jour, à Naples et une autre fois à Stockholm. C'est le vent du désespoir qui se lève et abat tout devant lui. Le démon, la face du démon [4].

Nulle part cependant l'expérience du désespoir n'apparaît plus explicitement sous son aspect de force séparatrice et destructrice, que dans le passage suivant de *Mille chemins ouverts* :

Une fois, je ne sais plus pour quelle raison, je fus envoyé seul au bourg de Souilly... Ce fut là, sous un ciel

1. *Journal.*
2. *Ib.*
3. *Ib.*
4. *Ib.*

gris, que je connus quelques-unes des minutes qui m'ont
le plus profondément marqué. Il me sembla que toute
la tristesse du monde se rassemblait en cet endroit...
Simplement il n'y avait plus de bonheur possible...
J'eus l'impression que je venais d'être séparé de moi-
même, de toute confiance en l'avenir, de toute joie,
et la pensée que tout était perdu se logea en moi comme
un ennemi occupe une place qui vient de se rendre [1].

Il importe ici grandement sans doute que le sentiment de désespoir se trouve lié à l'idée d'une menace,
à la présence d'un danger. Green est hanté par
l'obsession de la mort. Mais ce qui compte avant tout
pour celui qui cherche dans l'œuvre greenienne
le témoignage constamment reformulé de quelque
expérience originelle, c'est le fait que l'inquiétude
ici se révèle comme se superposant ou se substituant
à quelque quiétude perdue, en sorte que l'esprit,
pour ainsi dire dans le même mouvement, se trouve
confronté par deux façons de sentir et de vivre,
dont l'une est le démenti de l'autre. Ainsi l'esprit
s'appréhende en deux moments successifs et pourtant
simultanément perçus de son être, renvoyé de son
passé à son présent, de son présent à son passé,
dans une double conscience de soi qui donne un
relief saisissant au mystère de son existence.

1. *Mille chemins ouverts*, p. 42.

II

Conscience double, conscience où se trouve singulièrement accusé le conflit entre les temps, le conflit
entre les pôles du sentiment. L'angoisse commé le
bonheur ne sont jamais, chez Green, des émotions
simples. Une ambiguïté continuelle les marque,
et marque en même temps le monde où ils éclosent
et sur lequel ils projettent des ondes successives qui
en altèrent les formes et en rend douteuses les
significations. Mais la plus complexe de toutes ces
ambiguïtés est, certes, celle qui affecte l'expérience
de la durée. Moment d'angoisse ou moment de
bonheur, moment de bonheur dans l'angoisse ou
d'angoisse dans le bonheur, le moment actuel,
chez Green, ne se présente jamais seul. Il se détache
de la durée ; et pourtant il se rattache à une autre
durée.

De ce détachement et rattachement on peut
voir un exemple frappant dans un très beau passage
de *Minuit*. D'abord le personnage féminin qui
s'y trouve décrit, apparaît livré une fois de plus
à un sentiment de bonheur mêlé d'angoisse :

Depuis un moment, elle éprouvait une vague tristesse et en même temps un bonheur dont elle ne devinait
pas la cause. Elle espérait que *dans la suite des années*,
elle n'oublierait pas cette minute étrange où la joie et la
mélancolie semblaient se fondre.

Vague tristesse, bonheur dont la cause reste
dissimulée. Les indéterminations et les lacunes
dont il est parlé ici n'ont pas pour objet de créer
une véritable fusion du sentiment, mais plutôt de
nous le faire apercevoir dans sa complexité spontanée,
composé de zones contiguës non identiques, zones
douées aussi d'une certaine transparence, de telle façon que le regard entr'apercevant l'une à travers l'autre embrasse des sentiments à la fois voisins et opposés,
comme si se superposaient des états d'âme appartenant à des époques différentes d'une même vie.
Et cette impression est encore renforcée par le fait
qu'à la minute étrange dont parle Green, déjà si
complexe en elle-même, se relie la vision d'un avenir
où, « dans la suite des années », dit-il, sous la forme
d'un souvenir la même minute sera revécue par
l'esprit. Dès lors, l'ambiguïté des sentiments devient
une ambiguïté des temps. A l'instant où elle se
formule, la pensée se détache de l'actualité pour
se trouver renvoyée du futur au passé et du passé
au futur, comme la détermination du sentiment
oscille de la joie à la douleur et de la douleur à la
joie. — Il suffit d'ailleurs de lire la suite de ce passage
pour percevoir l'extrême perturbation apportée
à la représentation ordinaire de la durée par ce
caractère équivoque de bonheur mêlé d'angoisse,
qui est l'expérience fondamentale du personnage
greenien :

Le silence de la maison, la pénombre de la petite
pièce où elle se lavait et la tiédeur de sa chair sous sa
main, elle connaissait tout cela. *A quel moment de sa
vie* avait-elle ressenti cette langueur du corps et de
l'âme ? *Quel jour* d'automne *semblable à celui-ci*,
plein de murmures et de cris d'oiseaux ? Elle demeura
immobile, *essaya de se souvenir...* [1]

1. *Minuit*, p. 244.

Après avoir renvoyé l'esprit au futur, l'ambiguïté
du sentiment le renvoie au passé. Mais le passé
dont il s'agit est un passé non localisable. Il possède
l'aspect familier des heures déjà vécues par nous,
alors que cependant nous sommes convaincus
qu'elles n'ont jamais fait partie de notre existence.
En d'autres termes, l'expérience du bonheur chez
Green a presque toujours quelque chose de paramnésique. Elle se rattache à ce que les psychologues
appellent l'illusion du déjà vu ou de la fausse reconnaissance.

Dans l'œuvre de Green il n'est pas difficile de
relever nombre de ces phénomènes.

Ainsi dans le *Visionnaire* :

Lorsque je revins à moi, j'étais étendu sur une chaise
longue au bois contourné, tout près d'une table sur laquelle des papiers et des livres s'amoncelaient en désordre. Dans un flambeau d'argent une grosse chandelle
jaune brûlait en répandant une odeur d'église. Il me
semblait reconnaître ce flambeau, mais je ne pus d'abord
me rappeler où je l'avais vu, et de même cette table
aux ornements de cuivre me parut *à la fois étrange et
familière comme un objet aperçu dans une vie antérieure* [1].

Toute une pièce de théâtre de Green, l'*Ombre*,
est consacrée à des réminiscences du même type :
« Il me semble, y dit l'un des personnages, que toute
ma vie, j'ai rêvé à cette pièce où nous sommes » [2].
— Un autre lui dit : « Quand je vous regarde, il
me semble que je vous connais depuis longtemps ».
A quoi il répond : « Moi aussi, j'ai l'impression de
vous connaître depuis des années » [3].

Mais de toutes les œuvres de Green, celle où le

1. *Le Visionnaire*, p. 245.
2. *L'Ombre*, p. 107.
3. *Ib.*, p. 148.

thème de la paramnésie tient la plus grande place,
est assurément *Varouna*. Le sujet de ce roman n'a
pas d'autre fondement que l'expérience paramnésique. Comme dans l'*Imagier de Harlem* de Nerval,
on y voit certains personnages se réincarner d'époque
en époque, ou, en tout cas, transmettre leurs pensées
à d'autres êtres vivant en d'autres temps. D'où,
à chaque instant, chez ces derniers, le sentiment
d'avoir déjà éprouvé les mêmes sentiments, vécu
les mêmes minutes.

Par exemple, au bord d'un chemin, une femme
attend son amant :

Et tout à coup, l'idée singulière lui vint que ce qu'elle
faisait à présent, elle l'avait déjà fait jadis... Une voix
qui venait du fond d'elle-même lui criait : « Ce n'est
pas la première fois que tu souffres ainsi, que tu te tiens
debout dans la nuit silencieuse et qu'à la solitude de la
route correspond la solitude de ton cœur. »

Puis, comme l'expérience dont il est question
ici ne saurait arriver à son achèvement sans qu'au
sentiment de tristesse qui y prélude ne succède
une joie inverse, l'auteur continue en ces termes :

... Il semblait à Hélène qu'elle se trouvait prise dans
un tourbillon qui la menait au delà de cette terre. Une
joie profonde s'empara de son âme, bannissant les
craintes de tout à l'heure. Ce fut comme si le monde
s'évanouissait autour d'elle avec son agitation fébrile
et les noirs soucis qui lui font une couronne de
ténèbres [1].

Telle est, mainte fois renouvelée, l'expérience
du personnage greenien ; telle est aussi, non moins

1. *Varouna*, p. 165.

fréquemment, l'expérience de Green lui-même. N'en donnons qu'un exemple. Un jour, visitant pour la première fois San Giorgio degli Schiavoni, afin d'y voir les très beaux Carpaccio qui en font l'ornement, Green se découvre frappé par « la qualité magique particulière aux endroits qui nous semblent familiers, bien que nous ne les ayons jamais vus ». Et, notant ce fait dans son *Journal*, il ajoute : « Les peintures n'étaient pour rien dans ce que j'appellerais mon ravissement si une certaine inquiétude ne s'y était mêlée... Ce qui me troublait dans cette salle basse faiblement éclairée, c'était une impression contre laquelle ma raison luttait en vain, cette impression de *déjà vu* si forte et si précise qu'il semblait que dans ma mémoire quelque chose dût se déclencher »[1].

Et de fait, parfois il arrive que, chez Green — comme chez Proust, et tout à fait de la même façon, — l'impression de déjà vu n'est pas erronée. Un acte de mémoire le confirme tardivement. Certains textes de Green font ainsi penser à Proust.

Qu'on relise, par exemple, telle confidence de Marie-Thérèse, dans le *Visionnaire* :

Pendant des années j'ai gardé au fond d'un tiroir un chapelet de buis qui me venait de cette époque. L'odeur de ces grains de bois jaune était si forte qu'il me suffisait de la respirer pour faire revivre en moi certaines minutes de mon enfance, non les gestes, ni les paroles, mais la qualité particulière d'un moment. J'en éprouvais une sorte de vertige. Il ne s'agissait plus de souvenir, mais de la renaissance d'un monde disparu, avec sa lumière, son souffle, ses rêveries fugitives. Même athée, je me retrempais dans cet élément merveilleux qu'on appelle la foi. Rien qu'en approchant ce chapelet de mon visage, je redevenais la petite fille pour qui la

1. *Journal*, sans date, II, p. 203.

patrie des âmes rayonnait comme un grand jardin par delà les plaines du monde [1].

Le phénomène du déjà vu se mue ici — comme souvent aussi chez Proust — en une reviviscence des émotions, en une résurrection du Moi perdu. Ce n'est plus une expérience paramnésique, mais, comme Proust lui-même en a montré si fréquemment le mécanisme, une opération de la mémoire affective. Qu'il y ait donc chez Green de ces phénomènes de reviviscence sur lesquels, quelque vingt ou trente ans avant lui, la psychologie proustienne a puissamment attiré l'attention, cela ne fait pas de doute. Toutefois, sur plus d'un point, le souvenir greenien diffère de son modèle. Un autre exemple de mémoire affective, tiré du *Journal*, le fera voir.

Le 3 juillet 1943, ayant alors depuis longtemps quitté la France, Green se trouve à New York :

Tout à l'heure je sommeillais dans l'appartement de la 62e Rue quand quelqu'un a crié sous les fenêtres du salon ; c'était un marchand de fleurs ou de légumes qui passait avec sa petite voiture, et ce cri a fait surgir du fond de ma mémoire un souvenir d'enfance si précis que j'en ai éprouvé une sorte de choc intérieur. Je me suis rappelé que quelqu'un avait crié de cette manière, un soir de 1906 ou de 1907, alors que je me tenais, je crois, au coin de la rue Guichard et de la rue de Passy. Pendant quelques secondes, le présent s'est aboli pour moi et je me suis retrouvé à Paris comme dans un rêve... Cela m'a plongé dans une espèce de stupéfaction à la fois douloureuse et délicieuse... [2]

Assurément, dans ce dernier passage, la double qualification affective (sentiment « à la fois doulou-

---

1. *Le Visionnaire*, p. 65.
2. *Journal*, 3 juillet 1943.

reux et délicieux ») n'a rien de particulièrement
proustien : il est chez Green chose si fréquente et
formant un élément manifestement si essentiel de
sa magie propre, qu'il serait déraisonnable d'y voir
une imitation ou une influence. D'un autre côté,
la description du phénomène, telle qu'elle nous est
faite ici (ou dans l'exemple précédent), n'a sûrement
pas pour but, à la manière de Proust, de faire apparaître quelque grande loi psychologique. Si elle a
une fin, c'est au contraire de mettre en lumière ce
qu'a de « troublant », d'ontologiquement inexplicable la résurrection du Moi profond par-delà les
années. Enfin rien de moins proustien, mais rien
en revanche de plus greenien, que l'hyperacuité
de la perception sensible, dont s'accompagne ici
le phénomène : souvenir d'enfance si *précis* que
celui qui le revit en éprouve une sorte de choc
intérieur. Songeons aussi à ces « grains de bois
jaune » qui ont encore une odeur si vive. Précision
et intensité, tels sont, en effet, chez Green, les caractéristiques de ce qu'on pourrait appeler, avec Rousseau, l'objet mémoratif, celui qui sert de ressort
au souvenir. Certes, chez Proust aussi, bien sûr,
le souvenir dépend de telle sensation déterminée :
madeleine, serviette amidonnée, pavé inégal, etc.
Mais la précision de l'objet n'a d'autre fin que de
le faire servir de mécanisme de déclenchement à
un phénomène qui sans lui ne pourrait s'accomplir.
En elle-même, chez Proust, la sensation n'est rien,
elle n'a ni mystère, ni profondeur. Cela contraste
nettement avec le monde greenien, où, comme chez
Baudelaire, la sensation est toujours le centre de
propagation d'une rêverie ou d'un souvenir : « Une
tache de couleur, écrit Green, un parfum me plongent
dans des rêveries d'où il m'est parfois difficile de
sortir » [1]. De ces rêveries, les plus intenses sont celles

1. *Journal,* 7 janvier 1942.

qui dirigent l'esprit vers le passé profond, celui de
l'enfance. « Tout ce que j'écris, affirme Green,
procède en droite ligne de mon enfance » [1]. — Et
ailleurs : « Je crois que si je perdais le souvenir de
mes premières années, je ne pourrais plus tracer
une ligne » [2]. A l'instar ici de Baudelaire encore,
et aussi de Bernanos, Green est de ceux pour qui
il n'y a pas d'expérience sensible intense qui ne
reporte l'être qui la subit aux « pays lointains qui
cachent notre enfance », là « où se meut et respire
l'énorme bonheur des premières années » [3].

Mais ce mouvement qui joint le moment présent
à l'enfance, joint aussi le précis à l'imprécis. Partie
d'une expérience distincte, la pensée greenienne a
tendance à se perdre dans le vague. A cette tendance
elle résiste. Si elle dépend étroitement de certaines
perceptions actuelles, elle se sert de celles-ci comme
d'un tremplin ou d'une fronde pour se projeter avec
force dans sa profondeur intérieure. Là encore se
découvre un des traits du génie greenien. Il fait
provision de vie concrète, afin d'aller au-delà. Chez
lui, il y a toujours un besoin de reprendre pied dans
le monde de la vie réelle, mais il y a aussi le besoin
inverse de s'aventurer hors du déjà vécu. De la
sorte, l'étrange et le familier — comme le bonheur
et le malheur, comme le présent et le passé — deviennent des réalités de signes pposés qui tendent
à s'appeler et à s'enchevêtrer. Comme il y a, chez
Green, toute une série d'épisodes de type paramnésique, il y a aussi, chez lui, toute une autre série
de phénomènes de type exactement contraire,
et qu'on pourrait appeler *amnésiques* : caractérisés
non plus par l'expérience du *déjà vu*, mais à l'opposé
par celle du *jamais vu*. Qu'y discerne-t-on ? la

1. *Journal*, 31 décembre 1931.
2. *Ib.*, sans date, I, p. 224.
3. *Épaves*, p. 251.

métamorphose par laquelle tel objet familier, une chose, une chambre, un paysage, une personne, devient soudain une entité étrange et lointaine aux yeux d'un spectateur intéressé. Métamorphose qui fait passer la réalité externe du connu à l'inconnu et du mémorable à l'immémorial. En voici un certain nombre d'exemples.

Dans *Mont-Cinère* :

Il était très rare qu'Emily eût l'occasion de venir dans cette chambre... Elle courut à la fenêtre pour comparer la vue qu'on en avait à celle de sa chambre ; *rien ne donne une impression plus singulière que de contempler un paysage familier en un endroit d'où l'on n'est pas accoutumé de le voir*. La jeune fille demeura longtemps dans l'embrasure de la fenêtre, toute à l'attrait de ce qu'elle découvrait : il lui semblait que les montagnes dont elle avait dans l'esprit une image fort précise avaient légèrement modifié leurs formes ; un bois qu'elle apercevait à peine de sa chambre lui apparaissait maintenant dans toute son étendue, un nouveau pic se montrait, elle découvrait un groupe de maisons [1].

Dans *Adrienne Mesurat*, ces deux passages qui concernent l'un et l'autre l'héroïne :

Il lui semblait que *dans cette pièce qu'elle connaissait si bien, quelque chose d'inconnu se glissait*. Un changement indéfinissable avait lieu ; c'était *une impression analogue à celle que l'on peut avoir dans les rêves où des endroits que l'on sait n'avoir jamais vus paraissent familiers*... Elle se demanda si elle ne devenait pas folle, et jeta un regard autour d'elle. *Ce n'était pas l'aspect connu des choses qui la frappait, mais plutôt leur caractère étrange et lointain* [2].

1. *Mont-Cinère*, p. 127.
2. *Adrienne Mesurat*, p. 58.

Elle leva les yeux et vit, de l'autre côté de la rue, une maison étroite au fond d'un petit jardin. Les six marches du perron montaient sans grâce jusqu'à une porte dont la partie supérieure était formée par une grille au dessin compliqué... Toute l'attention d'Adrienne était prise par ces *détails qu'elle avait observés cent fois, mais qui semblaient revêtir pour elle, à cette heure et de cet endroit, un aspect qu'elle ne leur avait jamais vu.* Ce fut comme si une sorte d'hallucination s'emparait de son esprit [1].

Dans *Léviathan* :

... Rien n'était pareil à ce qu'elle avait connu ; son petit salon était changé d'une manière inexplicable et pendant une demi-heure elle avait eu l'impression de n'être pas chez elle, parmi ces meubles qu'elle voyait tous les jours depuis trente ans. Ce sentiment lui était familier. A certains moments de grande souffrance ou simplement de grand ennui, *l'idée qu'elle était étrangère au monde* lui venait avec une telle force que, durant l'espace de quelques minutes, les choses terrestres perdaient brusquement toute importance [2].

Enfin dans les pages qui forment l'admirable début d'*Epaves* :

Cependant ces murs couverts de saleté comme d'une guenille revêtaient ce soir une louche et criminelle beauté. A cent mètres plus loin, Philippe s'arrêta en haut du long escalier qui mène au quai, et regarda la caserne plus attentivement... Il l'avait vue ainsi bien des fois, mais il arrive que *des paysages familiers changent, sans raison apparente,* aux yeux mêmes qui les connaissent le mieux. Une pensée fortuite naît à telle

1 *Adrienne Mesurat*, p. 299.
2. *Léviathan*, p. 317.

seconde dans un cerveau préoccupé, et *d'étranges rapports s'établissent aussitôt entre l'homme et un monde qui semble ne rien savoir de lui* [1].

Comme on le voit, le sentiment du *jamais vu*, si directement contraire qu'il soit au sentiment du *déjà vu*, n'est pas sans avoir avec lui d'évidentes analogies. Green le sait bien, qui les mêle et, à vrai dire, arrive difficilement à les distinguer. Dans l'un comme dans l'autre cas, la même chose importe, qui est le renversement des rapports de la pensée avec le monde environnant. Ou bien celui-ci, milieu jusque-là tout proche, ouvert, aisément accessible, se recule, se referme, présentant à l'être qu'il exclut en l'éloignant, l'impénétrabilité mystérieuse d'un endroit transformé par la distance ; ou bien c'est un monde lointain, inaccessible, qui se découvre à portée de la main. Intrusion, exclusion, rapprochement, éloignement, connaissance, ignorance, tout est agencé dans l'univers greenien pour y donner à celui qui y habite l'impression d'être situé dans une région spirituelle instable, remuée par des renversements de perspective, comme le sont certaines régions volcaniques de l'espace matériel, périodiquement bouleversées par des tremblements de terre. Plus encore, si ce monde spirituel est ainsi bouleversé jusque dans ses assises, c'est par l'intervention de certaines causes, dont sans doute le principe reste incompréhensible, mais dont l'action se trouve incontestablement liée à la vie émotionnelle et morale de la personne même qui en est le sujet. En sorte que d'une façon qui reste inconcevable pour celui même qui déclenche ce phénomène, c'est lui, ce sont ses penchants, ses passions, son existence la plus intime, qui ont pour effet direct

1. *Épaves*, p. 20.

de modifier pour lui les conditions de la vie externe et de changer du tout au tout la structure de la réalité. On ne le voit nulle part aussi nettement que dans le beau conte écrit par Green dans sa jeunesse sous le titre : *Les clefs de la mort*. On sait que ce récit a pour sujet la croissance de l'idée du meurtre dans une âme d'adolescent : croissance toute intérieure et dont les manifestations pourtant ne cessent pas d'être externes : car c'est à la métamorphose d'un univers par une pensée homicide que nous assistons ici. La transformation de l'espace universel correspond rigoureusement à ce qui n'a lieu cependant qu'au plus secret de cette chose interne, centrale et sans dimension, qu'est une âme.

D'autre part, à cette altération générale de l'espace se joint une altération non moins importante du temps. Le rapprochement, l'éloignement, ce sont là des phénomènes non pas seulement spatiaux mais temporels. De deux façons inverses mais parallèles, dans l'illusion du *jamais vu* comme dans la fausse reconnaissance, certains moments se mettent à voyager dans le temps. Les uns monstrueusement se rapprochent ; les autres mystérieusement diminuent de stature en disparaissant dans les vapeurs d'une époque qui se confond avec les ténèbres de la préhistoire ; sans que cependant ces moments voyageurs cessent d'être des souvenirs personnels et même de se rattacher à la plus brûlante actualité. Mobiles, flottants, échappant à toute chronologie, ces souvenirs gardent leur *incognito*, leur manque d'appartenance. Inclassables, ils semblent moins faire partie du temps qu'être intercalés dans le temps. Green les appelle des « souvenirs immémoriaux »[1]. En voici quelques-uns, tels qu'ils ont été décrits dans le *Journal* :

1 . *Journal*, 1er avril 1933.

18 *février* 1934 : — Ce matin, je me suis assis à
l'arrière du navire et j'ai regardé la mer grise, le sillage
blanc que nous laissions derrière nous, le pont verni
par les embruns et par la pluie. Cela m'a fait penser à
des choses si vagues et si lointaines que je ne puis pas
les décrire. En regardant longuement certains paysages,
il m'arrive de faire surgir quelque part au fond de ma
mémoire des souvenirs qui viennent je ne sais d'où.
Ce pouvoir, je l'ai toujours eu. Il a enchanté mon enfance. Quelque chose, mais très peu en est passé dans
mes livres. Ce sont des souvenirs qui sont au delà des
vrais souvenirs, ceux qu'on situe, ceux qu'on date... [1]

21 *février* 1941 : — Tout à l'heure, en regardant une
large étendue d'eau noire d'où sortaient des pins morts,
j'ai eu l'impression que le temps allait brusquement
s'arrêter et se dissoudre — je ne puis pas dire autrement
— et que d'une manière indescriptible j'allais être
ramené au début de l'histoire de l'humanité [2].

De ces expériences Green tire parfois certaines
théories, qui, comme il lui arrive lorsqu'il veut se
hausser jusqu'à des idées générales, sont empruntées
par lui à la pensée d'autrui. Frappé par les spéculations psychanalytiques de C. G. Jung, entendues
dans une conférence [3], il incline à accepter la
notion d'une mémoire collective ou héréditaire.
Les souvenirs lointains sont les souvenirs de la
race, l'héritage mnémonique des ancêtres. C'est
ce qu'il explique dans un morceau idéologique,
moins réussi (car il n'est pas à l'aise dans l'abstrait)
que ses descriptions d'expériences, mais qui a le
mérite de montrer avec quelle bonne volonté il
cherche une explication à un phénomène qui est
à la fois pour lui la chose la plus personnelle et la

1. *Journal*, 18 février 1934.
2. *Ib.*, 21 février 1941.
3. *Ib.*, 1er juin 1934 et 18 janvier 1948.

plus générale. — Celui qui en est le sujet, se de-
mande-t-il, ne redécouvre-t-il pas au fond de lui-
même les gestes, les paroles, les cris de générations
disparues ? Existe-t-il indépendamment du groupe
de ses ancêtres ? Finalement Green penche à
croire que « dans le clair-obscur de sa conscience »
l'individu retrouve « quelque souvenir d'une existence primitive qui est l'existence de la race »[1].

L'idée de mémoire ancestrale qu'on trouve ici
provient évidemment de Jung. Mais elle ne joue
peut-être pas le même rôle que chez le psychiatre
zurichois. Chez Jung, ce qui importe, c'est la fidélité
subconsciente de l'individu aux expériences de la
collectivité originelle. L'individu et les ancêtres
partagent un même patrimoine et font partie d'une
même continuité psychique. Pour Green, l'attache-
ment inconscient de l'être individuel à une humanité
primitive implique son rattachement à un autre
monde, à un monde mythique. Soudain le lointain est
proche, l'Eden perdu rouvre ses profondeurs. Et
du même coup, par le pouvoir du mythe, le monde
actuel est frappé d'irréalité.

1. *Varouna*, préface, pp. 8-9.

III

A dater de cette époque, je tombai sous la domination de cette idée que la vie est une illusion... [1]

Peut-être toute cette vie qui s'agitait autour de nous n'était-elle qu'un songe, un autre sommeil qui ne nous fermait pas les paupières, mais nous faisait rêver les yeux ouverts [2].

Comme un somnambule donc, le personnage greenien passe à travers une actualité qui devient pour lui de plus en plus fantomatique. Bonheurs étranges qui l'arrachent soudain à son angoisse, mouvements d'anxiété au contraire qui rompent la monotonie de la quiétude au sein de laquelle se déroule sa vie ordinaire, alternatives enfin de sentiments qui donnent à ce qu'il perçoit un aspect bizarrement familier ou bizarrement neuf, toute une série d'expériences intérieures se réitèrent en lui pour le détourner de ce qui est, ou pour lui suggérer l'idée que, derrière ce qui est, réside une réalité différente qui est la seule vraie. Entrevoir celle-ci, « découvrir l'aspect secret des choses » [3], voilà le rêve de Green, rêve qui ressemble à celui de Nerval ou de Novalis. Et l'on aurait pu supposer que cette recherche somnambulique d'un autre monde devait nécessairement entraîner chez celui qui

---

1. *Le Visionnaire*, p. 244.
2. *L'Autre Sommeil*, p. 172.
3. *Le Visionnaire*, p. 50.

y persévérait, une incapacité de plus en plus grande
de *saisir* le présent, de *voir* le réel. Rien de plus aisé que
d'imaginer Green comme un rêvasseur passant à
travers le monde *sans le voir*.

Or il n'en est rien, et ce qu'il y a de frappant ici
chez Green, c'est que, bien loin d'avoir pour effet la
sorte de cécité mentale qu'on attribue d'ordinaire aux
êtres somnambuliques, la recherche de l'autre monde
a pour résultat direct le renforcement de la faculté par
laquelle il tient sous son regard ce monde-ci. Bonheur
ou malheur, paramnésie, souvenir profond, sentiment
de l'étrangeté des choses, il n'y a pas une seule de ces
expériences qui n'ait pour résultat chez Green d'in-
tensifier le don de vision. Et non pas seulement le don
de vision sous sa forme mythique et apocalyptique :
c'est-à-dire le don de voir ce que l'on imagine, la
capacité de donner une apparence sensible à l'imagi-
naire. Au contraire, de ce point de « vue », sans être
nulle la faculté imaginative n'a rien chez Green de
particulièrement remarquable. Point chez lui de figu-
rations multiples ou développées à une gigantesque
échelle, point d'élargissement du regard jusqu'à
l'immensité cosmique. Rien de moins hugolien, voire
rimbaldien, que son activité de « voyant ». Non, par
un curieux paradoxe, qui le fait différer peut-être
ici de Nerval (mais en le rapprochant de Poe, de Novalis et des romantiques allemands), la puissance onirique chez Green, bien loin d'émousser la perception du
réel, lui donne au contraire un relief extraordinaire
et accroît démesurément la visibilité des choses grâce
à la diffusion d'une sorte de lumière nocturne. Jamais
autant que lorsqu'il s'entr'ouvre pour laisser entrevoir dans sa profondeur un autre monde, l'univers
greenien ne se dessine avec une telle netteté au regard
du contemplateur. Peut-être pouvons-nous trouver
là un des plus hauts mérites littéraires, disons plus,
poétiques, de Green. Il est celui qui présente d'abord
à un « œil vivant » un monde visible : « Je suis moi

aussi quelqu'un pour qui le monde visible existe »[1].
— « J'écris ce que je vois... Si je ne vois pas, je ne puis
écrire... »[2]. Aussi, pour Green, le secret des choses
n'est-il pas localisé tout entier au delà du visible, au-
delà du regard, de l'autre côté de cette frontière
que dessine la limite extrême du pouvoir d'exploration
des sens. Ce serait une erreur de le prendre pour un
platonicien, c'est-à-dire pour un esprit qui suppose par
delà l'existence des réalités tangibles celle d'un autre
monde composé des réalités idéales. Il n'y a pas pour
lui un univers des choses et un univers des idées.
Ou, en d'autres termes, s'il y a un au-delà, il est
fait, lui aussi, d'objets qui tombent sous le sens : c'est
une réalité *sensible*, mais *occulte*. Ou, pour donner une
troisième formulation du dualisme greenien, il se peut
que la réalité sensible soit la seule réalité, que l'ésotérique ne soit pas différent de l'exotérique, sinon en un
seul point ou d'une seule façon, parce qu'il n'est pas
perçu avec une intensité de vision suffisante. Il s'agi-
rait donc de *mieux* voir, c'est-à-dire de voir plus nettement et plus intensément. C'est ce qu'un jour Green
exposa dans les termes suivants à un interlocuteur :
« Je lui dis..., que le monde est peut-être encore plus
beau que nous ne le supposons, et je lui parle des
cailloux que j'ai vus jadis exposés dans une vitrine,
cailloux quelconques ramassés sur une route, mais
éclairés par une lumière dite fluorescente, et chaque
caillou devenait une pierre précieuse, un gros saphir,
un rubis, un énorme diamant. Toute la création était
peut-être ainsi avant la chute »[3].

Toute la création est peut-être encore ainsi en dépit
de la chute ! Pour s'en apercevoir, il suffit de regarder
les choses comme si elles s'offraient au regard pour la
première fois : « Un des secrets du vrai talent est

1. *Journal*, 7 janvier 1942.
2. *Ib.*, 16 octobre 1949.
3. *Ib.*, 5 janvier. 1954.

de tout voir pour la première fois », écrit Green [1].
Faculté qui est celle des enfants ou de ceux qui,
comme eux, perçoivent les choses dans leur fraîcheur
et dans l'étonnement qu'alors elles provoquent.
Faculté qui est précisément celle des êtres qui, à tout
bout de champ, se laissent à la fois étourdir et exalter
par l'expérience du « jamais vu ». Ce qui est vu comme
si auparavant il n'avait jamais été vu, apparaît en
effet au regard avec une énergie de relief extraordinaire : à la manière d'un objet tombé d'un autre
monde. L'aiguisement de l'esprit et des sens sous
l'action d'un bonheur ou d'un malheur inexplicables,
le renversement du réel, la mutation soudaine de ce
qui était familier en quelque chose d'étrange, ou vice
versa, tous ces phénomènes dont nous avons parlé et
qui, comme nous l'avons vu, abondent dans l'œuvre
de Green, ont pour aboutissement et pour apogée la
révélation non pas de l'invisible mais de l'hyper-visible.
C'est comme si une force supplémentaire démesurée
était accordée à l'organe de la vue, ou encore comme
si ce qui jusqu'alors s'était trouvé voilé et dérobé au
regard, apparaissait dans un ruissellement de clarté
presque aveuglante ; ne faisant grâce d'aucune de ses
particularités sensibles, révélant une réalité rendue
merveilleuse non pas seulement par la magie de la
lumière qui l'inonde, mais par la multitude de traits
distincts dont chacun est serti par un fantastique
lacis de ciselures.

Cette magie précise, on la trouve dans les plus
admirables paysages du monde greenien.

Et tout à coup, les maisons avec leurs vérandas
à colonnes, les sycomores le long des trottoirs de briques
et le ciel déchiqueté par les grandes feuilles jaunes, pour-
pres et rouges, tout ce paysage qu'il connaissait bien
lui apparut comme pour la première fois avec une préci-

---

1. *Journal*, 29 janvier 1941 ; cf. l'*Ombre*, p. 141.

sion qui le troubla : il lui sembla qu'il regardait une image ou bien le décor d'une scène vide attendant l'arrivée de quelqu'un ou de quelque chose [1].

Peut-être en ces dernières lignes se révèle la signification profonde du phénomène de magie précise. Le paysage transformé n'est pas un paysage *complété*. Quelque chose ou quelqu'un y manque, et son absence est rendue plus évidente par la mention méticuleuse des traits détachés et soulignés par le phénomène de vision. L'extraordinaire intensité des paysages greeniens ne tient pas seulement au fini de leurs contours, mais encore et en même temps à leur incomplétude : comparables ainsi à certaines esquisses dont le charme provient du fait que l'artiste, ayant poussé jusqu'à l'extrême le rendu du détail en ce qui regarde certaines parties, a négligé ou omis de toucher, peut-être en raison des limitations de son art, à la partie centrale, laissée en blanc ou à l'état d'ébauche.

C'est ce goût de l'inachèvement dans l'achèvement, qui détermine souvent chez Green le choix de certains décors, et, en particulier, la singulière préférence qu'il montre pour les chantiers de construction.

Il y en a un très beau dans *l'Autre Sommeil* :

Cet obscur besoin de me libérer me conduisait dans un lieu étrange qui me semblait situé ni tout à fait dans le rêve, ni tout à fait dans la réalité telle que nous la connaissons. Si j'ai bonne mémoire, c'était au coin d'une rue qui rejoint le Champ-de-Mars. Chaque jour, des centaines de personnes passaient là et ne voyaient sans doute qu'une vaste construction inachevée où mon regard découvrait un autre monde... Il est un jour, une heure seulement, peut-être, où l'assemblage des pierres et du bois atteint une perfection mystérieuse. Les fondations sont jetées, le premier étage

1. *Moïra*, p. 127.

monte lentement : entre les deux s'étend dans la pénombre une région incertaine. L'œil ne voit rien qu'il reconnaisse. On ne sait où l'on est et, malgré la rue qui l'entoure de son bruit, *cet espace devient le lieu d'élection où la vie se transforme* [1].

Ainsi l'exactitude du détail conduit la pensée, d'abord à la constatation d'un inachèvement, mais aussitôt après, ou peut-être même en même temps, à l'anticipation d'une réalisation différente et incomparable. Au lieu de se refermer sur elle-même, d'aboutir à la fin pour laquelle elle avait été désignée, la forme s'ouvre sur autre chose, devient le support et comme le piédestal d'une autre forme, celle-là inconnue. Le plus bel exemple de ce surgissement dans l'inachèvement se trouve dans *Léviathan*, au chapitre où l'on voit l'assassin après son crime se réfugier dans un chantier où sur des tas de charbon miroite la lumière de la lune :

Au milieu du chantier se dressaient trois tas de charbon... Tous trois renvoyaient avec force la lumière qui les inondait ; une muraille de plâtre n'eût pas paru plus blanche que le versant qu'ils exposaient à la lune, mais alors que le plâtre est terne, les facettes diamantées du minerai brillaient comme une eau qui s'agite et chatoie. Cette espèce de ruissellement immobile donnait aux masses de houille et d'anthracite un caractère étrange ; elles semblaient palpiter ainsi que des êtres à qui l'astre magique accordait pour quelques heures une vie mystérieuse et terrifiante... Pas un souffle ne passait dans l'air. Ainsi que dans un lieu enchanté, toute vie était suspendue entre ces murs. Les choses, transfigurées par un violent éclairage, n'appartenaient plus à ce

1. *L'Autre Sommeil*, pp. 126-127.

monde et participaient d'un univers inconnu à l'homme [1].

Univers inconnu, impénétrable d'abord, mais qui, grâce à l'activité insolite de la lumière, devient visible bientôt, pénétrable ensuite. Peu de passages font mieux saisir le processus par lequel, chez Green, une transfiguration s'opère, une ouverture en un endroit déterminé se révèle. Le lieu dont il est parlé ici et dont le détail se trouve retracé par les mots avec une fidélité comparable à celle avec laquelle certains peintres dits primitifs s'astreignent à représenter, sans en dévier si peu que ce soit, les lignes d'un paysage, est un lieu de ce monde, soumis comme les autres aux lois de la nature aussi bien qu'aux arrangements géométriques qui caractérisent si souvent les établissements humains. Et néanmoins, en même temps, c'est un lieu qui appartient à un univers extra-naturel et inhumain. Plus encore, le regard qui s'y arrête et qui, pour le profit du contemplateur, y enregistre une image étrangement anonyme, ce regard ne se contente pas de se *poser* sur cet univers double, il *compose* avec lui, il y participe, il s'y déplace. C'est comme si nous assistions par l'acte du regard au mouvement de sortie et d'entrée qui se trouve impliqué par le passage d'un monde à l'autre.

Or, dès que nous comprenons cela, nous comprenons ce qui constitue la *fin* des œuvres de Green, l'effet spécial qu'elles ont pour mission de produire. Elles doivent se muer en systèmes de communication et de transfert, grâce auxquels, comme il le dit quelque part, il devient possible de passer de l'autre côté du décor ; comparables, de ce fait, à ces portes doubles qui permettent au navigateur sous-marin ou au cosmonaute de se transporter d'un milieu à un autre milieu dont les conditions sont radicalement différentes. Aussi,

2. *Léviathan*, p. 167.

quels que soient le mobile qui entraîne les personnages
greeniens et les régions qu'ils traversent, c'est toujours
à ce même point qu'ils sont amenés, à ce point qui
est à la fois un lieu de démarcation et d'entrée, — non
différent de ces endroits dont en certaines régions
du monde les anciens faisaient les portes des Enfers.
De sorte que tous les signes qui dans le roman greenien annoncent au héros qu'il débouche dans un
moment et dans un lieu exceptionnels de son existence : le sentiment du bonheur et celui, contraire,
de l'angoisse, l'impression de familiarité ou de jamais
vu, tous ces signes n'ont d'autre rôle que de l'avertir
de son arrivée à l'une de ces portes, de sa présence à
l'un de ces seuils.

Le terme de seuil revient plus d'une fois dans
l'œuvre de Green, toujours investi du sens spécial
d'endroit intermédiaire entre deux mondes.

Ainsi dans le *Journal*, en date du 11 août 1938, à
l'occasion d'une promenade nocturne dont il retire
une joie profonde : « Je me suis arrêté en proie au
bonheur mystérieux dont on ne peut rien dire. Il m'a
semblé que tout doucement la fenêtre *s'ouvrait* un
peu. Ce doit être ainsi quand on va mourir, quand le
corps ne souffre plus et que *l'âme se tient sur le seuil
de la nuit* »[1].

Au seuil de la nuit : c'est le titre justement que Green
songe à donner d'abord à l'un de ses livres, celui qui
s'appellera finalement le *Visionnaire*. Et en effet, en
lisant celui-ci, on arrive à la ligne suivante, notée par
le héros et qui résume son histoire : « *je demeurais au
seuil* d'un mystère... »[2].

Au seuil du mystère, « à la limite de deux mondes »[3],
voilà où aboutit le pèlerin dans sa recherche amphibie.

Mais du fait que cet itinéraire est amphibie, il en

1. *Journal*, 11 août 1938.
2. *Le Visionnaire*, p. 212.
3. *Ib.*, p. 153.

résulte deux conséquences : la première, c'est qu'il n'y a pas seulement un seuil mais une route vers le seuil ; — et la seconde, que la route ne s'arrêtant pas au seuil, ce dernier forme le point de partage (partage de Minuit, dirait Claudel) entre les deux parties de la route, dont l'une constitue un *en deçà* et l'autre un *au-delà* :

Que de fois j'ai fait ce rêve d'un jardin qui n'en finissait pas, d'une rue qui continuait à l'infini et qui menait droit hors du monde ![1]

Le plus beau, le plus mystérieux des rêves que j'aie jamais fait, sans doute ne devrais-je pas en dire un mot... Tout à coup je me vois sur une route qui suit le sommet d'une falaise et je sais que le rêve commence et avec lui une sensation de bonheur telle que le langage humain n'en peut donner l'idée la plus faible. Plus loin, il y aura la grande grille... puis la longue avenue... une forêt immense... Et à ce moment je me sens heureux comme quelqu'un qui serait au delà de la mort.[2]

Et surtout ce passage qu'on peut trouver dans les souvenirs de jeunesse intitulés précisément *Mille chemins ouverts* :

Nous fûmes plus de deux heures sur les routes, et je vis se lever la lune et les étoiles dans un ciel noir au-dessus d'une vaste étendue de neige... Je me sentais devenir la proie d'un bonheur si vague et si fort que je pensais n'en avoir jamais connu de tel. La neige amortissait le bruit des roues et des sabots du cheval, et l'air me mordait les oreilles, mais j'avais le sentiment que je me détachais de moi-même et que je *pénétrais* dans je ne sais quel royaume de splendeur étrange.[3]

1. *Journal*, 22 juin 1931.
2. *Ib.*, 12 décembre 1934.
3. *Mille chemins ouverts*, p. 182.

Ainsi comme il arrive dans la fameuse aventure d'Augustin Meaulnes, le chemin qu'on parcourt peut devenir une sorte de seuil mobile. Non pas seulement lieu de sortie et d'entrée, milieu ambigu et intermédiaire, mais élan qui se prolonge, traversée d'une frontière dans l'indivisibilité d'un même mouvement. Car rien n'importe autant que de déboucher au-delà. De ce point de vue, le roman greenien est une tentative de franchissement, un effort conscient pour parvenir « de l'autre côté du monde »[1]. De l'autre côté du monde, c'est-à-dire dans un espace et dans un temps différents. Le roman greenien tend à échapper à l'actualité et à la localité par la tangente. « Son être entier, y est-il dit d'un de ses personnages, se cherchait ailleurs que dans le présent »[2]. Lorsque la barrière s'ouvre, lorsque le mouvement tangentiel, à la fois de fuite et de transgression, s'accomplit sans résistance, a ors c'est comme si au temps se substituait un autre temps, comme si aux lieux familiers se substituait une autre étendue :

Malgré elle, Élise tendait l'oreille à ces bruits qui lui parlaient d'un monde où il lui semblait parfois qu'elle perdait pied, comme si, *à ce monde visible, un autre se substituait*, invisible, mais d'une réalité plus forte[3].

De même, dans son *Journal*, parlant d'une visite au Louvre où il a contemplé l'*Enlèvement d'Europe* par Francesco di Giorgio, Green écrit :

Devant une peinture comme celle-là, j'ai l'impression que le monde disparaît, ou plutôt qu'*un autre monde se substitue au nôtre*[4].

1. *Moïra*, p. 167.
2. *Épaves*, p. 39.
3. *Si j'étais vous*, p. 196.
4. *Journal*, 8 octobre 1931.

La substitution d'un monde à un autre monde, ou, pour parler plus explicitement, de la transcendance à la réalité immanente, voilà sans doute l'objet essentiel du roman greenien. Sous cet aspect, il n'est pas sans ressembler au roman bernanosien, qui, lui aussi, se donne pour tâche de dépeindre la relation du surnaturel avec la vie ordinaire, — à cette différence près cependant, que, plus insidieux dans ses démarches, plus patient et moins brutal dans ses effets, Green évite de décrire le surgissement miraculeux et instantané de la grâce (ou de la contre-grâce) dans l'existence présente et préfère entraîner sournoisement l'esprit vers un terme qui n'appartient plus à la nature, mais qui est au-delà. Chez Bernanos, c'est la surnature qui envahit la réalité naturelle pour y terrasser l'être humain qui s'y trouve placé ; chez Green, c'est l'être humain qui, attiré par la surnature, tâche de s'acheminer vers elle en tournant le dos finalement au monde de la nature. D'où, en dépit du caractère privilégié que prennent chez Green les moments de bonheur et de paramnésie, une insistance dont on ne saurait trouver l'équivalent chez Bernanos, sur le mouvement qui conduit à un terme, sur la force qui entraîne et dirige celui qui en est l'objet vers quelque point final. A la substitution d'un monde à l'autre correspond chez Green la substitution d'une volonté à une autre : « Et brusquement il lui sembla qu'elle devenait la proie d'une force irrésistible, qu'elle n'agissait plus par elle-même, mais qu'*une volonté étrangère se substituait à la sienne* »[1]. Il n'y a pas de passage d'un monde à l'autre sans abdication et livraison de soi à une volonté autre. Telle est la leçon qui ressort du roman greenien : roman curieusement prédestinationiste, qui, pour mener son héros à la damnation ou au salut, lui fait confier son sort à une pensée transcendante et volontaire dont il suivra les ordres, ordres qui, décidés dans un

1. *Le Malfaiteur*, p. 62.

passé absolu, vaudront pour un futur absolu. Aussi le roman greenien n'est-il pas seulement celui d'un être qui s'achemine vers quelque transcendance déterminante, mais aussi celui d'un être qui à l'avance et dès le moment où il apparaît sur la scène, est le prisonnier de cette transcendance vers laquelle il s'achemine. L'angoisse greenienne, c'est au fond l'angoisse de celui qui se sait lié à un destin particulier : « J'avais mon crime à commettre », dit tel personnage de Green [1], reconnaissant l'absolue dépendance de son présent à l'égard d'un futur spécifié. « Toutes les années qui viendraient ensuite seraient marquées de ce que j'allais faire », dit un autre [2], approfondissant encore le champ de cet avenir prédéterminé. Et un troisième « voit la succession des jours depuis son enfance aboutissant à l'insupportable minute qu'elle vit à présent » [3]. — Des deux côtés de l'« insupportable minute », le temps s'étend donc à perte de vue, le temps des préparations et le temps des conséquences, le temps qui dans le passé comme dans le futur se conforme à ce que doit être un destin décidé surnaturellement. Sans doute, c'est dans une minute, et dans une minute seulement, que l'être greenien se commet, pèche, tue et se damne. L'acte par lequel il se perd n'est pas moins foudroyant que celui par lequel le personnage bernanosien fait éclater la durée. Mais la différence est là : chez Green, l'acte instantané ne fait pas éclater le temps, il le confirme, il l'accomplit, il lui confère un caractère d'éternité infernale : « Et le geste fut fait avant qu'elle s'en rendît compte, tellement elle y avait songé » [4]. — Dans l'acte instantané par lequel il s'accomplit, le personnage greenien parachève et éternise son existence. Et cette continuité

1. *Les clefs de la mort*, p. 184.
2. *L'Autre Sommeil*, p. 165.
3. *Le Malfaiteur*, p. 258.
4. *Minuit*, p. 18.

éternelle d'un acte pourtant lui-même sans durée est comparable au murmure continu par lequel, en sourdine, la parole du roman greenien accompagne ce qui s'accomplit : « Grand cri d'angoisse et de peur »[1] de l'être menacé d'être enfermé à tout jamais dans son destin propre.

1. *Le Malfaiteur*, p. 179.

TABLE DES MATIÈRES

Achevé d'imprimer sur les presses
de Cox and Wyman Ltd (Angleterre)

Dépôt légal n° 10149, Janvier 1990

CNE : Section Commerce et Industrie
Monaco : 19023